미국 교과서로 영어 공부하기

미국의 역사

허쉬 E.D.Hirsch, Jr. 저
신준수 편역

What Your First Grader Needs To Know Chapter Ⅱ. History and Geography
What Your Second Grader Needs To Know Chapter Ⅱ. History and Geography
What Your Third Grader Needs To Know Chapter Ⅱ. History and Geography
What Your Fourth Grader Needs To Know Chapter Ⅱ. History and Geography
What Your Fifth Grader Needs To Know Chapter Ⅱ. Geography, World Civilization and American Civilization
What Your Sixth Grader Needs To Know Chapter Ⅱ. Geography, World Civilization and American Civilization

미국 교과서로 영어 공부하기

미국의 역사

책을 내면서

미국 교과서에서 배우는 미국의 역사, 영어로 읽기

우리는 정치, 경제, 사회, 문화 등 모든 영역에서 미국의 영향을 너무나 많이 받고 있다. 그렇지만 미국이 어떤 나라인지 잘 알지 못하고 있는 것이 현실이다. 미국을 제대로 알고 이해하기 위해서는 먼저 미국의 역사를 공부해야 한다. 특히 미국 사람이 쓴 미국 교과서에 나오는 미국 역사를 공부하는 것은 미국인의 문화와 사고를 직접 경험할 수 있는 기회가 될 수 있다. 이 책은 바로 외국인으로서 미국 교과서를 통해 미국의 역사를 직접 공부할 수 있는 기회를 제공하기 위한 생각에서 기획되었다.

미국에는 국정 교과서 또는 검정 교과서라는 개념이 없다. 그래서 학교에서 가르치는 교과서는 셀 수 없이 많다. 물론 그중에는 많은 학교에서 채택하고 있는 정평 있는 교과서들과 그렇지 않은 것들이 있다. 이 책은 미국의 많은 학교에서 많은 학생들이 공부하고 있는 교과서이다.

이 책은 미국 버지니아 대학의 허쉬 E.D.Hirsch 교수(영문학)가 편찬한 6권짜리 초등학생용 교과서(THE CORE KNOWLEDGE SERIES)에서 미국 역사 부분을 발췌하여 한 권으로 정리한 것이다. 그가 초등학생용 교과서를 만든 데는 이유가 있었다. 자신의 경험에서 나온 것이었다. 자신이 가르치고 있는 대학생들의 문화적 기초 지식이 너무도 부족하다는 것이었다. 그래서 그는 대학생이 지녀야 할 지식을 한 권의 책으

로 만들었다. 『문화 교양 사전 The Dictionary of Cultural Literacy』(1988년)이란 책이었는데, 나오자마자 베스트 셀러가 되었다. 이후 그는 그와 같은 문제 의식을 바탕으로 초등, 중등 교과서를 집필하게 되었다. 그가 집필한 교과서들은 현재 미국의 많은 학교에서 사용되는 매우 비중이 높은 교과서가 되었다.

이 책은 영한 대역의 형식을 취했다. 그 이유는 영어로 된 미국의 교과서를 공부하면서 미국 현지에서 정통적으로 쓰이는 교과서식 영어를 맛볼 수 있으리라고 생각했기 때문이다. 이 책에 사용된 영어는 미국의 많은 학교에서 미국의 학생들이 배우는 어휘와 문장들이다. 쉽게 쓰여 있을 뿐만 아니라, 기본이 되는 영어 어휘들이 망라되어 있고, 문체 또한 매우 간결하다. 따라서 이 책을 읽는 분들은 좋은 영어 문장과 정선된 내용의 맛을 느낄 수 있을 것이다. 특히 이 책은 조기 유학을 준비하고 있는 학생들에게 영어와 미국의 역사를 동시에 공부할 수 있는 좋은 도구가 될 수 있다고 생각한다.

아무튼 이 책이 독자들에게 미국의 역사를 공부하면서 미국의 학교에서 배우는 영어도 공부하는 기회가 될 수 있다면 좋겠다.

편역자

CONTENTS

차례

Chapter 1 FROM DISCOVERY TO COLONIES

아메리카의 발견에서 식민지 시대까지

Chapter 2 THE REVOLUTIONARY WAR AND NEW NATION

독립 전쟁과 새로운 국가

Chapter 3 THE CIVIL WAR AND RECONSTRUCTION
남북 전쟁과 남부 재건

Chapter 4 WESTWARD EXPANSION AND THE FRONTIER
서부로의 확장과 프론티어 정신

Chapter 5 WORLD WAR I AND THE GREAT DEPRESSION

제1차 세계 대전과 대공황

Chapter 6 WORLD WAR Ⅱ AND THE COLD WAR
제2차 세계 대전과 냉전

Chapter 7 UPHEAVAL IN THE SIXTIES

1960년대의 대변동

Chapter 1

FROM DISCOVERY TO COLONIES

아메리카의 발견에서 식민지 시대까지

Chapter 1

FROM DISCOVERY TO COLONIES

The First Americans

The story of our country begins with the first people who lived here. These people are often called Indians because Columbus gave the people he met in the New World the wrong name. He thought he was in Asia, which he called "the Indies." In this book, we call these people by the term they usually use for themselves, American Indians. You may also hear them called Native Americans.

The ancestors of the American Indians came from Asia long, long ago. They came during the Ice Age when the oceans were lower and Alaska was attached to Asia by a land bridge. Then, about twelve thousand years ago, when the ice melted, the land bridge was covered by ocean water. Twelve thousand years ago! You can see how long the Indians have been in America – many centuries before the Greeks and Romans started their cities.

The first Americans who came over the land bridge probably followed the animals they hunted. They spread from Alaska to the tip of South America. These people were not all alike. They must have come from different parts of Asia. They must have come at different times. They certainly settled in

제1장 아메리카의 발견에서 식민지 시대까지

최초의 아메리카 인

미국의 역사는 처음에 이 땅에 살고 있었던 사람들에 대한 이야기로부터 시작된다. 이 사람들은 보통 인디언으로 불린다. 왜냐하면 콜럼버스가 신대륙에서 본 사람들에게 잘못된 이름을 붙여 주었기 때문이다. 그는 자신이 아시아에 있다고 생각했기 때문에 그곳을 '인디즈'라 불렀다. 이 책에서는 그들이 자신들을 가리키는 말인 '아메리카 인디언'이라 부르기로 한다. 그들을 '아메리카 원주민'이라고 부르는 것도 들어 보았을 것이다.

아메리카 인디언의 선조는 아주 오래 전에 아시아로부터 왔다. 그들은 빙하기에 아메리카에 건너왔는데, 그때는 해수면이 낮았고, 알래스카가 아시아와 지협(커다란 두 육지를 연결한 좁고 잘록한 땅)으로 연결되어 있었다. 그런데 약 1만 2천 년 전에 얼음이 녹아 지협이 해수면 아래로 잠겼다. 그러한 일이 1만 2천 년 전에 있었다! 인디언들이 아메리카에 얼마나 오랫동안 있었는지 알 수 있을 것이다. 그것은 그리스와 로마 사람들이 그들의 도시를 건설하기 훨씬 전의 일이었다.

지협을 건너온 최초의 아메리카 인들은 아마 자신들이 쫓고 있던 동물들을 따라왔을 것이다. 그들은 알래스카에서 남아메리카의 끝까지 흩어졌다. 그들은 모두 같은 종족의 사람은 아니었다. 그들은 아시아의 다른 여러 곳에서 왔을 것이다. 또 서로 다른 시기에 왔을 것이다. 그들은 신대륙의 여러 곳에 정착했고, 각각 자신들이 정착

인디언 주거지 유적
콜로라도 메사베르데 국립공원에 위치해 있다. 12세기 무렵, 절벽의 움푹 파인 곳에 햇볕에 말린 벽돌로 지은 인디언의 주거지 유적이다.

different types of places in this New World and adapted themselves to the lands they settled. In Mexico and Central and South America they built cities and temples and called themselves the Maya, the Aztecs, and the Incas.

East of the Mississippi

Unlike the Plains Indians, who followed the buffalo over great distances, the tribes that lived east of the Mississippi tended to remain in smaller areas. They had what is called a Woodland culture. That means they found all of their food by fishing, hunting, and gathering berries, fruits, and nuts.

Later, as they began to plant and harvest crops, many of the Eastern tribes built homes out of the materials available around them, like mud or thatch. They planted beans, squash, and pumpkins, but corn or "maize" was the most

한 곳에 적응했을 것이다. 그들은 멕시코와 중 · 남부 아메리카에서 도시와 사원을 건설하고, 자신들을 마야 인, 아스텍 인, 또는 잉카 인이라 불렀다.

미시시피 강 동쪽

매우 먼 거리를 버팔로를 뒤쫓아 온 대평원의 인디언들과는 달리, 미시시피 강 동쪽에 살고 있던 부족들은 좁은 지역에 그대로 남아 있으려고 했다. 그들은 이른바 삼림 지대 문화를 갖고 있었다. 즉, 어로, 사냥, 과일 · 나무열매 · 견과류 채집으로 식량을 마련했다.

나중에 동쪽의 많은 부족들은, 작물을 심어 곡식을 수확하게 되면서부터, 주변에서 쉽게 구할 수 있는 흙이나 짚과 같은 재료로 집을 지었다. 그들은 콩, 오이, 호박 등을 재배했다. 그런데 무엇보다도 가장 중요한 작물은 옥수수였다. 옥수수를 재배한다는 아이디어는 멕시코 원주민들로부터 그들에게 전해진 것 같다.

옥수수와 다른 작물들을 재배하게 되자 아메리카 원주민 농부들은 먹을 것이 풍부해졌다. 그러자 농장을 갖고 있지 않은 사람들은 식량을 구하기 위해 그들을 습격해 식량을 빼앗으려고 생각하게 되었다. 농경 부족들은 자신들과 자신들의 식량을 지키기 위해 마을 주위에 방어용 담을 세워야 했다.

옥수수를 심고 수확하게 되자 인디언 여자들의 생활은 크게 달라졌다. 여자들은 보통 들판에서 몹시 고된 노동을 해야 했다. 여자들은 부족의 생활을 향상시키기 위해 농사짓는 기술을 솜씨 있게 발전시켰다. 예를 들어 버지니아의 포우하탄족은 사슴뿔로 만든 갈퀴와 나무괭이를 사용했다. 남자들은 수확한 곡식을 지키기 위해 점점 전사가 되어 갔다. 그들은 또 사냥과 어로를 했다. 그들은 어살(물고기를 잡는 장치)을 쳐서 물고기를 잡기도 했다.

important crop for most. The idea of growing corn might have come to them from the natives of Mexico.

Growing corn and other crops gave some Native American farmers a lot to eat, but it probably tempted others without farms to attack them for food. The farming tribes had to build stockades around their villages to protect themselves and their crops.

The planting and harvesting of the corn changed the lives of Indian women greatly. The women usually did all of the back-breaking work in the fields. They cleverly developed farming techniques that improved the life of the tribe. For instance, the Powhatans in Virginia used rakes made from deer antlers, and wooden hoes. More and more the men became warriors to protect the crops. They did the hunting and fishing, too, trapping fish in woven fences called weirs.

There were different groups of Indians in different parts of the East. Some Indians, who traveled through the forests hunting, set up temporary wigwams and slept on mats. The wigwams were tents made of animal skins or bark. Others lived in more permanent dwellings, like the log-covered longhouses built by the Iroquois. One chief of the Natchez Indians had a wide bed with painted columns. And the explorer De Soto met Native Americans who built both summer, and winter houses. During the summer, the tribes who lived in what is now Florida often slept in wooden frames with roofs but no walls. In the winter they moved into houses with walls plastered in mud. These houses, when warmed by a fire, stayed hot all night.

동쪽의 여러 지역에는 여러 인디언 부족이 있었다. 어떤 인디언들은 숲을 따라 돌아다니면서 사냥을 했는데, 임시로 위그웜을 치고 매트 위에서 잠을 잤다. 위그웜이란 동물의 가죽이나 나무껍질로 만든 텐트였다. 다른 인디언들은 이로쿼이족이 만든 긴 통나무집처럼 훨씬 오래 갈 수 있는 집에서 살았다. 나체스족 인디언의 한 부족장은 색칠된 다리가 있는 넓은 침대를 갖고 있었다. 또 에스파냐의 탐험가 데 소토는 여름에 사는 집과 겨울에 사는 집을 각각 따로 가진 아메리카 원주민을 만났다고 한다. 현재 플로리다에 살고 있는 그 부족은 여름에는 지붕만 있고 벽은 없는 나무골조 집에서 잠을 잔다. 겨울에는 흙으로 만든 벽이 있는 집으로 이동한다. 이러한 집들은 한번 데워지면 밤새 온기가 유지되었다.

매우 놀라운 사건

이상하다고 생각하겠지만, 수천 년 동안 불과 몇 척의 배만이 유럽에서 남·북 아메리카에 '우연히' 도착했다. 그리고 그런 배들에 관한 사실은 잊혀졌다. 그래서 크리스토퍼 콜럼버스는 유럽에서 출발했을 때 자신들이 탄 배가 바로 아시아로 가게 될 것이라고 생각했다. 그리고 아시아로 가는 길은 멀지 않을 것이라고 생각했다. 그는 거대한 태평양이 있으리라고는 생각조차 못했다. 그래서 그는 남·북 아메리카 근처의 땅을 우연히 밟게 되자 매우 놀랐다.

그 일은 다음과 같은 이유 때문에 일어났다. 에스파냐의 이사벨라 여왕과 페르디난드 왕은 콜럼버스에게 배와 선원을 마련해 주어 '인디즈'라 불리는 아시아로 가게 했다. 왕과 여왕은 신대륙을 발견하는 데는 관심이 없었다. 그들은 유럽에서 팔 수 있는 아시아의 후추와 향료를 원했다. 많은 돈을 벌고 싶었던 것이다. 또 자신들의 종교도 전파하고자 했다.

The Big Surprise

It may seem strange to you, but for thousands of years only a few ships from Europe had "bumped into" North or South America. The few that had done so were forgotten. So when Christopher Columbus set sail from Europe, he thought his ships would go straight to Asia. He also thought it would be a short trip. He didn't even know that the huge Pacific Ocean existed. It was a big surprise when he bumped into land near North and South America.

This is the way it happened. Queen Isabella and King Ferdinand of Spain had given Columbus ships and sailors to go to Asia, which they called the "Indies." The King and Queen weren't interested in finding new continents. They wanted to get pepper and spices from Asia that they could sell in Europe. They hoped to make a lot of money. They also wanted to spread their religion.

Do you think it's strange that Columbus and the King and Queen would go to all that trouble just for pepper? Well, they didn't have refrigerators to keep their meat from spoiling. Their dinners didn't taste very good at all! They believed the pepper would keep the meat fresher, and the spices would cover up other bad tastes. They didn't know how to grow their own pepper.

Columbus Finds a New World

Columbus and his men set sail for Asia. They sailed and sailed

콜럼버스와 왕과 여왕이 단지 후추 때문에 그런 고생을 계획했다는 것이 이상하다고 생각하는가? 그들에게는 고기가 썩지 않도록 보관할 수 있는 냉장고가 없었다. 그들이 먹는 음식도 결코 맛있는 것이 아니었다! 그들은 후추를 뿌리면 고기를 신선하게 보관할 수 있고, 향료를 넣으면 다른 나쁜 맛을 없앨 수 있다고 믿었다. 하지만 그들은 후추를 재배하는 법은 몰랐다.

크리스토퍼 콜럼버스 1451~1506
콜럼버스 이전에도 아메리카 대륙에 도착한 사람들이 있었다. 하지만 콜럼버스에 의해 아메리카 대륙의 존재가 확인되었고, 탐험, 정복, 식민으로의 길이 열렸다. 그래서 그를 아메리카 대륙의 '발견자'로 부른다.

콜럼버스가 신대륙을 발견하다

콜럼버스와 그의 선원들은 아시아를 향해 출범했다. 그들은 두 달간 계속 항해를 했다. 그래서 그들은 길을 잃었다고 생각했다. 그들에게는 세 척의 작은 배만 남았다. 니나호, 핀타호, 그리고 산타 마리아호였다. 선원들은 콜럼버스에게 돌아가자고 말하려 했는데, 바로 그때 섬 하나를 발견했다. 그들은 그 섬을 '인디즈' 가까이에 있는 섬이라고 생각했다. 그래서 그들은 아메리카 원주민들에게 잘못된 이름을 붙였던 것이다. 콜럼버스와 그의 선원들은 그들을 '인디언'이라 불렀다. 이들 아메리카 원주민의 후손들은 지금도 스스로를 인디언이라 부르고 있지만, 아메리카 원주민이라 불리기도 한다. 이 책에서는 두 가지 이름이 모두 사용되고 있다.

for two months, so long they thought they were lost. They had only three little ships : the Nina, the Pinta, and the Santa Maria. The sailors were just about to make Columbus turn back when they saw an island. They thought this was near the "Indies." That's why they gave the natives of America the wrong name. They called them "Indians." Descendants of these natives of America still call themselves Indians, but they are also called Native Americans. You'll hear both names in this book.

Columbus and his men had come upon a New World. That was in the year 1492.

Horses and Guns

After Columbus claimed the new lands for Spain, many Spaniards came to North and South America. They battled and defeated the Indians they met. Are you surprised that small bands of Spanish soldiers could win battles over much larger numbers of Indian warriors? They won because their weapons were much stronger than those of the Indians.

The Spanish soldiers had swords, guns, and cannons. The Indians had only spears and arrows. The Spanish wore armor, which is a helmet and coat made of steel. Do you think that would protect them from spears and arrows? The Indians probably had wood and leather shields. Would that protect them from Spanish weapons?

The Spanish soldiers rode horses, too. The Indians had never seen a horse before. They thought the horse and the rider were one animal. Think how frightening that would be!

콜럼버스와 그의 선원들은 우연히 신대륙에 도착했다. 1492년의 일이었다.

콜럼버스의 상륙
아메리카 대륙에는 1만 년 전보다 더 오랜 시기부터 원주민이 살고 있었다. 인디언들의 인구는 15세기 말 무렵에 약 800만 명이었다는 주장도 있고, 1억 명에 가까웠다는 주장도 있다. 그들의 입장에서 보면 콜럼버스는 신대륙을 '발견'한 것이 아니라 '알려지지 않은 대륙에 우연히 도착한 것'이었다.

말과 총

콜럼버스가 새로운 땅을 에스파냐의 영토라고 선언한 뒤 많은 에스파냐 사람들이 남·북 아메리카로 왔다. 그들은 자신들이 만난 인디언들과 싸워서 이겼다. 소규모 에스파냐 군대가 그렇게 많은 인디언 전사들과 싸워 이겼다는 사실이 놀랍지 않은가? 그들의 무기가 인디언의 무기보다 훨씬 강했기 때문에 이겼던 것이다. 에스파냐 병사들은 칼, 총, 대포를 갖고 있었다. 그러나 인디언들은 창과 화살밖

Smallpox

But something even more important worked against the Indians. They caught a disease from the Spanish. The Indians had never been exposed to the diseases of the Old World. When they got smallpox, millions of Indians died before they had the chance to fight the Spanish.

England Enters

Over one hundred years after Columbus, the Europeans who first settled our country came from England. For a long time, England had been fighting Spain. English ships would try to capture Spanish ships coming from America, carrying silver and gold taken from the Aztecs and Incas.

England saw that Spain was going to own a big part of the rich "New World." The men who worked for the Queen of England wanted some of the treasure of America for themselves.

An Englishman named Sir Walter Raleigh set out to start a colony in North America. Several of Sir Walter Raleigh's ships struggled across the ocean to an island off present-day North Carolina. But the English people that Raleigh sent over didn't bother to plant corn. Instead they dug for gold, which they didn't find. To get food, they had to depend on trading for it with the Indians.

Does it seem like a very good idea to quarrel with people who are giving you food? NO! But the English bragged about

에 갖고 있지 않았다. 에스파냐 인들은 쇠로 만든 헬멧과 외투 등 갑옷을 입고 있었다. 그래서 그들은 인디언들의 창과 화살로부터 몸을 보호할 수 있었다. 그에 비해 인디언들은 나무나 동물 가죽으로 만든 방패를 가지고 있었을 것이다. 인디언들이 에스파냐의 무기로부터 자신을 보호할 수 있었을까?

또 에스파냐 병사들은 말을 타고 있었다. 인디언들은 그 전에는 말을 본 적이 없었다. 그들은 말과 말에 탄 사람이 하나의 동물이라 생각했다. 얼마나 놀랐겠는가?

천연두

그러나 인디언들에게 매우 치명적인 일이 발생했다. 그들은 에스파냐로부터 건너온 병에 걸렸던 것이다. 인디언들은 구대륙(유럽)의 병에 한 번도 노출된 적이 없었다. 그들은 천연두에 걸려 미처 에스파냐 군대와 싸워보지도 못하고 수백만 명이 죽고 말았다.

영국이 왔다

콜럼버스 이후 100년 이상 지나서 아메리카에 제일 먼저 정착한 유럽 인들은 영국인들이었다. 당시 영국은 오랫동안 에스파냐와 싸우고 있었다. 영국의 배들은, 아스텍과 잉카에서 빼앗은 은과 금을 싣고 아메리카에서 오는 에스파냐 배들을 약탈하려고 했다.

영국은 에스파냐가 풍부한 '신대륙'의 대부분을 차지하려 한다고 생각했다. 영국 여왕의 신하들은 아메리카의 보물 중 얼마라도 자기 것으로 만들고 싶었다.

월터 롤리 경이라는 한 영국인이 북아메리카에 식민지를 만들기 위해 출발했다. 그가 이끄는 몇 척의 배들은 힘겨운 항해 끝에 지금

their cities and their religion because they thought they were so much better than the Indians. The Indians refused to give them any more food. So the English had to go home.

The Jamestown Colony : Hard Beginnings

John Smith was the leader of Jamestown, the first continuing English colony in America. There was an English settlement before Jamestown, on an island off what is now North Carolina, but this settlement didn' t last.

In April of 1607, about a hundred English colonists sailed into the Chesapeake Bay off the Virginia coast. Their voyage across the Atlantic had been paid for by a group called the Virginia Company. The Virginia Company was made up of people who provided money to pay for the settlement in hopes that they would get back more money in return.

The settlers landed on a site off the James River and called their settlement Jamestown. The settlers had unknowingly landed in a swampy, mosquito-infested area. Many settlers died of malaria, a disease carried by mosquitoes. Although about one hundred settlers had originally come to Jamestown, by Christmas of the first year, only thirty-two remained alive.

These original settlers came to America to get rich. They hoped, like the Spaniards who had conquered the Incas and Aztecs, to find gold, silver, and other riches that they could get by trade or force from the American Indians.

의 노스캐롤라이나 앞 바다에 있는 한 섬에 도착했다. 그런데 그가 신대륙에 데려다 준 영국인들은 옥수수를 재배하려 하지 않았다. 대신 그들은 금을 찾아 나섰지만 찾지 못했다. 그들은 식량을 얻기 위해 인디언과 거래를 할 수밖에 없었다. 식량을 주는 사람들과 싸운다는 것이 현명한 일일까? 물론 현명하지 못한 일이다. 그러나 영국인들은 자신들의 도시와 종교가 인디언들의 것보다 우월하다고 생각했기 때문에 자부심이 강했다. 인디언들은 더 이상 식량을 주지 않으려 했다. 그래서 영국인들은 고향으로 돌아가야만 했다.

제임스타운 식민지 : 힘든 출발

존 스미스는 아메리카 최초의 영국 식민지인 제임스타운의 지도자였다. 제임스타운 이전에도 지금의 노스캐롤라이나 앞 바다에 있는 섬에 식민지를 건설하기도 했지만 오래가지는 못했다.

1607년 4월, 약 100명 정도의 영국인 식민지 이주자들이 버지니아 연안의 체서피크 만에 도착했다. 버지니아 컴퍼니라는 그룹이 그들에게 대서양 횡단 비용을 대주었다. 버지니아 컴퍼니는 식민지에 돈을 투자하는 사람들의 회사였다. 그들은 투자한 돈을 불려서 되돌려 받기를 기대했다.

이주자들은 제임스 강 근처에 상륙했고, 자신들의 정착지를 제임스타운이라 불렀다. 그들은 그곳이 늪지대이고 모기가 많은 곳인 줄 몰랐다. 많은 이주자들이 모기가 전염시키는 말라리아에 걸려 죽었다. 원래 약 100명 정도의 이주자가 제임스타운에 왔지만 첫해 크리스마스 무렵에는 32명밖에 남지 않았다.

이 최초의 이주자들은 부자가 되기 위해 아메리카에 왔다. 잉카나 아스텍을 정복한 에스파냐 사람들처럼 아메리카 인디언과의 무역으로, 아니면 폭력으로 금과 은, 그리고 다른 귀중품을 얻기를 바랐다.

But the Jamestown settlers found no gold or silver among the Indians they encountered, who were part of the Algonquin Confederacy. The settlers were disappointed and began to argue among themselves until John Smith took charge and ordered everyone to work. Those who did not work, said Smith, would not eat. Still, there was not enough food at first. The settlers suffered through what was called "the starving time."

The settlers got some food from the Indians, sometimes by taking it, sometimes by trading things like tools and kettles for corn. The Indians also wanted English guns, but John Smith would not trade them.

The Pilgrims at Plymouth

The second English colony was Plymouth in what is now Massachusetts. The Pilgrims arrived here in 1620 on the Mayflower, but their reasons for coming were very different from the Virginia colonists' reasons. The Pilgrims could not practice their religion in England without being punished, so they wanted to find a place where no one would bother them. They set sail for Virginia, but storms blew them much farther north, where they finally landed.

The Pilgrims elected William Bradford as their governor. While still on board the Mayflower, Bradford helped write a plan of government for the Plymouth Colony, called the Mayflower Compact. The Mayflower Compact is important

포카혼타스 1595~1617
아메리카 인디언 포우하탄족 추장의 딸. 버지니아 식민지 건설의 지도자 중 한 사람이었던 존 스미스와 그의 병사들이 포우하탄족에게 붙잡혔을 때 추장에게 스미스를 살려달라고 빌었던 사람이 바로 당시 11살의 나이였던 포카혼타스라고 한다. 그래서 그녀가 17살 때 식민지 이주자들에게 붙잡혔지만 매우 친절한 대우를 받았다고 한다. 그녀는 제임스타운에서 담배 재배에 성공한 영국인 존 롤프와 결혼했다. 그녀는 원주민들에 대한 기독교 보급과 담배 재배가 순조롭다는 것을 선전하기 위해 1616년 런던에 보내졌다. 런던에서 상류 사회 사교계에 데뷔하여 환영받았지만, 1617년 봄 귀국을 앞두고 병으로 죽었다.

그러나 제임스타운 이주자들은 자신들이 만난 알곤퀸 부족 동맹에 속한 인디언들에게서 금이나 은을 발견할 수 없었다. 그들은 실망하여 자기들끼리 다투기 시작했다. 그래서 존 스미스가 책임자가 되어 모두 일을 하라고 명령했다. 스미스는 "일하지 않는 자는 먹지도 말라."고 말했다. 하지만 처음부터 먹을 것이 부족했다. 이주자들은 '기아의 시기'라 불리는 기간 동안 고통을 당했다.

이주자들은 인디언들로부터 빼앗거나 도구나 주전자 등을 옥수수와 바꾸어 식량을 마련했다. 인디언들은 영국인이 갖고 있는 총도 갖고 싶어 했다. 그러나 존 스미스는 총은 거래하지 않았다.

플리머스의 순례자들

영국의 두 번째 식민지는 지금의 매사추세츠에 있는 플리머스였다. 순례자들은 1620년에 메이플라워호를 타고 이곳에 도착했다. 그들이 이곳에 온 이유는 버지니아에 온 이주자들과는 달랐다. 순례자들은 영국에서는 자신들의 종교 활동을 하게 되면 처벌 받아야 했

because it is one of the first times settlers in the New World freely agreed to write down the rules and laws by which they would govern themselves.

The people at Plymouth suffered like the first Virginians. They almost starved, and they too were helped by Algonquin-speaking natives, who gave them corn. The next year, 1621, they had a good crop and had a celebration to give thanks to God for helping them. The Indians always held a thanksgiving in the fall, when the crops were safely harvested, so the Pilgrims probably got the idea from them.

Massachusetts Bay : The Puritans

Another group of English colonists soon followed the Pilgrims across the Atlantic to New England. They were called Puritans because they wanted to "purify" or change the Church of England. They thought their Church and country were becoming corrupt. The English king, Charles I , didn' t trust the Puritans and didn' t like the changes they sought. He threw many Puritans in jail and kept others from holding important jobs.

In 1629 a determined group of Puritans decided to leave England and settle in America. They hoped to establish a Christian community that they believed, would become an example for the world to see. "We must consider," said the leader of the Puritans, John Winthrop, "that we shall be a city

다. 그래서 누구도 그들을 방해하지 않는 곳을 찾으려 했다. 그들은 버지니아를 향해 항해했으나 폭풍 때문에 훨씬 북쪽으로 흘러가 그곳에 상륙했다.

순례자들은 윌리엄 브래드포드를 자신들의 통치자로 뽑았다. 그는 다른 사람들과 함께 메이플라워호를 타고 항해하던 도중에 이미 플리머스 식민지 통치 계획서를 썼다. 바로 '메이플라워 서약서' 였다. 메이플라워 서약서는 신대륙에 온 이주자들이 자치를 위해 자발적으로 동의하여 쓴 규칙과 법률의 최초의 것 중 하나이기 때문에 매우 중요하다.

플리머스에 온 사람들은 최초로 버지니아에 온 사람들과 비슷한 고통을 겪었다. 그들은 거의 굶어 죽을 지경이었는데, 그들도 역시 알곤퀸족으로부터 옥수수를 얻을 수 있었다. 다음 해인 1621년, 그들은 풍작을 이루어 그들을 도와 준 신에게 감사하는 축제를 열 수 있었다. 인디언들은 가을이면 항상 무사히 수확을 마치게 해 준 신에게 감사하는 축제를 열었다. 순례자들은 인디언들의 축제를 보고 추수감사절을 생각하게 되었다.

메이플라워호
1620년 9월 16일, 필그림 파더즈(Pilgrim Fathers)는 메이플라워호를 타고 플리머스에 도착했다.

upon a hill." The words from the Bible, "a city upon a hill," made the Puritans feel that they would be plainly visible to people who would be watching to see if they succeeded or failed.

The first Puritans arrived in 1630 in an area that came to be called the Massachusetts Bay Colony (named after an Indian tribe in the region). Soon many more Puritans crossed the Atlantic. Puritan communities in New England grew and prospered. In the years ahead, Boston would become the biggest town in the colony.

Some of the things the Puritans did might seem strict or harsh to us today. For example, the Puritans were not supposed to dance or play cards. If someone did something considered sinful, the Puritans might lock him in the stocks, or brand him, or force him to leave the settlement. Of course, the Puritans were not always this strict and stern, but these are the characteristics that people think of today when they describe someone as "puritanical."

The Puritans' strong beliefs also led to some important innovations. Because they wanted everyone to be able to read the Bible, the Puritans required that their communities establish grammar schools. In 1636 the Puritans established the first college in America, Harvard, where young men could study to become ministers. (Harvard, in Cambridge, Massachusetts, is now a world-famous university where men and women can study a wide range of subjects.)

The Puritans were hard on members of their community

매사추세츠 만 : 청교도

영국에서 또 다른 이주자들이 곧 바로 대서양을 건너 '뉴잉글랜드' 로 왔다. 그들은 영국의 교회를 '깨끗이' 하거나 변화시키기를 원했기 때문에 '청교도(퓨리턴)' 로 불렸다. 그들은 교회와 국가가 타락해졌다고 생각했다. 영국 왕인 찰스 1세는 청교도들을 신뢰하지 않았고, 청교도들이 바라는 변화도 좋아하지 않았다. 그는 많은 청교도들을 감옥에 보냈고, 청교도들이 중요한 관직에 나가지 못하게 막았다.

1629년, 한 신념이 강한 청교도 집단이 영국을 떠나 아메리카로 이주하기로 자신들의 행로를 결정했다. 그들은 세상에 모범이 될 '크리스트 교도 공동체' 를 건설하고 싶었다. 청교도 지도자인 존 윈스롭은 "우리는 언덕 위의 도시를 만드는 것을 고려해 봐야 한다."라고 말했다. '언덕 위의 도시' 란 말은 성경에 나오는 구절이다. 이 말은 청교도들에게, 성공할지 실패할지 지켜보고자 하는 사람들에게 자신들의 모습을 쉽게 보여 줄 수 있다고, 생각하게 해 주었다.

최초의 청교도들은 1630년에 매사추세츠 만 식민지(이 지역 인디언 부족의 이름을 따서 지은 이름)라고 불리게 된 지역에 도착했다. 뒤이어 더 많은 청교도들이 대서양을 건너 왔다. 뉴잉글랜드 지방의 청교도 사회는 성장하고 번영해 갔다. 얼마 후 보스턴은 식민지에서 가장 큰 도시가 되었다.

당시 청교도들의 생활은 지금의 우리가 보기에는 엄격하고 가혹한 것처럼 보일지도 모른다. 예를 들어 청교도들은 춤을 추거나 카드놀이를 할 수 없었다. 누구든지 죄가 있다고 여겨지면, 청교도들은 그를 차꼬를 채워 가두거나 낙인을 찍었고, 또는 마을에서 추방했다. 물론 항상 그렇게 엄격하지는 않았다. 그러나 그들은 오늘날 사람들이 어떤 사람을 '청교도적이다' 라고 말할 때 생각할 수 있는

who disagreed with them. One who disagreed was Roger Williams. Williams said that the Puritan leaders were wrong to take the land of the Algonquin Indians. Williams also felt it was wrong to force people to belong to one church instead of another. He was put on trial and sentenced to be sent bad to England. But Governor Winthrop let him slip away, and he began a settlement in what became Rhode Island.

More Colonies

Soon there were many other colonies between Massachusetts and Virginia, and extending south of Virginia. In one way or another, the English had a hand in the development of these colonies. Even the colony that the Dutch had begun was soon taken over by a brother of the English king, the Duke of York. Take a look at the map of the thirteen colonies. Which one belonged to the Duke of York? (See p. 49)

Two other colonies were, like the Massachusetts Bay Colony, started by people seeking the freedom to practice their religious beliefs. In England, Catholics and Quakers were sometimes punished for their beliefs. So, many Catholics and Quakers decided to leave their homes and make the hard voyage across the Atlantic to gain the freedom to worship as they chose.

The colony of Maryland was started by a Catholic, Lord Baltimore. The colony of Pennsylvania was started by a

그런 특징들을 갖고 있었다.

또한 청교도들의 두터운 신앙심은 몇 가지 중요한 혁신을 이끌었다. 청교도들은 모든 사람들이 성경을 읽을 수 있기를 원했다. 그래서 그들은 자신들의 공동체가 초등학교를 세우도록 요청했다. 1636년, 청교도들은 아메리카에 최초의 칼리지인 하버드를 세웠다. 이곳에서 젊은이들은 성직자가 되기 위한 공부를 할 수 있었다. (매사추세츠의 케임브리지에 있는 하버드 대학은 오늘날 세계적으로 유명한 대학이다. 남녀 학생들이 이곳에서 다양한 분야의 과목을 배우고 있다.)

청교도들은 공동체 내에서 자신들과 의견이 다른 사람들에게 냉혹했다. 의견을 달리한 사람 중 한 명은 로저 윌리엄스였다. 윌리엄스는 청교도 지도자들이 알곤퀸 인디언들의 땅을 차지하는 것은 잘못이라고 말했다. 또 사람들을 하나의 교회에 속하도록 강요하는 것도 잘못이라고 생각했다. 그는 재판에 회부되어 영국으로 돌아가라는 판결을 받았다. 하지만 총독 윈스롭은 윌리엄스에게 도망가도록 해 주었다. 그러자 그는 지금의 로드아일랜드에 정착지를 만들기 시작했다.

늘어나는 식민지

매사추세츠와 버지니아 사이에 곧 더 많은 식민지들이 생겼고, 버지니아 남쪽까지 확대되었다. 영국인들은 다양한 방법으로 이들 식민지를 발전시켰다. 네덜란드 사람들이 개척한 식민지들조차 곧 영국 국왕의 동생인 요크 공작이 차지해 버렸다. 13개의 식민지 지도를 한번 보라. 요크 공작의 식민지는 어느 것일까? (49쪽의 지도를 보라.)

매사추세츠 만의 식민지처럼 다른 두 개의 식민지도 자신들의 종교적인 신념을 지키기 위해 자유를 찾아 온 사람들에 의해 시작된

Quaker, William Penn. Both Maryland and Pennsylvania provided safe places for the colonists to practice the religion of their founders. They also allowed people to practice other faiths, unlike the Puritans in Massachusetts.

Because the new colonies between Massachusetts and Virginia allowed people to worship freely, and because they had good land, they grew quickly. They became a safe haven for people from many different countries, not just for the English. Sephardic Jews from Spain and Portugal found a home with the Dutch of New York. People from almost every country in Europe immigrated to New Jersey, Delaware, and Pennsylvania.

Hard Labor

One large group of people who came to the colonies did not want to come. They were brought from Africa as slaves.

When these people from Africa were put on ships for America, their lives changed overnight. They were taken from their families and countries, and they had such terrible voyages

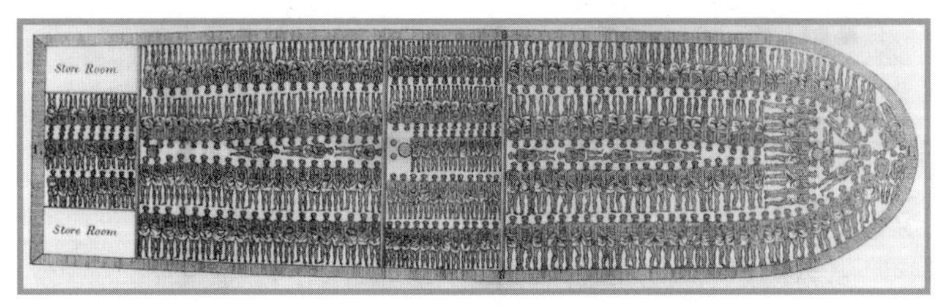

노예 수송선 설계도
노예 수송선의 설계도는 일정한 공간에 가능한 한 많은 인원을 수송하려 했다는 것을 알 수 있다. 이들은 매우 열악한 조건 속에서 항해했기 때문에 항해 중에 반 정도가 죽었다.

것이다. 당시 영국에서는 가톨릭 교도와 퀘이커 교도가 종교적 신념 때문에 박해를 받았다. 그래서 많은 가톨릭 교도와 퀘이커 교도는 자신들이 선택한 신앙의 자유를 찾아 고향을 버리고 대서양을 건너는 고난에 찬 항해를 하기로 결심했다.

메릴랜드의 식민지는 가톨릭 교도인 볼티모어 경에 의해 개척되었고, 펜실베이니아의 식민지는 퀘이커 교도인 윌리엄 펜에 의해 개척되었다. 메릴랜드와 펜실베이니아는 둘다 식민지 이주민들이 종교 생활을 하는 데 안전한 장소가 되었다. 그들은 매사추세츠의 청교도들과는 달리 다른 종교적 신념을 가진 사람들도 인정해 주었다.

매사추세츠와 버지니아 사이에 걸친 새로운 식민지들은 사람들에게 신앙의 자유를 제공했을 뿐만 아니라 땅도 비옥했기 때문에 빠르게 성장해 나갔다. 이들 식민지는 영국뿐만 아니라 다른 여러 나라에서 온 사람들에게 안전한 피난처가 되었다. 에스파냐와 포르투갈계의 유대 인들은 뉴욕의 네덜란드 사람들과 함께 정착지를 찾았고, 거의 모든 유럽 나라의 사람들이 뉴저지와 델라웨어, 그리고 펜실베이니아로 이주해 왔다.

고된 노동

식민지에 이주해 온 사람들 중 하나의 큰 집단은 자신들이 원해서 아메리카에 온 것이 아니었다. 그들은 아프리카로부터 노예로 왔다.

아프리카에서 온 사람들은 아메리카로 오는 배를 타면서부터 생활이 하룻밤 사이에 크게 달라져 버렸다. 가족과 조국으로부터 떨어져, 살아남았다는 것을 믿기 힘들 정도로, 신대륙까지 가혹한 항해를 해야 했다.

최초의 아프리카 사람들의 집단은 제임스타운에 도착했다. 영국에서 온 많은 가난한 사람들과 마찬가지로 이들 아프리카 인들은 아

to the New World it's hard to believe anyone stayed alive.

The first group of Africans arrived at Jamestown. Like many poor people who came from England, these Africans probably came as indentured servants, not slaves. Being indentured usually meant they had to work hard several years for a wealthy man who had paid for their passage to America. They received food, clothes, and shelter but no money. When their years of service were up, they were given tools, and they went off to find land of their own as best they could.

But big landowners weren't happy when their indentured servants left. They wanted more and more workers to plant tobacco. Workers were also needed on the big rice plantations farther south, and also on some farms in the North. Pretty soon, laws were passed in virginia and elsewhere that said the Africans would have to spend their entire lives working for the man who "owned" them. After that almost all Africans who came to the United States were brought as slaves.

The Colonies Grow Up

We have heard how hard it was for the first colonists in Virginia and Massachusetts just to get started. We know they were helped by the Indians, but then turned around and fought them. We've also heard how the first colonies grew and how more colonies were started. By 1763 there were around two million people in the thirteen English colonies!

Cities were slowly growing. New York City, Boston (in

마도 노예가 아니라 계약에 의해 피고용인으로 왔을 것이다. 계약에 의해 고용되었다는 것은 아메리카로 오는 항해의 운임을 부담한 부자들에게 수년 동안 힘든 노동을 제공해야 한다는 것을 뜻했다. 그들은 음식, 옷, 주거지를 제공받았지만 돈은 받지 못했다. 계약 기간이 만료되면 노동 도구들을 받아 자신의 토지를 구해 열심히 일하는 것이 예정되어 있었다.

하지만 대토지 소유자들은 이들 계약 노동자들이 자신들을 떠나는 것이 싫었다. 그들은 담배 재배를 위해 더 많은 노동자가 필요했다. 또 더 남쪽에 있는 대규모 쌀 농장과 북부의 몇몇 농장에서도 노동자들이 필요했다. 곧 바로 아프리카 출신자들은 자신들을 '소유한' 사람들을 위해 평생 일해야 한다는 법이 버지니아와 다른 지역에서 통과되었다. 그 뒤 미합중국에 온 거의 대부분의 아프리카 인들은 노예로 데리고 왔다.

식민지의 발전

앞에서 우리는 버지니아와 매사추세츠에 온 최초의 식민지 이주자들이 처음에 얼마나 어려움을 겪었는지 알아보았다. 그들은 인디언들에게 도움을 받았다. 그러나 그들은 돌변해서 인디언들과 싸웠다. 우리는 최초의 식민지들이 어떻게 성장했고, 더 많은 식민지들이 어떻게 개척되었는지도 알아보았다. 1763년쯤에는 13개의 영국 식민지에 약 200만 명이 살게 되었다.

도시들이 천천히 성장해 갔다. 뉴욕, 보스턴(지금의 매사추세츠), 그리고 찰스턴(지금의 사우스캐롤라이나)은 교역의 중심지였다. 이곳들을 통해 담배, 밀, 목재, 쌀, 그리고 모피 등이 주로 영국으로 수출되었고, 영국으로부터 가공 상품이 수입되었다. 윌리엄 펜이 설계한 다섯 개의 공원이 있는 '녹색 전원 도시'인 필라델피아는 1775년 무렵

present-day Massachusetts), and Charleston (in present-day South Carolina) were busy trading centers. From them tobacco, wheat, lumber, rice, and furs were exported mostly to Britain, and into them came manufactured goods from Britain. Philadelphia, designed by William Penn to be a "green country town" with five parks, by 1775 became the second-largest city in the British Empire. Only London was bigger.

So you might think of Britain and her thirteen colonies as being like a mother with children who have grown up. The colonies had been getting along with one another and the mother country fairly well. Also, the colonies had helped Britain fight the French in America, although not as much as Britain wanted. In return, Britain protected the colonies.

대영 제국 내에서 두 번째로 큰 도시가 되었다. 더 큰 도시는 런던뿐이었다.

대영 제국과 13개 식민지의 관계를 어머니와 성장한 자식의 관계로 생각할지도 모르겠다. 각각의 식민지는 다른 식민지나 식민지 모국과 사이가 꽤 좋았다. 영국이 아메리카에 있는 프랑스 군대와 싸울 때 영국으로서는 크게 기대하지 않았다. 그런데 식민지들은 영국을 도왔다. 이에 대한 보답으로 영국은 식민지들을 보호해 주었다.

Chapter 2

THE REVOLUTIONARY WAR AND NEW NATION

독립 전쟁과 새로운 국가

Chapter 2

THE REVOLUTIONARY WAR AND NEW NATION

The Parent Says "No"

Yes, by 1763 the colonists thought themselves to be grown-up. They were happy that the French were finally gone. Imagine their annoyance when Britain suddenly told them not to do something very important : not to move westward anymore! The Indians were to keep the land west of the Appalachian mountains ; Britain was going to take over France' s place in buying furs from them.

Also, Britain wouldn' t have to fight the Indians so often if the colonies stopped growing and taking more Indian lands for farms. Britain was tired of fighting and tired of paying for it.

Britain Wants Money

There was another big problem. To pay for the wars it was fighting elsewhere, Britain wanted more money from the colonies and began increasing taxes. Britain had earlier given the Virginians the right to have an assembly where they could decide how to run the colony. By 1763, all the colonists were

제2장 독립 전쟁과 새로운 국가

본국(영국)은 "노"라고 말했다

1763년 무렵 식민지 이주민들은 스스로를 성인이 되었다고 생각했다. 그들은 프랑스 세력이 물러난 것이 기뻤다. 그런데 영국이 갑자기 그들에게 매우 중요한 것을 하지 말라고 했을 때 그들이 얼마나 놀랐을 것인지를 상상해 보라. 영국이 그들에게 더 이상 서부로 진출하지 말하고 한 것이었다. 인디언들은 애팔래치아 산맥의 서쪽 땅을 차지하고 있었다. 영국은 프랑스를 대신하여 인디언들로부터 모피를 사려고 했던 것이다.

물론 영국은 식민지들이 더 이상 성장하지 않고, 농장을 만들기 위해 인디언의 땅을 빼앗는 것을 멈추었다면, 인디언들과 싸울 필요가 없었을 것이다. 영국은 싸움에도, 그리고 싸움의 대가를 치르는 것에도 지쳤던 것이다.

영국은 돈을 원했다

또 다른 큰 문제가 있었다. 영국은 다른 곳에서 벌이는 전쟁 비용을 마련하기 위해 식민지로부터 더 많은 돈을 원했다. 그래서 세금을 늘리기 시작했다. 영국은 전부터 버지니아에 식민지 운영을 결정할 수 있는 의회를 만들 권리를 주고 있었다. 그리고 1763년경에는 모든 식민지에서 자신들의 대표자를 뽑게 하고 있었다. 그렇게 해서

used to electing their own assemblies, and said that no one could tax them except their own representatives in their own legislatures. The British also started passing other laws that the colonists found unfair. The colonists were told they had to find houses for British troops, for example. Many of the colonists began to believe the British government and its King, George III, were trying to take away their rights.

Colonists from all classes, from lawyers to laborers, were angry. Many refused to buy British goods until Parliament took away one of the taxes, the Stamp Tax. The British gave way and removed the tax, but the argument grew worse anyway. The British sent home the legislature of New York, and they sent British soldiers, called "Redcoats" for the color of their uniforms, to Boston.

The "Boston Massacre"

The trouble started at Boston Harbor on a cold day in March 1770. Some British soldiers were standing guard duty. A group of colonists began to throw snowballs at the soldiers and call them names. A crowd gathered, and in the crowd was a man named Crispus Attucks, who had escaped from slavery when he was young and became a sailor. We don't know exactly what Attucks and the other colonists did when they gathered at Boston Harbor. But we do know that at some point the Red-coats fired their guns, killing five colonists including Crispus Attucks, and wounding eight more. That's

독립 당시의 13개 주와 주요 전쟁터

자신들의 입법 기관의 대표자 외에는 누구도 그들에게 세금을 물리지 못하게 한다고 했다. 그러면서 동시에 식민지로서는 부당하다고 생각되는 다른 법률을 만들기 시작했다. 예를 들어, 식민지는 영국 군대를 위한 거처를 제공해야 한다고 통보했다. 많은 식민지 사람들은 영국 정부와 국왕인 조지 3세가 자신들의 권리를 빼앗으려 한다고 생각했다.

법률가에서 노동자에 이르기까지 식민지 모든 계층의 사람들이 분노했다. 많은 사람들은 의회가 세금 중 하나인 인지세를 취소할 때까지 영국 제품 구매를 거부했다. 결국 영국 정부가 양보하여 세금이 철폐되었다. 그러나 사태는 더 나쁜 쪽으로 전개되었다. 영국은 뉴욕 의회를 해산시켰으며, 입고 있는 제복의 색깔 때문에 '레드 코트'라고 불린 영국 군대를 보스턴에 파견했다.

'보스턴 대학살'

사건은 1770년 3월 몹시 추운 날, 보스턴 항구에서 시작되었다. 영국 병사 몇 명이 보초를 서고 있었다. 식민지인들의 한 무리가 병

why the incident is called the "Boston Massacre."

The Boston Tea Party

News of this "massacre" shocked all the colonies. It even caused the British to take back, or repeal more of their taxes. Things were fairly quiet for a while, but then a new British government gave an unfair advantage to a British tea company so it could sell its tea to the colonists at a cheaper price than anyone else. To stop that in December 1773, some Bostonians disguised themselves as Indians and dumped chests full of the company's tea into Boston Harbor. Colonists joked that they had given a "Boston tea party."

The British were furious and closed off Boston's port until the colony paid for the tea. They also took away some of the other rights of Massachusetts.

Colonists everywhere were shocked again, and they sent help to Massachusetts. They also sent leaders to meet in Philadelphia to talk about what to do next. This gathering in September 1774 was called the Continental Congress. The Congress decided the colonies would not buy British goods until the British government repealed the many acts that upset the colonists. The colonists wanted the Stamp Act repealed and the Boston Harbor reopened. They were tired of feeding and housing British soldiers. And they felt they should not be taxed by the British legislature (Parliament) because they had no say, or representation, in Parliament's

사들에게 욕을 하며 눈뭉치를 던졌다. 군중들이 모이기 시작했고, 그중에는 크리스퍼스 아턱스라는 사람이 있었다. 그는 어릴 때 노예였는데 도망쳐서 선원이 된 사람이었다. 아턱스와 군중들이 보스턴 항구에 모여 무엇을 했는지는 정확하게는 알 수 없다. 그러나 어느 순간 '레드 코트' 병사들이 총을 발사했고, 아턱스를 비롯해 다섯 명이 죽었으며, 여덟 명 이상이 부상당했다는 사실은 알고 있다. 이것이 바로 '보스턴 대학살'이라고 불리는 사건이다.

보스턴 차 사건

이 '대학살' 사건은 식민지 전체에 충격을 주었다. 영국은 몇 가지 세법을 철회하거나 취소했다. 얼마 동안 사태는 진정되었다. 그런데 새로운 영국 정부가 영국의 한 차 회사에게 다른 회사보다 싼 가격으로 식민지에 차를 팔 수 있게 해 주는 특혜를 주었다. 1773년 12월, 이를 저지하기 위해 몇몇 보스턴 시민들이 인디언으로 위장해 이 회사의 차가 잔뜩 들어 있는 상자를 보스턴 항구의 바다에 던져 버렸다. 식민지인들은 그들이 '보스턴 차 모임'을 열었던 것이라고 농담을 주고받았다.

영국은 분노했고, 식민지 쪽에서 찻값을 보상해 줄 때까지 보스턴 항구를 폐쇄했다. 또 매사추세츠가 갖고 있던 몇 가지의 다른 권리들을 빼앗아 버렸다.

모든 식민지들이 다시 충격에 빠졌고, 그들은 매사추세츠를 도와주기로 했다. 그리고 다음에 취할 행동에 대해 모여서 의논하기 위해 필라델피아에 대표자를 파견했다. 1774년 9월에 열린 이 모임은 대륙 회의라고 불린다. 이 회의에서는 영국 정부가 식민지를 분노케 한 여러 법률들을 철폐할 때까지 식민지들이 영국 상품을 사지 않기로 결정했다. 식민지들은 인지세가 철폐되고 보스턴 항구가 다시 열

decisions. The cry of "no taxation without representation" swept through the colonies.

The Shot Heard 'Round the World

In April of 1775, British troops were sent to the town of Concord, Massachusetts, to capture the weapons the colonists had stored there. The colonists were warned of their approach, though, when Paul Revere made his famous ride through Massachusetts countryside. He called out : "The British are coming!"

A band of colonists, called minutemen because they could be ready to fight within minutes, faced the soldiers at the town of Lexington. Shots were fired, and eight colonists were killed. The larger British forces continued their mission to Concord.

While most of the British soldiers searched Concord, minutemen attacked and scattered a small group of Redcoats left to defend a bridge. The British in Concord, finding no large store of supplies, turned back to Boston. And all along their way, they were fired on from every side by angry colonists hiding behind trees and walls along the road. When the day was over, 273 British and 90 colonists had been killed or wounded. The American Revolution had begun.

American Now

We can start thinking of the colonists as being more

리기를 원했다. 그들은 영국 병사들에게 식량과 주거를 제공하는 데 지쳤다. 그리고 그들은 영국 의회의 결정에 대해서 의견을 말할 수 없으며 대표도 보내지 않기 때문에 영국의 입법 기관(의회)이 세금 부과를 결정해서는 안 된다고 생각하고 있었다. "대표 없는 곳에 세금도 없다"라는 외침이 식민지 전체를 뒤흔들었다.

보스턴 차 사건
영국에서 온 이주자들은 그때까지 차를 마시고 있었는데, 이 사건 이후 차를 구할 수 없게 되자 커피를 마시게 되었다. 영국인들이 마시는 차와 비슷하게 옅은 맛의 '아메리칸 커피'는 이때부터 시작되었다.

세상에 울려 퍼진 총성

1775년 4월, 식민지들이 보관하고 있던 무기를 빼앗기 위해 영국군이 매사추세츠의 콩코드에 파견되었다. 유명한 이야기이지만, 폴 리비어가 매사추세츠의 시골길을 말을 타고 달리면서 식민지 사람들에게 영국군이 오고 있다는 사실을 경고했다. 그는 이렇게 외쳤다. "영국이 오고 있다."

몇 분 안에 싸울 준비를 갖출 수 있다는 뜻에서 '미니트맨'으로

American than British after the fights at Concord and Lexington. A month after the fighting in Massachusetts, the Continental Congress met in Philadelphia for the second time. It named George Washington as commander in chief of a Continental army and sent him to help Boston. Even before he arrived, the British and Americans had fought again in a battle called Bunker Hill. In this battle the minutemen were so low on ammunition that one of their commanders ordered, "Don' t fire until you see the whites of their eyes." Even so, the untrained minutemen held off two attacks by the far more skilled British soldiers, only to lose a third when they ran completely out of gunpowder.

There was also fighting going on in Canada and South Carolina. In fact, there was so much fighting that King George III planned to send more troops. More and more of America' s men and women agreed with the words of a man named Thomas Paine: "The blood of the slain ... cries, "tis time to part." Paine, who had come to the colonies from England only a few years earlier, became a leading advocate for breaking with Britain. In a famous pamphlet called "Common Sense", he pointed out that it was silly for a little country like Britain to own a big continent like North America – that would be like the moon owning the earth! Here' s how he said it :

In no instance hath nature made the satellite larger than its primary planet ; and as England and America, with respect to each other, reverse the common order of nature it is evident that

불리는 식민지 사람들의 한 무리가 렉싱턴에서 영국군과 마주쳤다. 총성이 울리고 여덟 명의 식민지인이 죽었다. 영국군의 주력 부대는 콩코드로 향했다.

영국군 다수가 콩코드에서 무기고를 찾고 있는 가운데 미니트맨은 다리를 지키기 위해 남아 있던 소규모의 영국군 부대를 공격하여 흩어지게 했다. 콩코드에 있던 영국군은 많은 무기를 찾지 못한 채 보스턴으로 되돌아갔다. 되돌아가는 길에 영국군은 길가의 나무나 벽에 숨어 있던 분노한 식민지 사람들로부터 사방에서 총 세례를 받았다. 이날 하루 동안 273명의 영국군과 90명의 식민지인이 죽거나 부상당했다. 아메리카 독립 전쟁이 시작된 것이다.

이제는 아메리카 인

콩코드와 렉싱턴에서의 전투 이후부터는 식민지 사람들은 영국인이라기보다는 아메리카 인이라고 생각할 수 있을 것이다. 매사추세츠에서의 전투 한 달 뒤 필라델피아에서 두 번째 대륙 회의가 열렸다. 조지 워싱턴이 대륙군 총사령관으로 임명되어 보스턴에 파견되었다. 그가 도착하기도 전에 영국군과 아메리카 군대 사이에 다시 전투가 벌어졌는데, 이를 벙커 힐 전투라고 한다. 이 전투에서 미니트맨에게는 탄약이 충분하지 못했다. 그래서 한 지휘관은 병사들에게 다음과 같은 명령을 내렸다. "적의 눈 흰자위가 보이기 전까지는 발포하지 말라." 그런 상태에서도 훈련을 제대로 받지 못한 미니트맨들은 자신들보다 훨씬 숙달된 영국 병사들을 두 차례나 공격했다. 세 번째 공격에서는 탄약이 완전히 바닥나 전투에 지고 말았다.

캐나다와 사우스캐롤라이나에서도 전투가 벌어졌다. 실제로 곳곳에서 전투가 벌어졌기 때문에 영국 국왕 조지 3세는 더 많은 군대를 보낼 계획을 세웠을 정도였다. 점점 더 많은 아메리카 사람들이 토

they belong to different systems.

The Declaration of Independence

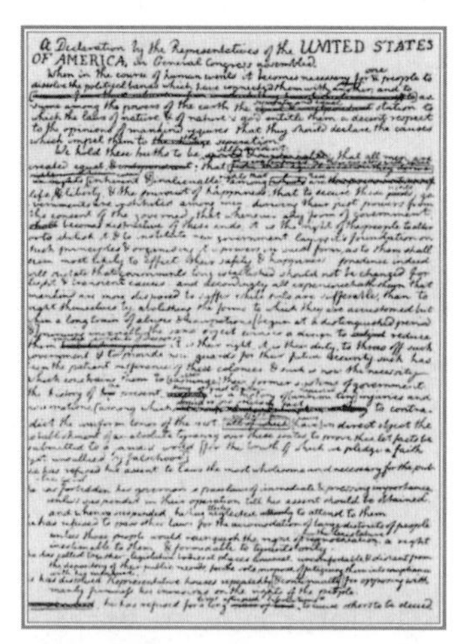
A Declaration by the Representatives of the UNITED STATES OF AMERICA, in General Congress assembled.

독립 선언문
독립 선언문은 제3대 대통령이기도 한 토머스 제퍼슨이 기초하고 프랭클린 등의 교정을 거쳐 대륙 회의에서 가결된 후 13개 주 식민지에서 만장일치로 공포되었다. 로크의 자연법 사상에 입각하여 13개 주 식민지에서 자유 독립 국가임을 선포하고 장래에 어떤 국가 형태를 취할 것인지를 시사했다. 사진은 토머스 제퍼슨이 쓴 독립 선언문 초안이다.

A Virginia delegate to the Second Continental Congress was the first to call for American independence. It was important that Virginia was ready to do this. As the first an headed by another Virginian, Thomas Jefferson, was asked to write down the reasons for independence. Men from other large colonies, such as Benjamin Franklin of Pennsylvania and John Adams of Massachusetts, helped him. They wrote the Declaration of Independence, a famous document in the history of liberty that is still quoted all over the world. The declaration states that all people have rights that no one should take away :

We hold these truths to be self-evident, that all men are created equal, that they are endowed by their Creator with certain unalienable Rights, that among these are Life, Liberty and the pursuit of Happiness.

머스 페인이라는 사람의 말에 동조하게 되었다. "죽은 자의 피가 외친다. 이제 결별의 시간이 왔다." 페인이 식민지에 온 지는 불과 몇 년밖에 안 되었지만 영국과의 결별을 옹호하는 선도자가 되었다. 그는 '상식' 이라고 불린 유명한 소논문에서 "영국 같이 작은 나라가 북아메리카처럼 큰 대륙을 소유하는 것은 주제 넘는 일이다. 그것은 달이 지구를 소유하는 것과 같은 일이다."고 말했다. 다음은 그가 한 말이다.

"자연계에서는 행성보다 더 큰 위성은 있을 수 없다. 영국과 아메리카의 상호 관계 역시 자연의 일반적인 질서에 역행하는 것이다. 그들은 서로 다른 체계에 속해 있음이 명백하다."

토머스 페인 1737~1809
영국 퀘이커 교도인 코르셋 제조업자 가정에서 태어나 13세까지만 학교에 다녔다. 그 뒤 가난 때문에 여러 직업을 전전하였다. 그는 프랭클린의 소개로 1774년 필라델피아로 이주했다. 1776년 '상식 Common Sense'을 출간해 독립이 가져오는 이익을 주장해 식민지인들의 독립 의지를 일깨웠고, 독립 전쟁에 큰 영향을 끼쳤다.
독립 전쟁이 시작되자 N. 그린의 부관으로 종군하는 한편, '위기 The Crisis'를 간행, "싸움이 격렬할수록 승리는 빛난다."라고 하여 민중의 사기를 고무하였다. 1787년 프랑스로 건너가 혁명을 목격하였고, 1791년 '인간의 권리 Rights of Men' 제1부를 쓰고 이듬해 런던에서 제2부를 썼으나, 반란 선동죄로 쫓겨 프랑스로 피신했다. 프랑스에서 '이성의 시대 The Age of Reason'를 간행하였는데 무신론자로 오해받게 되었다. 1802년 그는 다시 미국으로 건너갔으나 그곳에서도 독립 전쟁의 영웅으로서가 아니라 '추악한 무신론자'로서 비난을 받았다.

독립 선언

제2차 대륙 회의에서 제일 먼저 아메리카의 독립을 호소한 인물은 버지니아 대표였다. 버지니아가 독립의 준비가 되어 있었다는 것은 중요했다. 아메리카에서 첫 번째이자 가장 큰 식민지였던 버지니

The Declaration was accepted by the whole Congress on July 4, 1776. Now you why we celebrate the Fourth of July every year.

A New Flag

Now that there was a new country, a new flag was needed. It would be carried by the Continental army in good times and in bad.

There is a story that the first flag was made by Betsy Ross. She lived in Philadelphia and her business was making clothes. Maybe she made George Washington' s clothes. He is supposed to have asked her to make a new flag.

He gave her his ideas about stars and stripes, and she may have added a few of her own. She sewed thirteen stars on a dark blue background, one for each of the colonies in 1776. When a new colony was added, another star could be sewn on. Then she sewed thirteen ships of red and white fabric so the number of the original colonies in 1776 would always be known.

We can' t be certain this story is true but we do know that a flag with thirteen stripes of red and white and thirteen stars on a dark blue background became the first flag of the new United States of America.

아는 강하고 믿음직한 어조로 독립을 호소했다. 또 다른 버지니아인인 토머스 제퍼슨을 대표로 하는 그룹은 독립의 이유에 대한 글을 쓰라는 요구를 받았다. 펜실베이니아 출신인 벤자민 프랭클린과 매사추세츠 출신인 존 애덤스와 같은 다른 큰 식민지 출신의 사람들이 그를 도왔다.

그들은 지금도 전 세계에서 인용되고 있는 자유의 역사에 관한 유명한 글인 독립 선언문을 작성했다. 독립 선언문은 모든 사람들은 다른 누구도 빼앗을 수 없는 권리를 갖고 있다고 천명하고 있다.

"우리는 다음과 같은 사실이 자명한 진리라고 믿고 있다. 모든 사람은 평등하게 태어났으며, 창조주로부터 빼앗길 수 없는 권리를 부여받았다는 것이다. 그중에는 생명, 자유, 그리고 행복을 추구하는 것이 포함되어 있다."

독립 선언문은 1776년 7월 4일 의회에서 전원일치로 통과되었다. 그래서 미국은 매년 7월 4일을 독립 기념일로 축하하고 있는 것이다.

새로운 깃발

새로운 국가가 생겼기 때문에 새로운 깃발이 필요했다. 그 깃발은 대륙 군대가 항상 내걸 깃발인 것이다.

최초의 깃발은 벳시 로스가 만들었다는 이야기가 있다. 그녀는 필라델피아에 살았고, 옷 만드는 일을 했다. 아마 그녀가 조지 워싱턴의 옷을 만들었던 것 같다. 조지 워싱턴은 그녀에게 새로운 깃발을 만들어 달라고 부탁할 작정이었다.

그는 그녀에게 별과 줄에 관한 아이디어를 제공했고, 그녀는 거기에 자신의 생각을 덧붙였던 것 같다. 그녀는 파란색 바탕에 1776년

"Give Me Liberty ......"

Just because America declared independence did not mean that the mother country would let her "grown-up children" go. The British thought they had the most freedom of any people in the world. But the colonists didn't believe they were sharing in that freedom. Most of the colonists were willing to risk their whole future to gain true freedom, and many thought that Britain would not voluntarily let them have the land and the trade they wanted.

Can you imagine what a tremendous step these new Americans were taking? They were going to have to fight one of the most powerful countries in the world. They had often been proud to be Britain's colonies. Their language was English, and many of their ideas of freedom had come from England. It must have been hard to break away.

If they failed, the men and women who led the American Revolution would lose their wealth and probably their lives. On any day, an American soldier could be killed. Patrick Henry must have spoken for them when he told his fellow Virginians to "give me liberty, or give me death!"

Advantages and Disadvantages

You can see that a great challenge faced George Washington, the man appointed by the Second Continental Congress to be the commander in chief of the Continental army. Imagine what General Washington must have thought as he prepared to fight

미국 국기의 별과 줄무늬
최초의 성조기에 표현된 별과 줄무늬는 13개 주가 분열되지 않고 협력하여 나라를 만드는 것이 중요하다는 것을 보여 주고 있다.
독립성이 강한 13개의 아메리카의 주가 결속할 수 있을지 그렇지 못할지는 국가의 존망으로 연결된다는 인식이 건국 당시부터 있었다는 점을 알 수 있다. 1776년에 'E pluribus Unum' 이라는 라틴 어가 미합중국의 모토로 채택되었는데, 영어식 표현으로 바꾸면 'Out of Many, One(여러 개로부터 하나를)' 이 된다.

당시 각 식민지에 해당하는 열세 개의 별을 새겼다. 그리고 새로운 식민지가 생길 때마다 하나씩 더할 수 있게 했다. 그리고 그녀는 1776년의 식민지 숫자를 언제나 알 수 있도록 하기 위해 13개의 붉은색과 흰색 천으로 줄을 넣었다.

이 이야기가 사실인지 아닌지는 알 수가 없다. 다만 열세 개의 붉은색과 흰색 줄, 그리고 파란색 바탕 위의 열세 개의 별이 새로 태어난 미합중국의 첫 번째 깃발이 되었다는 것은 알 수 있다.

"나에게 자유를 달라……"

아메리카의 식민지들이 독립을 선언했다. 그러나 그것이 곧 바로 식민지 모국인 영국이 그들을 '성인이 된 자식' 으로 취급해 준다는 것을 뜻하지는 않았다. 영국인들은 세상의 누구보다도 자신들이 가장 자유롭다고 생각하고 있었다. 그러나 식민지 사람들은 영국인들이 누리는 자유가 자신들에게는 없다고 생각하고 있었다. 식민지의 대부분의 사람들은 진정한 자유를 얻기 위해서라면 자신들의 미래를 기꺼이 다 바칠 수 있다고 생각했다. 자신들이 원하는 토지 소유와 거래를 영국이 자발적으로 허락해 주지는 않을 것이라고 생각했다.

새로운 아메리카 사람들이 내딛은 발걸음이 갖는 의미가 얼마나 막중한 것이었는지 상상할 수 있겠는가? 이제 그들은 세계에서 가장 강력한 국가 중 하나와 싸워야 했다. 이전에 그들은 종종 영국의 식

the British. He didn' t have enough food, weapons, or soldiers, and those men he did have were not well trained or organized. The British seemed to have all the advantages.

But not quite. The Americans knew the land they were fighting on better than the British did, especially the wilderness areas where there were many trees to crouch behind and shoot from. Another American advantage was a simple fact of geography : a whole ocean, the Atlantic, separates America from England. The British had to get almost all their troops and supplies from England. As the war dragged on and the British needed more men and supplies, this distance caused them great problems.

There was another, less obvious, American advantage. Many Americans were motivated by the powerful ideas of liberty and independence. Those who were willing to fight didn' t have fancy uniforms or enough food or ammunition, but they did have a strong desire to make their dream of a new nation come true. You can see this spirit in the words of a letter written by a French officer that describes the American troops :

"It is incredible that soldiers composed of men of every age, even of children of fifteen, of whites and blacks, almost naked, unpaid, and rather poorly fed, can march so well and withstand fire so steadfastly."

민지인 것을 자랑스럽게 생각하기도 했다. 그들은 영어를 사용했고, 자유에 관한 그들의 생각은 대부분 영국에서 온 것이었다. 그러한 습관에서 벗어나는 것은 쉽지 않은 일이었다.

만약 실패하게 되면 독립 전쟁을 이끌었던 사람들은 자신의 재산과 생명까지도 잃게 될 것이었다. 아메리카의 병사로서는 언제 죽을지 모르는 일이었다. 패트릭 헨리가 "나에게 자유를 달라, 그렇지 않으면 죽음을 달라."라고 버지니아 사람들에게 호소한 것은 이들의 느낌을 대변한 말이었을 것이다.

유리한 것과 불리한 것

여러분들은 조지 워싱턴이 얼마나 큰 과제에 당면하고 있었는지 알 수 있을 것이다. 그는 제2차 대륙 회의에서 식민지군 총사령관에 임명되었다. 워싱턴 장군이 영국군과 싸울 준비를 하면서 무엇을 생각했을지 상상해 보라. 그에게는 식량도, 무기도, 병사도 충분하지 못했다. 그가 거느리고 있는 병사들은 잘 훈련되지도 조직되어 있지도 못했다. 모든 것이 영국군들에게 유리해 보였다.

그러나 꼭 그렇지만은 않았다. 아메리카 인들은 그들이 싸우게 될 곳을 영국군보다 더 잘 알고 있었다. 특히 몸을 쪼그리고 앉아 총을 쏠 수 있는 많은 나무들이 있는 황야에 대해 더 잘 알고 있었다. 아메리카 인들이 가진 또 하나의 이점은 지리적인 문제였다. 넓은 대서양이 아메리카와 영국을 가로막고 있다는 것이었다. 영국군은 필요한 병사와 보급품을 모두 영국에서 조달해야 했다. 전쟁이 시간을 끌게 되자 영국군은 더 많은 병사와 보급품이 필요했지만 먼 거리가 문제가 되었다.

또 하나 눈에 잘 보이지는 않지만 아메리카에 유리한 점이 있었다. 많은 아메리카 인들은 자유와 독립에 대한 강한 의지를 갖고 있

"The Times That Try Men' s Souls"

By the time America declared its independence in July of 1776. General Washington had managed to pull together about twenty thousand troops in the Continental army. The early months of the Revolution were hard on the American soldiers. Many were killed, wounded, or captured in disastrous battles in New York. Others simply left the fighting to go home. By December of 1776, Washington had barely three thousand men left. Weary and discouraged, they managed to escape into New Jersey under the cover of a sudden storm.

The end seemed near. Some Americans began to wonder if it had been a mistake to break away from Britain. But others kept up hope. Thomas Paine – the author of "Common Sense", the pamphlet that made many Americans eager to break from Britain – now wrote in another pamphlet, "These are the times that try men' s souls." By "try" Paine meant "test" : these dark days would test whether Americans had enough determination to keep going. As Paine said, "The summer soldier and the sunshine patriot will, in this crisis, shrink from the service of his country, but he that stands it now deserves the love and thanks of man and woman."

George Washington and his few remaining troops were able to stand it. Just when the Americans needed a victory most, they managed to gain one in a daring surprise attack.

었다. 그들에게는 그럴듯한 제복도 없었고, 식량과 탄약도 충분하지 않았지만 새로운 국가를 만드는 꿈을 실현하겠다는 의지가 강했다. 이런 정신은 프랑스 장교가 아메리카 군대에 대해서 쓴 편지 글에서도 엿볼 수 있다.

"피부색이 검건 희건, 거의 입지도 못한 채, 보수도 없이, 먹을 것조차 빈약한 채로, 15세의 소년들까지 포함된 모든 연령의 사람들로 구성된 병사들이 당당하게 진군하며 흔들리지 않고 총탄에 맞설 수 있다는 것은 거의 믿기 힘든 일이다."

'인간의 영혼을 시험하는 때'

아메리카가 1776년 7월에 독립을 선언했을 때, 워싱턴 장군은 가까스로 약 2만 명의 병사를 대륙군으로 모을 수 있었다. 독립 전쟁의 초기 수개월 동안은 아메리카 군대의 병사들에게는 매우 힘든 시기였다. 뉴욕에서 벌어진 파멸적인 전투에서 많은 이들이 죽거나 다치거나, 포로로 붙잡혔다. 싸우지 않고 고향으로 돌아가 버리는 경우도 있었다. 1776년 12월, 워싱턴 장군에게는 겨우 3천의 병력만 남았다. 지치고 실망한 병사들은 갑작스럽게 닥쳐온 폭풍을 틈타 겨우 뉴저지로 도망칠 수 있었다.

끝이 가까워 보이는 듯 했다. 일부는 영국으로부터 떨어져 나오는 것이 혹시 잘못하는 일은 아닌가라고 생각하기도 했다. 그러나 희망을 버리지 않는 사람들도 있었다. 많은 아메리카 사람들로 하여금 영국으로부터의 독립을 열망하게 한 책인 '상식' 의 저자 토머스 페인이 다시 한번 글을 썼다. "지금은 인간의 영혼을 시험하는 때이다." 페인이 쓴 'try' 라는 단어는 'test' 를 뜻했다. 이 힘든 시기는 아메리카 인들이 계속 전진하겠다는 결의를 갖고 있는지를 시험하는 때

Crossing the Delaware

It was Christmas night, December 25, 1776. At the town of Trenton, New Jersey, about a thousand Hessian troops were camped. (The Hessians were German soldiers who had been hired by the British.) The Hessians didn' t know that in the cold darkness General Washington and his troops were crossing toward them over the icy Delaware River. Imagine the Hessians' surprise when, as they were settling down after a day of Christmas celebrations, they suddenly found themselves surrounded by American troops! The secrecy of the attack made it deadly : two thirds of the Hessians were killed or captured.

This victory and others in the months to come encouraged the Americans. Still there were many challenges ahead. Washington needed more soldiers. To build up the army, Congress offered twenty dollars and one hundred acres of free land in the west to each new recruit. By spring, Washington had nine thousand men.

The next major battles took place in Pennsylvania, and they did not go well for Washington' s troops. British troops even managed to capture Philadelphia and chase the Continental Congress out of town!

Saratoga and a New Ally

Next came a battle that changed the course of the war, a battle that took place at Saratoga, New York.

The British had a plan to send thousands of troops down

였다. 페인은 또 다음과 같이 말했다.

"이러한 위기 속에서는 여름날의 병사나 맑은 날의 애국자들은 (어려움을 겪은 적이 없는 사람들) 조국에 대해 헌신하는 것을 꺼릴 수도 있다. 그러나 이 시기를 견디어 내는 자야말로 사람들의 사랑과 감사를 받을 자격이 있는 사람이다."

조지 워싱턴과 그의 얼마 남지 않는 병사들은 그 시기를 견디어 낼 수 있었다. 아메리카가 승리를 가장 절실히 필요하게 되었을 때 그들은 과감한 기습 작전으로 승리를 얻어 냈다.

델라웨어를 가로질러

1776년 12월 25일 크리스마스 밤이었다. 뉴저지의 트렌턴에 약 1천 명의 헤센 부대가 진을 쳤다. (헤센은 영국군에 고용된 독일 병사를 말하는 것이었다.) 헤센 병사들은 워싱턴 장군과 그의 부대가 춥고 어두운 한밤중에 얼어붙은 델라웨어 강을 건너오고 있다는 것을 모르고 있었다. 떠들썩한 크리스마스를 지내고 난 다음의 고요함 속에서 자신들이 아메리카 군대에게 포위되어 있다는 것을 알았을 때 그들은 얼마나 놀랐을까? 이 비밀 공격은 치명적이었다. 헤센 병사들의 $\frac{2}{3}$가 죽거나 포로로 붙잡혔다.

이 승리와 바로 다음 달 몇 차례의 승리로 인해 아메리카 인들은 크게 고무되었다. 하지만 앞날에는 여전히 많은 도전들이 기다리고 있었다. 워싱턴 장군에게는 더 많은 병사가 필요했다. 병사를 충원하기 위해, 연방 의회는 군대에 지원하는 사람에게 20달러와 서부의 땅 100에이커를 제공한다고 했다. 봄이 되자 워싱턴의 군대는 9천 명이 되었다.

다음의 주요 전투는 펜실베이니아에서 벌어졌다. 전투는 워싱턴의 군대에게 순조롭지 않았다. 영국군은 필라델피아를 점령해 대륙

from Canada in order to capture all the New England states and cut the colonies in half. These troops were under the command of General John Burgoyne. While many American soldiers were ragged and half-starved, General Burgoyne came from Canada with dozens of wagons filled with his belongings, including cases of champagne and even silver plates and cups!

The march south took Burgoyne and his troops longer than they had expected. Sometimes they found the way blocked by huge trees that the Americans had cut down. As the months passed, they began to run out of food. Expected supplies and reinforcements never arrived. As Burgoyne's troops grew weaker, the Continental army in the area grew stronger; many men arrived to join the cause. A series of battles led to the defeat of Burgoyne's forces at Saratoga in October 1777. The proud British general had to surrender almost six thousand men to the Americans.

The victory at Saratoga was important because it brought the Americans a strong ally, France. France, which had been fighting England on and off for years, hoped to see the rebellious Americans embarrass the British. Early in the Revolution, the French began secretly helping the Americans by sending them supplies, especially gunpowder. But the French would not openly support the Americans. They were being cautious because early on it appeared as though the former colonies would have little chance against the mighty British army and navy.

It took the victory at Saratoga to convince the French king that the American rebels could win the war. Now the French

회의를 쫓아내 버렸다!

사라토가와 새로운 동맹국

전황을 바꾸어 놓을 새로운 전투가 다가왔다. 그 전투는 뉴욕의 사라토가에서 벌어졌다.

영국군은 뉴잉글랜드 지방의 모든 주들을 점령하고 식민지를 반으로 나눌 의도로 캐나다에서 수천 명의 병사를 파견하기로 했다. 존 버고인 장군이 지휘하는 부대였다. 많은 아메리카 병사들이 누더기 같은 옷을 걸치고 반은 굶주림 상태에 있었던 반면, 버고인 장군은 샴페인과 은 쟁반과 컵까지 온갖 물품들을 가득 실은 수십 대의 마차를 끌고 캐나다에서 왔던 것이다!

남쪽을 향한 그들의 행진은 생각보다 많은 시간이 걸렸다. 아메리카 사람들이 베어 넘어뜨린 커다란 나무에 가로막히기도 했다. 몇 달이 지나자 식량이 바닥나기 시작했다. 기대했던 보급품과 증원군은 도착하지 않았다. 그들이 힘을 잃어가기 시작한 반면 대륙군은 점점 더 강해지고 있었다. 많은 사람들이 독립 전쟁의 대의를 쫓아 군대에 합류했다. 계속된 전투를 치른 버고인 장군의 부대는 1777년 10월에 사라토가 전투에서 패했다. 거만한 영국의 장군은 거의 6천 명에 가까운 병사들이 아메리카 인들에게 항복하게 했다.

사라토가 전투의 승리는 아메리카에 프랑스라고 하는 강력한 동맹국을 데려왔다는 점에서 중요했다. 영국과 오랫동안 때때로 싸워왔던 프랑스는 반항적인 아메리카 인들이 영국을 당황스럽게 만드는 것을 보고 싶어 했다. 독립 전쟁의 초기에 프랑스는 특별히 화약과 같은 군수품을 비밀리에 보내 아메리카 인들을 지원했다. 그러나 프랑스는 아메리카 인들을 노골적으로 지원하지는 않았다. 처음에는 강력한 영국 육군과 해군에 대해서 식민지 쪽이 거의 이길 수 없

openly supported the American struggle for independence by shipping arms, ammunition, and eventually troops overseas. By June of 1778, France and Britain were at war.

European Helpers

While France sent many soldiers to America, individual officers from other European nations also joined in the American struggle for independence.

General Bernardo de Gálvez led Spanish troops against the British in what is now the state of Florida. A Polish engineer, Thaddeus Kosciusko, offered his expert advice on how to plan battles and how to build strong forts. A Prussian general, Friedrich von Steuben, helped George Washington' s troops learn professional military techniques.

One young Frenchman was so eager to join the fighting in American that he disobeyed a direct order from the French king to remain in France! The Marquis de Lafayette, an ambitious young French nobleman, wanted to gain glory by becoming a commanding officer in the American Revolution. But at the time, the French were not openly supporting America, and the French king refused to allow Lafayette to leave France. Lafayette disobeyed the king' s orders. Although he was arrested, he managed to escape and sail to America. In the summer of 1777, at the age of nineteen, he met George Washington in philadelphia.

Lafayette was given command of a division of soldiers. He

다고 생각했기 때문에 매우 조심스런 태도를 보였다.

사라토가 전투의 승리는 프랑스 국왕에게 아메리카 반란군이 승리할 수 있다는 확신을 주었다. 이제 프랑스는 무기와 탄약, 마침내는 해외에 있던 군대까지 보내 아메리카의 독립 투쟁을 노골적으로 지원했다. 1778년 6월에는 프랑스와 영국은 교전 상태에 들어갔다.

유럽의 지원군

프랑스가 아메리카에 많은 병사들을 보내는 동안, 다른 유럽 나라들의 개인적인 군대들도 아메리카의 독립을 위한 투쟁의 대열에 합류했다.

베르나르도 데 갈베즈 장군은 지금의 플로리다 주에 에스파냐 군대를 이끌고 와서 영국과 맞섰다. 폴란드 인 기술자 타데우스 코스키우스코는 전투 전술과 강고한 요새를 만드는 법에 관해 전문적인 조언을 했다. 프러시아의 장군인 프리드리히 폰 스토이벤은 조지 워싱턴 장군의 군대가 전문적인 군사 기술을 익히도록 도와 주었다.

한 젊은 프랑스 인은 아메리카의 전투에 참가하고 싶은 나머지 프랑스에 있으라고 하는 프랑스 왕이 직접 내린 명령을 거역하기까지 했다. 패기만만한 젊은 프랑스 귀족인 라파예트 후작은 미국 혁명에서 지휘관이 되어 영예를 얻고자 했다. 그러나 당시 프랑스는 아메리카를 공개적으로는 지지하지 않았고, 국왕도 그가 프랑스를 떠나는 것을 허락하지 않았다. 그는 왕의 명령을 거역했다. 그는 체포되었지만 가까스로 탈출하여 아메리카로 향했다. 1777년 여름, 열아홉의 나이였던 그는 조지 워싱턴을 필라델피아에서 만났다.

라파예트는 한 부대를 지휘하게 되었다. 그리고 대륙 군대의 장군으로서 4년 동안 복무했다. 전쟁이 끝나자 그는 아메리카 사람들에게 큰 사랑을 받았으며 프랑스로 돌아갔다. 국왕의 명령을 거

served as a general in the Continental army for four years. When the war ended, he returned to France with great affection for America. He was forgiven for disobeying the king, and he went on to become active in French politics.

Valley Forge

Many Americans rejoiced upon hearing about the victory at Saratoga and news of the French alliance. But some, including General Washington and his troops, had little reason to be happy. As you' ve read, British troops had captured Philadelphia. When the bitter winter of 1777 set in, the British stayed warm and comfortable. But about twenty miles northwest of the city, at Valley Forge, Washington and his troops were cold, hungry, and sick.

The winter at Valley Forge was the low point of the Revolution. Many men died ; others left to go home. Those who remained needed great courage to endure the suffering that was part of the struggle for liberty.

Yorktown

The last part of the war was fought in the South. The British general Cornwallis believed that Virginia would have to be conquered in order for Britain to defeat the Americans. He and his troops marched to Yorktown, Virginia, and prepared for battle.

Yorktown, near the site of the early settlement of Jamestown,

역한 죄는 용서되었다. 그 뒤 그는 프랑스 정계에서 적극적으로 활약했다.

밸리 포지

많은 아메리카 사람들은 사라토가의 승리에 대해서, 그리고 프랑스와의 동맹 소식을 듣고는 기뻐했다. 그러나 조지 워싱턴 장군과 그의 군인들은 행복하지만은 않았다. 앞에서 보았듯이 영국군이 필라델피아를 점령하고 있었던 것이다. 1777년의 가혹한 겨울이 시작되었을 때 영국군은 따뜻하고 편안하게 지내고 있었다. 그런데 20마일 정도 북서쪽에 있는 도시 밸리 포지에서는 조지 워싱턴 장군이 이끄는 부대가 춥고, 배고프고, 고통스러운 겨울을 지내고 있었다.

밸리 포지에서의 겨울은 독립 전쟁의 최저점이었다. 많은 병사들이 죽거나 고향으로 돌아가기 위해 떠났다. 남은 병사들에게는 자유를 위한 투쟁의 일부로서 고통을 감내하는 큰 용기가 필요했다.

요크타운

전쟁의 마지막은 남부에서 벌어졌다. 영국의 장군 콘월리스는 영국이 아메리카를 이기기 위해서는 버지니아를 점령해야 한다고 생각했다. 그의 군대는 버지니아의 요크타운으로 진군해 전투에 대비했다.

제임스타운의 초기 식민지에서 가까운 요크타운은 체사피크 만으로 흐르는 요크 강과 제임스 강 사이의 반도에 위치하고 있었다. 조지 워싱턴 장군은 이 지역을 잘 알고 있었다. 그는 콘월리스 장군이 군대를 주둔시켰다는 소식을 듣자 그것이 실수라는 것을 알아차렸다.

콘월리스가 좁은 반도에 군대를 주둔시켰기 때문에, 아메리카 군대는 영국군을 궁지에 몰아넣을 수 있게 되었다. 워싱턴 장군은 재

lies on a peninsula between the York and James rivers, Which feed into the Chesapeake Bay, George Washington knew this area well. When he heard where Cornwallis had placed his troops, he knew that the British had made a mistake.

By placing his troops on a narrow peninsula, Cornwallis made it possible for the Americans to corner the British. General Washington and his troops quickly marched south from New Jersey. They were joined by thousands of French soldiers, some under the command of Lafayette. These combined forces encircled the British on land, while the French navy sailed into the Chesapeake Bay and cut off the chances of escape by sea.

American and French guns pounded away at Cornwallis' s troops until Cornwallis was forced to surrender in October of 1781. When news of the defeat at Yorktown reached Britain, one leader in Parliament groaned, "Oh God! It is all over." He was right : although a few more minor battles were fought here and there, the defeat of the British at Yorktown marked the end of the Revolutionary War.

Mighty Britain had lost to a young, half-united country. It seemed incredible, and Cornwallis recognized this as he ordered the British band to play an old English tune called "The World Turned Upside Down." Some accounts say that Lafayette then ordered the band to play "Yankee Doodle" !

In 1783, a peace treaty gave America the lands that reached west to the Mississippi River. Now the United States would have to make its own government. Would it do any better

요크타운 전투
1781년 10월 19일, 이 전투에서 패한 영국군의 사령관인 콘월리스는 항복을 하고, 항복의 증표로 아메리카 군에게 칼을 넘겨 주었다. 이로써 전쟁은 사실상 끝났다.

빨리 뉴저지에서 남쪽으로 진군했다. 그들은 수천 명의 프랑스 군대와 합류했다. 일부는 라파예트가 이끌었다. 이 연합군은 육상에서 영국군을 포위했다. 한편 프랑스 해군은 체사피크 만에 입항해 영국군이 바다로 도망칠 기회를 차단했다.

아메리카와 프랑스 연합군은 콘월리스의 군대를 맹포격했다. 1781년 10월, 콘월리스는 마침내 항복했다. 요크타운 전투의 패배 소식이 영국에 전해지자 의회의 한 지도자는 "오 주여! 모든 게 끝났구나!"라고 신음하며 말했다. 그의 말이 옳았다. 몇 번의 소규모 전투가 더 있었지만 요크타운 전투의 패배로 인해 독립 전쟁의 막이 내려지고 있었다. 강력한 영국군이, 나라를 세운 지 얼마 안 되어 채 뭉치지도 못한 나라에게 진 것이다. 믿을 수 없는 일이었다. 콘월리스는 이를 깨닫고 영국군의 음악대에게 '세상이 뒤집어졌다' 는 영국의 옛날 곡을 연주하도록 명령했다. 이를 들은 라파예트는 음악대에게 '양키 두들' 을 연주하게 했다는 이야기가 전해지고 있다.

1783년 평화 협정으로, 아메리카의 영토는 서쪽으로 미시시피 강까지 확대되었다. 이제 미합중국은 자신의 정부를 만들어야 했다.

than the British?

State and Federal Governments

The founders of our nation argued a lot about how to set up the new government. Before we look back at those arguments, let' s keep in mind the way our government is set up today.

In our country, each state has its own government. But there is another government that joins all the states together as a nation. This national government is called the federal government. The federal government is now located in our national capital, Washington, D.C. The president of the United States heads the federal government. A governor heads the government of each of the fifty states.

The Articles of Confederation

In designing a new government, our nation' s founders had to take into account what was already in place. Each state already had its own cities, boundaries, and state legislatures. Many of the states had already written their own constitutions. When the war for independence ended in 1783, there were already thirteen state governments. What kind of government could bring them together as the United States?

To figure out a new government for America, the Continental Congress met many times. One thing was clear : America' s new government wouldn' t be like England' s. After

그들이 만들 정부가 영국보다 더 훌륭할 수 있을까?

양키 두들

미국의 국민적인 애창곡. 양키는 원래 코네티컷, 뉴욕, 매사추세츠 등에 살고 있는 뉴잉글랜드 인을 가리키는 말이었다. 이 말은 독립 전쟁 때 영국군이 식민지 군을 가리키는 말로 쓰이게 되었다. '양키 두들 Yankee Doodle'이란 말은 '식민지의 얼간이들'이란 뜻이다.
영국군은 단정하지 못한 군복을 입고 있는 식민지군을 조롱하며, 진군할 때 이 노래를 피리와 큰북으로 연주했다. 그러나 이 노래의 가락이 좋아서 식민지 군대도 좋아하게 되었고, 1775년에 식민지군은 렉싱턴 전투에서 이기자 '양키 두들'에 자신들의 꾸밈없는 용감함을 담은 새로운 가사를 붙여 군가로 연주하게 되었다.

주 정부와 연방 정부

미국의 건국자들은 새로운 정부를 어떻게 세울지 많은 논의를 했다. 이 논의를 돌아보기 전에 지금의 정부가 어떤 형태인지에 대해 기억해 두어야 한다.

미국은 각 주마다 정부가 있다. 그리고 모든 주가 결합한 하나의 국가로서 또 하나의 정부가 있다. 이 정부를 연방 정부라고 한다. 연방 정부는 국가의 수도인 워싱턴 D.C에 있다. 합중국 대통령이 연방 정부를 이끌고 있다. 주지사는 50개 주의 정부를 각각 이끌고 있다.

연방 규약

새로운 정부를 설계하면서 미국의 건국자들은 이미 존재하고 있는 것을 고려해야 했다. 각각의 주에는 도시와 경계선과 주 의회가 있었다. 또 많은 주들이 독자의 헌법을 정하고 있었다. 독립 전쟁이 끝난 1783년에는 이미 13개의 주 정부가 있었다. 어떤 정부가 이들을 합중국으로 모을 수 있을까?

all, as the Declaration of Independence charged, it was England' s strong central government under King George III that tried to take away the natural rights of the Americans. This dislike of any strong central control led to agreement that in America, the federal government should not have much power. This was the idea behind the Articles of Confederation, an agreement approved by the Continental Congress in 1777. The Articles said that state governments could rule themselves while the federal government would have little power.

Madison' s Plan

James Madison from Virginia, who is now known as the "Father of the Constitution," arrived in Philadelphia early. He had a plan. He knew from the start that the country needed to do more than tinker with the Articles of Confederation. He wrote down his ideas for a strong central government. He got his friend Edmund Randolph, Virginia' s popular governor, to present his plan to the delegates.

Madison' s plan proposed a government with thee parts, or "branches" :

(1) The executive branch. "Executives" are leaders, the people in charge. The executive branch would be in charge of running the government.

(2) The legislative branch. To "legislate" means to make laws. Making laws would be the job of the legislative branch. As

새로운 아메리카 정부의 모습을 그리기 위해 대륙 회의가 여러 차례 열렸다. 한 가지는 분명했다. 아메리카의 새로운 정부는 영국과는 달라야 한다는 것이었다. 결국 독립 선언문에서 규정했듯이, 아메리카 인의 자연권을 빼앗으려는 조지 3세 통치 하의 영국과 같은 강력한 중앙 정부여서는 안 된다는 것이었다. 중앙의 강한 통제를 싫어했기 때문에 아메리카에서 연방 정부는 많은 권력을 가져서는 안 된다는 합의에 이르게 되었다. 이것이 1777년 대륙 회의에서 승인된 연방 규약의 밑바탕에 놓여 있는 생각이었다. 이 규약에 의하면 주 정부가 스스로를 통치하며, 연방 정부는 권력을 거의 갖지 않는다는 것이었다.

벤자민 프랭클린 1706~1790
벤자민 프랭클린은 미국의 '독립 선언문' 의 기초자 중 한 사람이다. 그는 프랑스와 동맹을 맺기 위해 1776년 파리에 갔고, 1783년 파리 조약 체결의 주역이 되었다. 그는 파리 사교계에서 신대륙 아메리카를 대표하는 사람으로 인기를 끌었다. 프랭클린은 가난한 양초 제조 기술자의 아들로, 12살 때 인쇄업을 하던 형 밑에서 도제가 되었고, 1724년에는 영국에 건너가 인쇄 기술을 익혔다. 1726년에 돌아와 인쇄와 출판업에 종사했고, '펜실베이니아 가제트지' 의 발행자가 되었다.
언론계에서 활약했을 뿐만 아니라, 나중에 과학 부문에서는 전기 연구를 했으며, 정치 부문에서는 대륙 회의의 서기, 의원, 그리고 펜실베이니아 주 행정 참사회 의장을 1788년까지 맡는 등 다방면에서 정력적이고도 천재적인 활약을 했다. 그는 필요한 모든 것을 독학으로 해결했다.

매디슨의 안

'헌법의 아버지' 로 알려져 있는 버지니아 출신의 제임스 매디슨은 일찍부터 필라델피아에 도착해 있었다. 그에게는 한 가지 안이

Madison proposed it the legislative branch would have two parts. One part, the House of Representatives, would be composed of delegates elected by the American people. The other part would be a smaller body of lawmakers ultimately chosen by the House of Representatives. This part would be called the Senate. Together they would be called the Congress. If you hear people mention "both houses of Congress," they mean both the House of Representatives and the Senate.

(3) The judicial branch. If you look at the first few letters of the word "judicial" you' ll see that it' s related to the word "judge." Where do you find judges? In a court. The judiciary branch of government, according to Madison, would consist of a number of federal courts headed by a Supreme Court, whose job it would be to oversee the laws of the land.

Today, the Supreme Court has nine judges, called justice. The head judge is called the chief justice. The justices are appointed by the president of the United States, but they also have to be approved by the Senate. Until recently, only men have served as Supreme Court justices. But in 1981, the first woman justice was appointed. Her name is Sandra Day O' Connor.

We the People

The delegates came to the Constitutional Convention in May of 1787, but not until September did they come up with a written document they could agree on and sign their names to.

있었다. 처음부터 그는 국가가 연방 규약 정도를 만드는 것 이상을 필요로 하고 있다는 것을 알고 있었다. 그는 강력한 중앙 정부를 만들어야 한다는 자신의 생각을 글로 썼다. 그는 버지니아의 인기 있는 주지사인 자신의 친구 에드먼드 랜돌프에게 자신의 안을 대표단에 제출하도록 설득했다.

매디슨의 안은 세 개의 부문 또는 '기관' 을 가진 정부를 제안하는 것이었다.

(1) 행정부 : '행정관들' 은 국민을 책임지는 지도자들이다. 행정부는 정부의 운영을 맡게 될 것이다.

(2) 입법부 : '입법' 이란 것은 법을 만드는 것이다. 법을 만드는 일이 입법부의 주 임무이다. 매디슨이 제안했듯이 입법부는 2개의 부문으로 이루어진다. 하나는 하원이다. 하원은 아메리카 국민에 의해 선출된 대표자들에 의해 구성된다. 다른 하나는 하원에 의해 최종적으로 선출된 의원들로 구성되는 입법가들의 작은 조직이다. 이는 상원이라 불린다. 이 둘을 합쳐서 연방 의회라고 한다. '의회의 양원' 이라 할 때 그것은 하원과 상원을 말하는 것이다.

(3) 사법부 : '사법' 이란 말을 처음 접하게 된다면 그것이 '재판관' 이라는 말과 관련되어 있다는 것을 알 수 있다. 재판관은 어디에 있는가? 바로 법원에 있다. 매디슨에 의하면 정부의 사법부는 국가의 법을 감독하는 대법원 아래에 있는 몇 개의 연방 법원으로 구성된다.

오늘날 대법원에는 대법관이라고 불리는 아홉 명의 법관이 있다. 이들의 수장은 대법원장이라고 불린다. 대법관은 미국의 대통령이 임명하지만 상원의 승인을 받아야 한다. 얼마 전까지 대법관은 모두 남자였다. 그러나 1981년 최초의 여자 대법관이 임명되었다. 그녀의 이름은 산드라 데이 오코너이다.

They had finally designed the system of government that would turn a loose confederation of states into "a more perfect Union."

Those words come from the opening, or preamble, to the Constitution of the United States. Here is the preamble. Read it aloud, and talk with an older person about the words and ideas you may not understand at first. And notice the first three words, "We the People," which announce that the Constitution was meant to speak for all Americans, not just a few.

We the People of the United States, in Order to form a more perfect Union, establish Justice, insure domestic Tranquility, provide for the common defense, promote the general Welfare, and secure the Blessings of Liberty to ourselves and our Posterity, do ordain and establish this Constitution for the United States of America.

The Father of Our Country

Our first president was George Washington. He was elected by a great majority because he was trusted and admired by the people. He had helped win the Revolutionary War for Independence, and he played an important role at the Constitutional Convention. As president, he governed fairly. He did not try to gain the powers of a king for himself.

Washington did not find it easy to be president. At the end of his four-year term, he accepted a second term only to help unite a quarreling country. He refused a third term, which set a tradition

우리 인민은

1787년 5월 대표자들이 헌법 제정 회의에 모였다. 그러나 대표자들이 동의하고 서명할 수 있는 문서가 만들어지게 된 것은 9월이었다. 그들이 최종적으로 만들어 낸 정부의 체계는 각 주들의 느슨한 연합을 '보다 완전한 연방' 으로 전환시키는 것이었다.

이 말은 미합중국 헌법의 처음, 즉 서문에 나와 있다. 서문을 소개하겠다. 소리 내서 읽어보기 바란다. 만약 처음에 단어나 뜻을 모르는 것이 있다면 어른들에게 물어 봐라. 그리고 처음의 세 단어 '우리 인민은' 을 주목해 보자. 이 말은 헌법이 소수의 사람들을 위한 것이 아니라 모든 아메리카 사람들을 대변하고 있다는 뜻이다.

"미합중국의 우리 인민은 더 완전한 연방을 만들고, 정의를 수립하며, 국내의 평온을 보장하고, 공동의 방어를 갖추며, 공공의 복지를 증진시키고, 우리와 우리 자손에게 자유의 축복을 보장하기 위해 아메리카 합중국 헌법을 제정한다."

건국의 아버지

초대 대통령은 조지 워싱턴이다. 그는 사람들의 신뢰와 존경을 받았기 때문에 많은 사람들의 지지를 얻어 선출되었다. 그는 독립 전쟁의 승리를 위해 애썼으며, 대륙 회의에서 중요한 역할을 했다. 그는 대통령으로서 공정하게 나라를 다스렸다. 그는 왕과 같은 권력을 가지려 하지 않았다.

워싱턴에게 대통령이라는 직책은 간단한 일은 아니었다. 4년의 임기가 끝날 무렵 국내의 분쟁을 수습하기 위해 어쩔 수 없이 두 번째 임기를 맡기로 했다. 세 번째는 그가 거절했다. 이렇게 하여 한

of limiting presidents to two four-year terms in office. (The tradition became law when the twenty-second amendment to the Constitution was adopted in 1951.)

George Washington died only two years after the end of his second term. He is often called "the Father of Our Country" because he dedicated so much of his life to serving the United States when it was still young and in need of wise guidance. After Washington died, a congressman from Virginia spoke words that expressed the general admiration for our first president : he was "first in war, first in peace, and first in the hearts of his countrymen."

Arguments and Parties

When George Washington was president, he put a number of men in charge of running different parts of the government. We call these government officials the president' s cabinet. Two of Washington' s cabinet members were Thomas Jefferson and Alexander Hamilton.

Jefferson and Hamilton couldn' t agree on much of anything. They held very different views about human nature, about who should rule the country, and about what kind of country the United States should be.

In the Declaration of Independence, Jefferson wrote that "all men are created equal." But Hamilton was not a big believer in equality. History, he said, showed that a strong,

대통령은 4년 임기를 두 번까지만 한다는 전통이 세워졌다. (이 전통은 1951년 수정 헌법 제22조로서 법제화되었다.)

조지 워싱턴은 두 번째 임기를 마치고 난 뒤 불과 2년 만에 죽었다. 그는 아직 젊고, 현명한 지도가 필요했던 미합중국을 위해 인생의 대부분을 바쳤다. 그래서 그는 '건국의 아버지'라고 불린다. 워싱턴이 죽고 난 뒤, 버지니아 출신의 한 의원이 초대 대통령에 대해 모든 이들이 갖고 있는 찬양의 마음을 다음과 같이 표했다.

"그는 전투에서도, 평화에서도, 또 고향 사람들의 마음속에서도 첫 번째였다."

논쟁과 정당

조지 워싱턴은 대통령이었을 때, 많은 사람들에게 정부 여러 기관의 운영을 맡게 했다. 이러한 정부 관리들을 대통령의 내각이라 부른다. 워싱턴 대통령의 내각의 구성원 중에 토머스 제퍼슨과 알렉산더 해밀턴, 두 사람이 있었다.

제퍼슨과 해밀턴은 어떤 것도 서로 의견이 일치하지 않았다. 그들은 인간의 본질에 관해서, 또 누가 국가를 다스려야 하는지에 대해서, 합중국은 어떤 나라이어야 하는지에 대해서 서로 다른 견해를 갖고 있었다. 제퍼슨은 독립 선언문에서 "모든 사람은 평등하게 창조되었다."고 썼다. 그러나 해밀턴은 평등에 관한 신념이 깊지 않았다. 그는 "역사는 강하고 부유한 소수가 항상 다수의 약한 인민 대중을 지배한다는 것을 보여 주고 있다."고 말했다. 제퍼슨은 근면하고 교양 있는 사람들을 신뢰했다. 한번은 해밀턴이 제퍼슨을 향해 소리쳤다. "당신이 말하는 인민이란 사나운 짐승일 뿐입니다!"

해밀턴은 아주 강한 연방 정부를 원했다. 그는 국립 은행을 만들고 수입품에 관세를 매겨 사업가들을 도왔다. 그러나 제퍼슨은 큰

wealthy minority had always dominated a weak majority of people. Jefferson put his faith in hard-working, educated people. But Hamilton once shouted at Jefferson, "Your people, sir, is a great beast!"

Hamilton wanted a very strong federal government. He wanted to help businessmen by establishing a national bank and taxing imported goods. But Jefferson was suspicious of the power of big financial institutions. It would be dangerous, he thought, to have so much money under the control of one big bank.

When Hamilton looked to the future of America, he saw a wealthy nation of prosperous businessmen, big cities, and a strong federal government. When Jefferson looked ahead, he saw a republic of independent, hard-working farmers. Jefferson thought strong state governments were necessary to prevent tyranny by the federal government. He feared that Hamilton's policies would create a wealthy ruling class with control over a poor, ignorant working class.

Many people agreed with Hamilton. Just as many people agreed with Jefferson. To support the leader they agreed with, people joined together in political parties. Political parties, and the disagreements between them, are a continuing part of democracy in America. The names of the major political parties in America have changed over the years. Today we have two main political parties, the Republicans and the Democrats. They often disagree about the way our government should be run. You might think all this disagreement would make it hard to get things done, and

금융 기관이 가진 권력에 대해 의심스런 눈길을 보냈다. 하나의 큰 은행이 너무 많은 돈을 관리하는 것은 위험하다고 생각했다.

해밀턴이 생각하는 아메리카의 미래는 부유한 기업가들이 있고, 큰 도시가 있으며, 연방 정부가 강력한 힘을 가진 부유한 나라였다. 제퍼슨이 생각하는 미래는 자립적이고 근면한 농민들의 공화국이었다. 연방 정부의 독재를 막기 위해서는 강력한 주 정부가 필요하다고 생각했다. 그는 해밀턴식의 정치에서는 부유한 통치 계급이 가난하고 무지한 노동 계급을 억압하게 된다는 것을 두려워했다.

해밀턴의 생각에 동의하는 사람과 제퍼슨의 생각에 동의하는 사람들의 수는 비슷했다. 사람들은 자신들이 찬성하는 지도자를 지원하기 위해 함께 모여 정당을 만들었다. 정당들이 있고, 그들 사이에 의견 차이가 있기 때문에 아메리카에서 민주주의가 지속되고 있는 것이다. 아메리카에 있는 주요 정당의 이름은 세월의 흐름 속에 바뀌어 갔다. 오늘날에는 공화당과 민주당 두 개의 주요 정당이 있다. 그들은 미국 정부가 가야 할 방향에서 종종 의견을 달리한다. 이처럼 의견이 일치하지 않기 때문에 일이 이루어지기 어렵다고 생각할지도 모르겠다. 때로는 그렇기도 하다. 하지만 그것은, 감히 누구도 반대하지 않는, 한 사람의 전능한 지배자의 의사로 모든 것이 이루어지는 것보다는 더 낫다.

새로운 수도

새로운 합중국의 새로운 수도가 필요했다. 합중국의 남과 북 중간에 있는 장소가 선택되었다. 발명가, 천문학자, 수학자, 그리고 지도 제작자였던 아프리카계 아메리카 인이었던 벤자민 배네커가 새로운 도시의 조사와 설계를 담당하는 위원으로 활동했다. 이 새로운 도시가 누구의 이름을 딴 것인지는 알고 있을 것이다. 이 도시는 바로 콜

sometimes it does. But it' s better than having everything done according to the will of a single, all-powerful ruler nobody dares to disagree with!

A New Capital City

The new country of the United States needed a new city as its capital. A place midway between the North and the South was chosen. Benjamin Banneker, an African-American inventor, astronomer, mathematician, and mapmaker, served on the commission that surveyed and planned the new city. You know who the new city was named after—it was called Washington, the District of Columbia (which we abbreviate as Washington, D.C.).

Builders worked all through the 1790s on a building where Congress could meet, called the Capitol, and on a house for the President. We now call the president' s house the White House. When our second president John Adams, moved in with his wife Abigail in 1800. there was no stairway to the second floor, and many of the walls were still unfinished.

At this time, Washington was only a muddy town with what one person described as a lot of "miserable huts." One foreign ambassador found a two-foot-long snake in his house!

The city is very different today. It has many huge, stone office buildings for the government. It has magnificent museums and a great library, the Library of Congress, where you can find just about any book you could want. Perhaps you have visited Washington, D.C., and seen the great

럼비아특별구 워싱턴(워싱턴 D.C 로 약칭한다)으로 불렸다.

건축가들은 연방 의회가 열리는 캐피톨(국회 의사당)로 불리는 건물과 대통령 관저를 짓기 위해 1790년대 내내 일했다. 오늘날에는 대통령 관저를 백악관이라고 부른다. 제2대 대통령인 존 애덤스가 아내인 애비개일과 함께 1800년에 옮겨왔을 때는 이층으로 가는 계단도 없었고, 많은 벽이 미완성인 채로 있었다.

당시 워싱턴은 어떤 사람이 표현했듯이 수많은 '초라한 움막' 들이 있는 진흙탕의 도시였다. 한 외국 대사는 집에서 길이가 2피트(약 60㎝)나 되는 뱀을 발견하기도 했다!

워싱턴은 오늘날은 매우 다른 모습이다. 워싱턴에는 거대한 석조의 정부 기관용 건물들이 많이 있다. 웅장한 박물관과 거대한 도서관도 있다. 의회 도서관에서는 원하는 어떤 책도 찾을 수 있다. 워싱턴을 방문해 보았다면 워싱턴, 제퍼슨, 링컨이라는 세 사람의 위대한 지도자를 기리는 거대한 기념비를 보았을 것이다.

토머스 제퍼슨

토머스 제퍼슨은 독립 선언문을 썼을 때 불과 서른셋의 나이였다. 그는 워싱턴 대통령의 내각에서 일했다. 그리고 1801년에는 미국의 세 번째 대통령으로 선출되었다.

1803년에 제퍼슨은 아마도 미국이 사들인 최대의 거래를 성사시켰다. 그는 작지만 중요한 도시 하나를 사고 싶었다. 그것은 미시시피 강변의 뉴올리언스였다. 그런데 프랑스는 소도시인 뉴올리언스를 포함해 프랑스가 소유한 13개 주의 서쪽을 전부 팔고 싶어 했다. 프랑스가 팔려고 하는 땅은 무척 넓었지만 가격은 매우 쌌다. 제퍼슨은 "예스!"라고 말했다.

하룻밤 사이에 미국의 면적은 두 배가 되었다. (106쪽을 보라.)

monuments built to honor three of our great leaders: Washington, Jefferson, and Lincoln.

Thomas Jefferson

Thomas Jefferson was only thirty-three years old when he wrote the Declaration of Independence. He served in President Washington' s cabinet. And in 1801 he was elected the third president of our country.

In 1803 Jefferson bought for our country probably the greatest bargain that ever was. He wanted to buy one small but important city. This was New Orleans, on the Mississippi River. Instead, France wanted to sell everything she owned west of the thirteen states, including the little city of New Orleans. The price was so low and the land so huge, Jefferson said Yes!

Overnight our country was more than twice as big. (See p. 106).

President Jefferson sent Lewis and Clark and nearly fifty other men to explore the new land, to learn what rivers and plants and animals were there.

Jefferson was a man of many talents. He could read many different languages. He studied mathematics, science, geography, and music. He believed strongly in the value of a good education ; he wanted to be remembered for founding the University of Virginia.

Jefferson also studied architecture and designed his own house, called Monticello. You might have a picture of Jefferson and Monticello in your pocket! Look on the front and back of a nickel.

제퍼슨 대통령은 루이스와 클락을 비롯한 50여 명의 사람들을 보내 어떤 강과 동식물이 있는지를 살펴보기 위해 새로운 땅을 탐험하도록 했다.

제퍼슨은 재능이 많은 사람이었다. 그는 여러 종류의 언어를 할 줄 알았다. 그는 수학, 과학, 지리, 그리고 음악을 공부했다. 그는 교육의 중요성을 굳게 믿고 있었다. 그는 버지니아 대학의 설립자로 기억되기를 원했다.

그는 또 건축을 공부하여 몬티첼로라는 자신의 집을 직접 설계하기도 했다. 여러분들은 제퍼슨과 몬티첼로를 주머니 속에서 볼 수 있을 것이다. 5센트짜리 동전의 앞뒷면을 보라!

제퍼슨은 1826년 7월 4일에 죽었다. 그날은 오십 번째 미국 독립기념일이었다. 그는 미국 독립을 이루기 위해 일생을 바쳤다.

토머스 제퍼슨 1743~1826
토머스 제퍼슨은 종종 르네상스적인 인간이라고 불린다. 그의 업적은 정치가이자 법률가로서의 활동에 그치지 않는다. 고고학, 천문학, 물리학, 외국어(고전 그리스어, 라틴 어, 프랑스 어, 이탈리아 어, 에스파냐 어 등을 자유자재로 읽고 쓸 수 있었다.) 등을 깊이 있게 공부했다. 그는 교육자, 건축가로서도 중요한 업적을 남겼다.
그는 대통령직을 사임한 뒤 고향인 버지니아 주의 샤롯빌에 돌아와 자신이 그리던 학교를 만드는 데 여생을 바쳤다. 그 성과가 바로 버지니아 대학이다. 그의 묘비명에는 그가 대통령이었다는 사실 대신에 '독립선언문과 버지니아 신교 자유법의 기초자이자 버지니아 대학의 창시자'라고 되어 있다.

매디슨의 고민 : 1812년의 전쟁

미국 헌법의 아버지 제임스 매디슨은 제4대 대통령으로서 해결해야 할 것이 많았다. 많은 문제가 미국과 영국 사이의 계속되는 분쟁 때문에 생겼다.

Jefferson died on july 4, 1826—the fiftieth anniversary of American independence, which he did so much to make possible.

Madison' s Troubles : The War of 1812

The Father of the Constitution, James Madison, had his hands full as our fourth president. Many of his troubles resulted from continuing quarrels between the United States and Britain.

In the West, Americans were angry because of a false rumor that the British were encouraging Native American tribes led by Tecumseh to attack the settlers. On the seas, matters were more complicated. Britain was again at war with France. Both Britain and France were interfering with American merchant ships. But the British made Americans especially angry by pulling American sailors off their ships and forcing them to help the British in their fight against France.

You might think that after the war for independence, Americans would be tired of fighting. But a group of angry congressmen demanded that America go to war again with Britain. The "War Hawks," as they were called, pushed President Madison to declare war in 1812. The War Hawks had one other motive : they hoped to take over Canada, the vast British-owned territory north of the United States.

The United States was not ready for the War of 1812. The country lacked soldiers and supplies. Although Congress was willing to talk a lot about battling Britain, it was not willing to tax the American people to pay for the war. American troops

서부에서는 영국이 테쿰서가 이끄는 아메리카 원주민에게 이주자들을 공격하도록 부추기고 있다는 거짓 소문 때문에 미국인들이 화가 나 있었다. 바다에서는 문제가 더욱 복잡했다. 영국이 또다시 프랑스와 전쟁을 벌이면서 두 나라 모두 미국 상선의 왕래를 방해하고 있었다. 더 화가 나게 한 것은 영국 쪽이었다. 영국은 미국의 선원들을 배에서 내리게 하여 프랑스와의 전투에서 자신들을 돕게 했다.

독립 전쟁이 끝나고 난 뒤 미국은 전쟁에 지쳐 있었다. 하지만 화가 난 일부 의원들은 미국이 다시 영국과 전쟁을 벌여야 한다고 주장했다. '전쟁의 매' 라고 불린 이들은 매디슨 대통령에게 1812년에 전쟁을 선포하게 했다. 이들에게는 다른 하나의 동기가 있었다. 그들은 미합중국 북쪽의 광활한 영국 소유의 영토인 캐나다를 차지하고 싶었다.

1812년에 미국은 전쟁 준비가 되어 있지 않았다. 병사도 보급품도 부족했다. 의회는 영국과의 전쟁에 관한 논의에는 적극적이었지만 전쟁 비용을 위한 세금 부과에는 소극적이었다. 미국군은 미국의 북부와 서부의 전투에서 여러 차례 졌다. 이제 미국이 영국으로부터 캐나다를 차지한다는 것이 무모하다는 것이 분명해졌다.

바다 전투에서는 미국이 좀 나았다. 전함 콘스티튜션호는 수많은 전투에서 살아남았기 때문에 '역전의 용사' 라는 별명이 붙었다.

바다에서의 승리에도 불구하고 전쟁은 미국에게 불리해졌다. 영국이 워싱턴 D.C.를 공격했고 백악관에 불을 질렀다.

1812년의 전쟁은 미국이 해서는 안 될 전쟁이었다. 전쟁은 시간을 끌고 있었으며, 어느 쪽도 이기지 못하고 있었다. 마침내 1814년 크리스마스 이브에, 지친 두 나라는 평화 협정을 맺었다. 미국과 영국은 이후 다시는 전쟁을 하지 않기로 한 것이었다. 실제로 이후의 전쟁에서 두 나라는 동맹국이 되어 싸웠다.

1812년의 전쟁에서 가장 큰 전투 중의 하나가 평화 협정 체결 몇

lost many battles in the north and the west of the country, and it quickly became clear that it was useless for America even to think about taking Canada from the British.

In sea battles, Americans did better. The battleship Constitution was nicknamed "Old Ironsides" because it survived so many battles.

But despite these victories at sea, the war went poorly for the Americans. The British attacked Washington, D.C., and set fire to the White House.

The War of 1812 was a war that America never should have gotten into at all. The fighting dragged on. Neither side was winning. Finally, the two tired countries signed a peace treaty on Christmas Eve in the year 1814. America and Britain would never go to war against each other again. In fact, in later wars, the two countries would fight as allies.

One of the biggest battles of the War of 1812 was fought a few weeks after the peace treaty was signed. News traveled slowly in those days ; word of the treaty had not yet reached the city of New Orleans, in the deep South. American troops, led by General Andrew Jackson, were in a well-protected position when the British troops advanced. The Americans fired their rifles, and kept on firing. The British, marching in the open, didn' t have a chance. Many died in the Battle of New Orleans, even though the war was officially over.

주일 뒤에 벌어졌다. 당시에는 소식이 전해지는 데 시간이 걸렸다. 남쪽 끝에 있는 뉴올리언스에는 평화 협정 소식이 아직 전해지지 않았다. 앤드류 잭슨 장군이 이끄는 미국군은 영국군이 쳐들어왔을 때 매우 견고한 방어 태세를 갖추고 있었다. 미국군은 소총을 계속 발사했다. 트여 있는 들판을 진격해 오던 영국군은 어쩔 줄을 몰랐다. 공식적으로는 전쟁이 끝났으나 뉴올리언스 전투에서 많은 사상자가 났다.

국가 '성조기'

'성조기 The Star-Spangled Banner'를 작사한 사람은 프란시스 스콧 키이다. 영국과의 전쟁(1812~1815) 중인 1814년, 그는 포로가 된 친구인 의사의 석방을 탄원하기 위해서 당시 미국군의 요새를 공격하기 위해 볼티모어 항에 집결한 영국 해군의 배에 타고 있었다. 그러나 영국군에 의한 총공격이 시작되어 그는 배 위에서 밤을 밝혀야 했다.

이른 아침, 아군의 요새가 함락되었을 거라 생각하며 바라보니 아침까지도 성조기가 나부끼고 있는 것에 감동했다. 가사는 이때 느낀 감동을 표현한 것으로, 마치 포탄이 어지러이 날아다니는 소리가 들리는 듯하게 표현했다. 가락은 18세기 영국의 것인데, 당시 아메리카에도 잘 알려져 있던 '천국의 아나클레온으로'를 따왔다. '성조기'는 오랜 기간 동안 마치 국가처럼 불렸는데, 1931년 연방 의회가 승인함으로써 정식으로 국가가 되었다.

먼로 독트린

신대륙에서 구대륙에 대항하여 독립을 위해 싸운 것은 미국만이 아니었다. 미국이 영국과 결별한 직후 라틴아메리카의 에스파냐 식민지들도 전쟁에 돌입하여 독립을 쟁취했다.

미국은 스스로 독립을 위해 싸웠을 뿐만 아니라, 이웃 라틴아메리카에 있는 나라들의 처지를 동정하고 있었다. 제5대 대통령인 제임스 먼로는 신대륙에 다수의 식민지를 갖고 있던 유럽 여러 나라에게 북아메리카와 남아메리카에 더 이상의 새로운 식민지를 건설하지

The Monroe Doctrine

The United States was not the only country in the New World to struggle for independence from the Old World. Not long after the United States broke away from Britain, Spain' s colonies in Latin America began fighting – and winning – their independence.

Because Americans had so recently fought for their own independence, they sympathized with their Latin American neighbors. Our fifth president, James Monroe, sent a message to the European countries that had once held so many colonies in the New World : Don' t even think about trying to start any more colonies in North or South America! This policy, called the Monroe Doctrine, told the great powers of the Old World not to interfere in the affairs of the New World – a pretty confident demand for a young country to make! At the same time, the Monroe Doctrine said that America would not get involved in European wars or politics.

A Few Settlers Move West

President Jefferson got a great bargain in the Louisiana Purchase. He was able to buy so much land that suddenly the country was twice as big.

Americans had been going west since the colonies began. After the Revolution, more and more of them wanted to go west over the Appalachian mountains. They had heard that in the lands between the mountains and the Mississippi River food

말라는 성명을 보냈다! 먼로 독트린이라고 불린 이 정책은 구대륙의 강국들에게 신대륙 문제에 간섭하지 말라는 것이었다. 신생국으로서는 하기 쉽지 않은 주제넘은 요구였다. 동시에 먼로 독트린은 유럽에서의 전쟁 및 정책에 대해서 미국은 일체 개입하지 않겠다는 것이었다.

서부로 향하는 이주자들

제퍼슨 대통령은 아주 좋은 조건으로 루이지애나를 샀다. 그는 갑자기 당시 미국 땅의 두 배 정도로 넓은 땅을 살 수 있었다.

식민지가 시작될 때부터 아메리카 사람들은 서부로 향했다. 독립전쟁 뒤 더 많은 사람들이 애팔래치아 산맥 너머 서부로 가고자 했다. 사람들은 산맥과 미시시피 강 사이의 땅에서 작물을 재배하기 쉽다는 이야기를 들었다. 땅속에서 펑하고 솟아오른다는 감자라든지, 너무 크게 자라서 호박초롱(속 빈 호박에 눈 · 코 · 입 등의 모양을 뚫고 속에 촛불을 켜놓은 것)을 만들면 하늘의 달을 보는 듯하다는 식의 과장된 이야기들이 많이 있었다. 바다와 같이 넓은 호수라든지 수를 헤아리기 힘들 정도로 많은 동물을 보았다는 사람들도 있었다.

루이지애나를 산 뒤에도 미시시피 강의 서쪽에도 땅이 있었다. 가난한 사람들과 유럽에서 막 이민 온 사람들에게는 이 땅이 필요했다. 하지만 새로운 땅은 너무 멀리 떨어져 있어, 마차를 타고 여행하거나 걸어서 숲을 지나고 산을 올라야 했다.

grew easily. There were tales about potatoes popping out of the ground. About pumpkins growing so big that a jack-o'-lantern would look like the Man in the Moon! People had seen lakes as big as seas and so many animals they couldn't count them.

After the Louisiana Purchase there was land west of the Mississippi River, too. This land was needed by poor people and by new people coming in from Europe. But the new land was far away when you traveled in a horse-drawn wagon or walked through forests and up mountains.

Boats and Trains

Then, suddenly everything changed. An artist named Robert Fulton became an engineer and invented a new kind of boat. It was a steamboat run by a steam engine. It didn't need oars or sails. It needed only burning wood or coal to heat the water to make the steam to run the engine that ran the boat. Steam engines could get you far up and down the river more quickly than ever before.

Then people started digging canals so canalboats could get to more and more places. The Erie Canal was started in New York State soon after the War of 1812. Later you could go by boat from the Atlantic to the Mississippi. Steam was also used to make trains move. Now you had the railroad. The early railroads were tiny and slow and covered their passengers with coal smoke. But they could move across the countryside a lot faster than wagons could.

배와 기차

갑자기 모든 것이 변했다. 로버트 풀턴이라는 화가가 기술자가 되어 새로운 종류의 배를 만들었다. 그것은 증기 기관으로 움직이는 배였다. 노나 돛이 필요 없었다. 배를 움직이는 엔진을 가동시키는 증기를 만들어 내기 위해 물을 끓일 수 있는 나무나 석탄만 있으면 되었다. 증기 기관은 이전보다 훨씬 멀리, 그리고 빨리 강을 오르내릴 수 있게 해 주었다.

그러자 사람들은 운하를 파서, 운하용 배로 곳곳을 다닐 수 있게 되었다. 1812년의 전쟁이 끝나자마자 뉴욕 주의 에리 운하 건설이 시작되었다. 나중에는 대서양에서 미시시피 강까지 배로 갈 수 있게 되었다. 증기 기관은 기차에도 사용되었다. 오늘날에도 철로가 있다. 초기의 철로는 작고 느렸으며, 승객들은 석탄 연기를 뒤집어 쓸 수 있었다. 그러나 그들은 마차보다는 훨씬 지방으로 빨리 이동할 수 있었다.

파이오니아

서부로 가는 사람들을 '파이오니아(개척자)' 라고 불렀다. 이 말은 군대에서 나온 말이다. 옛날에는 군대가 행진할 때 '파이오니아' 라고 불리는 몇몇 병사가 대규모 군대가 지나기 전에 먼저 걸어가서 길을 만들어 주는 역할을 했다. 서부로 갔던 개척자의 역할이 바로 그러했다. 그들은 서부로 가려는 수백만의 사람들을 위한 길을 만들기 위해 앞서갔다. 많은 개척자들이 죽었다. 많은 아메리카 원주민들이 그들과 싸우다가 죽었다. 인디언 부족들은 정부에 의해 자신들이 살던 땅에서 쫓겨났다. 일부는 '인디언 거류지' 에 갇혀 그곳을 떠날 수 없게 되었다. 그들은 그곳에서 자주 기근에 시달렸다. 그들이 살던 땅은 새로운 이주자들로 넘쳐났다.

Pioneers

The people moving west were called "pioneers." This was a word from the army. When an army marched in the old days, a few soldiers called pioneers went ahead on foot to make paths and roads for the big army that would follow. That was just what our pioneers did. They went ahead to prepare the way for the millions of people who would move to the West. Many pioneers died. Many Native Americans struggled against them, and also died. Other Indian tribes were forcibly removed from their lands by the government. Some were sent to "Indian Territory" and not allowed to leave. They were often hungry there. The new settlers flooded into their lands.

포장마차로 서부로 향해 가는 개척자들

Lone Star, Texas

When you look the map on p.106, you will see that Mexico once held much of the Western part of our country. Some settlers from our country moved into the area that is now Texas. You can find it if you look at the Southern part of our country, almost in the middle.

At first the government of Mexico was glad American settlers moved into the Texas land. There weren' t many people there, and the Americans paid taxes to Mexico. But

외로운 별, 텍사스

106쪽의 지도를 보면 한때는 멕시코가 미국의 서부 대부분을 차지하고 있었다는 것을 알 수 있다. 이주자들 중에는 지금의 텍사스로 이주한 사람들이 있었다. 미국 남부의 거의 중앙에 텍사스가 있다.

처음에 멕시코 정부는 미국의 이주자들이 멕시코로 오는 것을 환영했다. 인구가 많지 않았고, 세금도 멕시코 정부에 바쳤다. 그러나 점점 너무 많은 미국인들이 몰려오기 시작했고, 멕시코 정부로서는 손을 쓸 수가 없게 되었다.

멕시코 정부는 엄격한 새 대통령을 갖게 되었다. 텍사스 주민들은 자신들이 만든 규칙을 갖고 있었다. 그들은 아메리카 식민지들이 영국 왕의 간섭을 받기를 원하지 않았던 것처럼 멕시코 대통령의 간섭을 받는 것도 원하지 않았다. 영국과 아메리카 식민지 사이에 벌어졌던 것과 비슷한 사태가 발생했다. 텍사스 주민들은 멕시코로부터 벗어나기로 결정했다. 독립을 원한 것은 미국에서 온 이주자만은 아니었다. 텍사스에 살고 있는 대부분의 주민이 찬성했다.

영토 확장의 논리-'명백한 운명'

1830년부터 40여 년 동안 개척자들은 서부로 달려갔다. 그들이 간 곳 중에는 아직 정식으로 미국의 땅이 아닌 곳도 있었다. 영국이 영유권을 주장하고 있거나, 인디언의 땅이거나, 아니면 멕시코 땅이거나 했다.

이때 미국의 영토 확장을 정당화해 주었던 것이 '명백한 운명 Manifest Destiny'이라는 말이었다. 이 표현은 언론인 오설리번이 1845년에 잡지에 쓴 논문에 나온 말이다. 이에 따르면 "신이 준 이 대륙에 발을 넓혀 나가는 것은 명백한 운명이다."는 것이었다. 이 말은 서부를 향한 열기가 최고조에 달했던 민중의 심리를 사로잡았고, 개척자들에게 용기를 북돋아 주었다.

1846년에는 미국과 멕시코 사이에 전쟁이 벌어져, 1848년에는 캘리포니아와 뉴멕시코를 포함한 광대한 영토를 차지하게 되었다.

이러한 생각은 20세기에 들어서도 계속 남아 있었고, 자유와 민주주의를 넓혀 나가기 위해서는 해외로 진출하는 것이 미국의 사명이라고 하는 제국주의적 팽창의 이념이 되기도 했다.

later it seemed too many Americans were coming, and the Mexican Government couldn' t stop them.

The Mexican Government had a new President who was strict. The Texans were used to making their own rules. They did not want to be pushed around by the Mexican President any more than the American colonies wanted to be pushed around by the British King. What followed is a bit like what happened between Britain and her American colonies. The Texans decided they wanted to be free of Mexico. Not all of the settlers wanting this were from the United States. Many of the Mexican settlers in Texas agreed.

Remember the Alamo!

When 1836 came, Mexico was not going to let Texas go without fighting. Texas had to raise an army quickly and asked the United States Government to help. Texas already had some soldiers. One hundred and eighty-two of them were sent to an old building called the Alamo, a place which had once been a small Mexican church with Spanish priests. Two of these soldiers were famous frontiersmen who had come from the United States to help Texas. You may have heard of Jim Bowie and Davy Crockett. They were at the Alamo.

These few men were surprised to see over three thousand Mexican soldiers come to fight them. They thought the Mexican army would wait until spring to come north. By that time, Texas would have more defenders. But the Texans

알라모를 기억하라!

1836년, 멕시코로서는 싸우지도 않고 텍사스를 내줄 수는 없는 노릇이었다. 텍사스는 재빨리 군대를 늘려야만 했다. 텍사스는 미국 정부에 도움을 요청했다. 텍사스에는 약간의 병사들이 있었다. 텍사스의 병사들 중 182명의 병사가 '알라모'라고 불리는 오래된 건물에 파견되었다. 그곳은 이전에 에스파냐 사제가 살던 작은 멕시코 교회 건물이었다. 병사들 중에는 텍사스를 돕기 위해 미국에서 온 유명한 두 명의 개척자가 있었다. 그들의 이름은 짐 보위와 데이비 크로켓이었다. 그들이 알라모에 있었다.

얼마 되지 않는 이들 병사들은 수천의 멕시코 병사가 공격해 오는 것을 보고 놀라지 않을 수 없었다. 그들은 멕시코 군은 봄이 되어야 북상해 올 것이라고 생각하고 있었던 것이다. 그때쯤에는 텍사스 방위군이 더 늘어날 예정이었다. 텍사스 인들은 항복하지 않았다. 멕시코 군이 공격해 왔다.

알라모 요새와 데이비 크로켓

알라모 요새는 텍사스 독립 전쟁에서 소수의 텍사스의 부대가 버티며 싸웠던 교회 건물을 말한다. 지금의 텍사스 주 남부에 있다. 그때 3천 명의 멕시코 군이 이 요새를 포위했다. 1836년 2월 23일부터 격전이 벌어졌다. 그러나 수에서 절대적인 약세였기 때문에 결국 3월 6일 요새는 함락되고 말았다. 지휘관인 윌리엄 트래비스를 비롯하여 데이비 크로켓 등 187명 전원이 전사했다. 이들의 분투와 비극이 세상에 전해졌고, '알라모를 기억하라!'가 텍사스 군의 구호가 되었다.

전사자 중에 데이비 크로켓은 테네시 출신의 서부 개척자로 명사수였고, 전설적인 인물이다. 데이비 크로켓은 나중에 제7대 대통령이 된 앤드류 잭슨 휘하에서 1813년부터 다음 해까지 인디언 전쟁에 참가했다. 1827년에는 하원 의원이 되었고, 3선을 역임했다. 1835년에 낙선한 뒤 텍사스로 가서 대령으로 근무하며 텍사스 독립을 위해 싸웠다.

refused to give up, and the Mexicans attacked.

Somehow the men at the Alamo held out through almost two weeks of fighting. The Mexican President said he would kill everyone if the Alamo did not surrender. In the end only five men were left. Jim Bowie even fought from a cot where he had lain sick.

When the Mexican President arrived, he ordered the five male prisoners killed. This was not against the rules of war, but a Mexican general asked to save the men because they had been so brave. The President said "no." If you visit Texas today, you can still see the Alamo.

The Mexican victory did not last long. The Texans were furious about the killing of the five Alamo prisoners and also amazed by the bravery of all of the defenders. They surprised the Mexican army and captured the President. Texas was no longer part of Mexico.

After the Mexican War : Three Times as Big

After a time, Texas was made a state of the United States. But Mexico did not accept this, and made attacks against Texas along the border. The United States Government was angry at the attacks. It seemed that the two countries were headed for war over Texas. But the United States had another reason for going to war against Mexico. It wanted the Mexican lands west of Texas, especially California, where some Americans were already living.

So, neither side tried to keep from going to war. Mexico

알라모의 병사들은 거의 2주 동안이나 싸우면서 버텼다. 멕시코 대통령은 항복하지 않으면 모두 죽이겠다고 말했다. 알라모의 병사들은 항복하지 않았다. 결국에는 다섯 명만 남게 되었다. 짐 보위는 아파서 누워 있던 상태에서도 싸웠다.

멕시코 대통령이 도착하여 다섯 명의 남자 포로들을 처형하라고 명령했다. 그것이 전쟁의 규칙을 위반하는 것은 아니었다. 하지만 멕시코의 한 장군은 이들이 너무나 용감했기 때문에 살려 주자고 간청했다. 대통령의 대답은 '노' 였다. 텍사스에 가면 지금도 알라모를 볼 수 있다.

멕시코의 승리는 오래 가지 않았다. 텍사스 사람들은 다섯 명의 포로를 죽인 것에 대해 격노했다. 그리고 모든 병사들의 용감함에 감탄했다. 그들은 멕시코 군을 급습하여 대통령을 포로로 붙잡았다. 이제 텍사스는 더 이상 멕시코의 영토가 아니었다.

멕시코 전쟁 이후 : 영토가 3배로

이제 텍사스는 미국의 한 주가 되었다. 하지만 멕시코는 이 사실을 받아들이지 않았다. 그리고 국경 주변에서 공격해 왔다. 이에 미국 정부가 분노했다. 텍사스를 놓고 두 나라가 전쟁을 벌일 태세였다. 그런데 미국은 전쟁을 하려는 다른 이유가 있었다. 특히 캘리포니아를 비롯한 텍사스 서부의 멕시코 땅을 원했던 것이다. 그곳에는 이미 미국 사람들이 살고 있었다.

따라서 어느 쪽도 전쟁을 피하려 하지 않았다. 멕시코는 미국보다 더 큰 군대를 보유하고 있었다. 하지만 멕시코 군이 갖고 있는 총과 대포는 성능이 좋지 못했다. 반면 미국 군대는 급속도로 성장하고 있었다. 그리고 미국인들은 매우 뛰어난 전략도 가지고 있었다. 멕시코 연안에 배로 군대를 보내 내륙으로 공격해 들어가 멕시코시티

had a larger army than the United States. But Mexican guns and cannons weren' t very good, and the American army was growing quickly. The Americans also had a very clever plan. They took troops by ship to the coast of Mexico, and pushed inland to capture Mexico City. The war was over.

Because of the war with Mexico, the United States grew again, adding the present-day states of California, Nevada, Utah, western Colorado, western New Mexico, and most of Arizona. Remember, Texas had joined the country right before the war.

Now, the United States was more than three times as big as the thirteen original states and stretched from the Atlantic to the Pacific.

를 점령했다. 전쟁은 끝났다.

미국은 멕시코와의 전쟁에서 이겨 더욱 커졌다. 오늘날의 캘리포니아, 네바다, 유타, 웨스턴 콜로라도, 웨스턴 뉴멕시코, 그리고 애리조나의 대부분을 차지하게 되었다. 기억하라. 텍사스는 전쟁 전에 이미 미국의 영토가 되었다.

이제 미국은 처음의 13개 주였을 때보다 세 배나 커지게 되었다. 대서양에서 태평양까지 이르게 되었다.

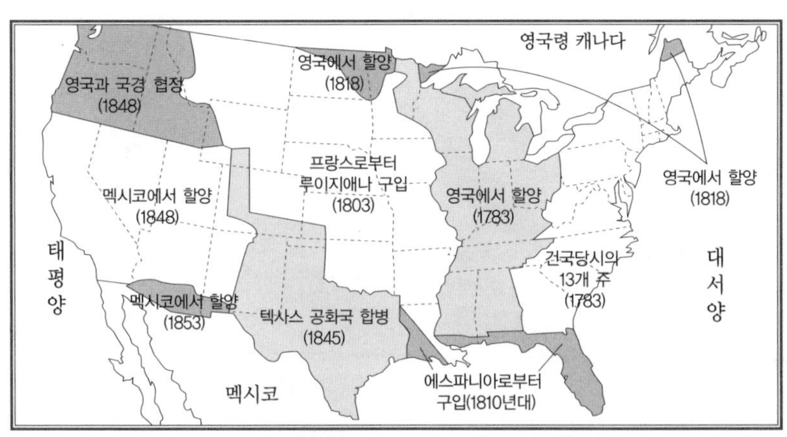

미국의 영토 확장
미국은 처음에는 13개 주였지만, 1783년 독립 전쟁에서 이겨 영국으로부터 미시시피 강까지 얻게 되었다. 1803년에는 프랑스로부터 루이지애나를 사서 영토가 두 배로 되었다. 1810년에는 플로리다와 멕시코 만 연안의 땅을 에스파냐에게 샀다. 1845년에는 멕시코로부터 독립한 텍사스 공화국을 합병했다. 이어서 멕시코와의 전쟁에서 이겨 캘리포니아와 뉴멕시코를 얻었다. 북위 49도선에 맞닿은 영국령 캐나다와의 국경은 1818년과 1842년에 합의한 결정에 따라 정해진 것이다. 영국과 공유하고 있던 오리건 지방도 49도선으로 분할되었다. 또 1853년에는 멕시코로부터 개즈던 지방, 1867년에는 러시아로부터 알래스카를 샀다. 1898년에는 하와이를 합병하여 50개 주가 되었다.

Chapter 3

THE CIVIL WAR AND RECONSTRUCTION

남북 전쟁과 남부 재건

Chapter 3

THE CIVIL WAR AND RECONSTRUCTION

North and South

In the mid-1800s, America's population and industry were growing rapidly. But the country was also growing apart. Serious disagreements had developed between people in the North and South.

The North and the South had very different economies. The economy of the North was becoming industrial, based on factories that made such things as iron and steel and machinery and cloth. The South's economy was mostly agricultural. Most Southern farmers owned small farms and did not own slaves. But much of the most profitable crop, cotton, was grown on large plantations that relied on slave labor. In the mid-nineteenth century, slaves in the South did all of the hardest work, and about four-fifths of the skilled labor as well. A whole way of life developed in the South that depended upon slavery.

Many Southerners came to accept slavery as necessary. Even so, up to the 1830s there were many outspoken critics of slavery in the South. In earlier years, prominent leaders in Southern states, such as Thomas Jefferson of

제3장 남북 전쟁과 남부 재건

북부와 남부

1800년대 중반, 미국의 인구와 산업은 빠르게 성장하고 있었다. 그러나 나라가 분열되고 있었다. 북부와 남부 사람들 사이에서 의견의 대립이 심각해졌다.

북부와 남부의 경제는 매우 달랐다. 북부의 경제는 철강과 기계 및 의류를 만드는 공장을 기반으로 하여 산업화되고 있었다. 남부는 농업이 대부분을 차지했다. 남부의 대부분의 농민들은 작은 농장을 갖고 있었다. 그러나 노예는 소유하고 있지 않았다. 그런데 가장 수익이 좋은 작물인 면화는 노예 노동에 의존하는 대규모 농장에서 재배되었다. 19세기 중반 무렵, 남부의 노예들은 온갖 힘든 일들을 하고 있었으며, 숙련 노동자의 $\frac{4}{5}$를 점하고 있었다. 남부에서의 모든 생활양식은 노예 제도에 의존하고 있었다.

남부의 많은 사람들은 노예 제도를 필수적인 것으로 받아들이고 있었다. 그렇기는 해도 1830년대까지 남부에서는 노예 제도에 대해 드러내 놓고 반대하는 목소리도 있었다. 버지니아의 토머스 제퍼슨과 같은 남부 주의 뛰어난 지도자들은 초기에 노예 제도에 대해 불편하게 생각했다. 그리고 도덕적인 이유 때문에 노예 제도에 대해 반대했다. 그렇지만 그들은 (제퍼슨처럼) 계속 노예를 소유하고 있었다. 이는 남부의 백인들이 노예 제도에 얼마나 뿌리 깊게 의존하고 있었는지를 보여 준다. 그리고 노예 제도가 폐지된다면 얼마

Virginia, had felt uneasy about slavery, and objected to it on moral grounds. Yet, despite their objections to slavery, they continued (like Jefferson) to own slaves – which indicates just how deeply whites in the South had come to rely upon slavery, and how much they would have to give up if it were ever abolished.

Slavery had existed in the North as well during colonial times. But as the Northern economy developed, it came to rely less on slave labor. In the North there were no plantations. People made their living as small farmers, shopkeepers, craftsmen, merchants, and factory workers. Because they did not rely on slave labour, many Northerners were opposed to slavery. Some were opposed for selfish reasons : they saw slavery as a threat to the jobs of white workers. Others, however, considered slavery morally wrong, and saw it as a threat to the basic principles of American democracy.

For a variety of reasons, then, the South had come to rely upon slavery, and the North to oppose it. More than anything else, disagreements over slavery would drive the nation closer to war.

The Missouri Compromise

As more people moved west through out the early nineteenth century, more territories became eligible to become new states. The original states were very interested

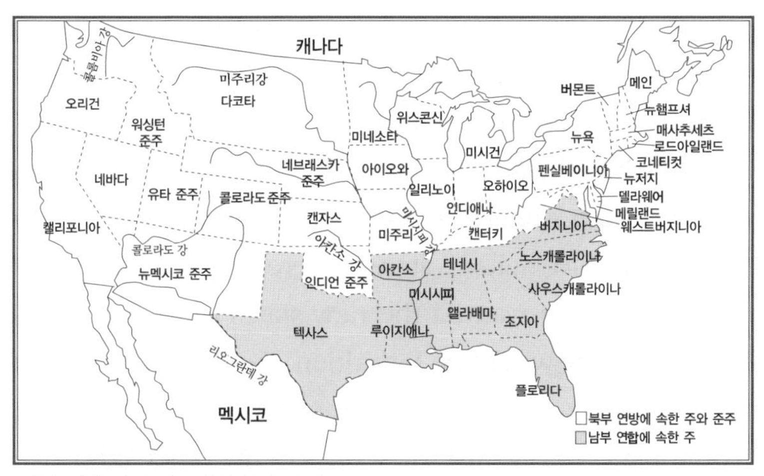

남북 전쟁 당시 북부와 남부의 대립

나 큰 희생을 치러야 할지를 보여 주고 있다.

식민지 기간 동안에는 북부에서도 노예 제도가 있었다. 하지만 산업이 발전해 가면서 노예 노동에 덜 의존하게 되었다. 북부에서는 대규모 농장도 없었다. 사람들은 소규모의 농민, 소매점 주인, 직인, 상인, 공장 노동자로서 생계를 유지하고 있었다. 그들은 노예 노동에 의지하고 있지 않았기 때문에 노예 제도에 반대했다. 어떤 사람들은 이기적인 이유로 노예 제도에 반대했다. 그들은 노예 제도를 백인 노동자들의 직업에 대한 위협으로 생각했다. 또 어떤 사람들은 노예 제도가 도덕적으로 문제가 있다고 생각했다. 즉, 미국 민주주의의 기본 원칙에 대한 위협이라고 생각했다.

그와 같은 여러 이유들 때문에 남부는 노예 제도에 의존하고 있었고, 북부는 노예 제도를 반대했다. 문제는 노예 제도에 대한 의견의 대립 때문에 전쟁이 일어날지도 모른다는 것이었다.

in these new states : they wanted the new states to be on their side in the arguments between North and South. The North wanted the new states to vote for what the North wanted, while the South wanted the new states to vote for what the South wanted. Most of all, the South wanted new states to be slave states – states where it was legal to own slaves. The North wanted the new states to be free states, in which slavery would be forbidden. If either side gained a majority of senators and representatives in Congress, then it could pass laws against the wishes of the other side.

In 1819, the United States was evenly balanced between slave states and free states (eleven slave and eleven free). Then Missouri applied to become a new state – as a slave state. This triggered long angry debates in the Congress.

Finally, an agreement called the "Missouri Compromise" was reached in 1820. Missouri was admitted to the Union as a slave state, and to balance that, Maine was admitted as a free state. But this balancing act was only part of a larger agreement. Congress drew a line from east to west across the American territories. It was agreed that all lands north of the line (except Missouri) would be free, while settlers in all lands south of the line could own slaves.

But this was a dangerous agreement. Do you remember how the Constitution of the United States refers to "a more perfect union"? A union joins many parts into one whole – in this case, many states into one country. But the Missouri Compromise seemed to be saying that our one country

미주리 협정

19세기 초반에 점점 더 많은 사람들이 서부로 가게 됨으로써 더 많은 변경의 땅들이 새로운 주가 될 자격을 갖게 되었다. 전부터 있었던 주들은 새로이 편입된 주들에 대해 관심을 갖고 있었다. 그들은 새로운 주들이 북부와 남부 사이의 분쟁에서 자신들의 편에서 주기를 기대했다. 북부는 북부대로, 남부는 남부대로 각각 자기들이 원하는 것에 새로운 주들이 찬성해 주기를 기대했다. 특히 남부는 새로운 주들이 노예 소유가 합법화된 주이길 원했고, 북부의 주들은 노예 제도가 금지된 자유스런 주이기를 원했다. 만약 한 쪽이 상원과 하원에서 다수가 되면 다른 쪽이 반대하는 법을 통과시킬 것이었다.

1819년, 미국에서 노예 주와 자유 주 양쪽은 균형을 이루고 있었다(11개의 노예 주와 11개의 자유 주). 그런데 미주리가 노예 주로서 주 자격을 신청해 왔다. 이로 인해 의회에서 장기간에 걸친 격한 논쟁이 일어났다.

마침내 1820년에 '미주리 협정' 이라는 합의에 이르렀다. 미주리 주가 노예 주로 연방에 들어오는 한편, 균형을 위해 메인이 자유 주로 연방에 들어왔다. 하지만 이는 광범위한 합의의 일부일 뿐이었다. 의회는 미국의 영토를 동에서 서로 가로지르는 선을 그었다. 선의 북부는 자유 주이며(미주리는 제외), 선의 남쪽에 사는 사람들은 노예를 소유할 수 있다는 것이었다.

그러나 이 합의는 위험한 것이었다. 미국의 헌법이 '더 완전한 연방' 이라고 언급하고 있는 것을 알고 있는가? 연방이라는 것은 많은 것을 하나의 전체로, 즉 이 경우에는 많은 주들을 하나의 국가로 만드는 것이다. 하지만 미주리 협정은 미국이라는 하나의 국가가 사실은 노예 주와 자유 주라는 두 종류로 나누어져 있다는 것을 인정하고 있는 것처럼 보인다.

was many two : one slave, one free.

Uncle Tom' s Cabin

Northern reformers called "abolitionists" worked to abolish slavery. They persuaded many people to oppose slavery. But even those who were unmoved by the writings and speeches of the abolitionists found themselves convinced by a novel called "uncle Tom' s Cabin", published in 1852 by Harriet Beecher Stowe.

Over three hundred thousand copies of Uncle Tom' s Cabin sold in one year, an amazing number of books for that time. The novel tells the story of Uncle Tom, a kind and religious slave. He saves the life of a white girl, but is later sold to a cruel master, Simon Legree. When Tom refuses to tell where two escaped slaves are hiding, Simon Legree whips him until he dies. Tom' s fate filled Northern readers with anger and outrage, and even made some want to take up arms and force the South to end slavery.

How Some Slaves Resisted

Slaves responded to their bondage – their lack of freedom – in different ways. Some did their best to run away. Perhaps you remember the story of Harriet Tubman and the Underground Railroad that helped slaves escape to

톰 아저씨의 오두막

'노예 해방론자' 라 불리는 북부의 개혁가들은 노예 제도를 철폐하려고 애썼다. 그들은 사람들이 노예 제도에 반대하도록 설득했다. 사람들은 노예 해방론자들이 쓴 글이나 연설에도 끄떡하지 않았다. 그러나 1852년에 해리엇 비처 스토가 쓴 '톰 아저씨의 오두막' 이라는 소설을 읽고는 마음이 움직였다.

톰 아저씨의 오두막
스토 부인이 1850년의 '도망 노예 단속법' 에 반대하여 쓴 소설. 남북 전쟁의 원인 중 하나가 되었을 정도로 미국 사회에 큰 충격을 주었다.

당시로서는 놀랄 만한 숫자인 30만 부가 넘는 책이 한 해에 팔렸다. 소설에는 친절하고 신앙심 깊은 톰 아저씨의 이야기가 담겨 있다. 그는 백인 소녀의 생명을 구해 주었지만 잔인한 노예 주인 사이먼 레그리에게 팔려간다. 그는 도망간 두 노예가 숨어 있는 곳을 말하지 않는다는 이유로 사이먼의 매를 맞아 죽게 된다. 톰의 운명을 알게 된 북부의 독자들은 분노에 찼고, 어떤 이들은 무기를 들고 나서서 강제로라도 남부에서 노예 제도를 없애고 싶어 했다.

노예들이 저항한 방법

노예들은 자유가 없는 자신들의 굴레에 다양한 방식으로 저항했다. 어떤 노예들은 있는 힘을 다해 도망치려 했다. 노예들이 북부로 도망치게 도와 준 해리엇 터브만이나 '지하 철도' 이야기를 들어 보았을 것이다. 어떤 노예들은 도망치는 대신 그들의 작업 도구

the North. Some slaves, instead of trying to escape, deliberately broke the tools they were given to work with. Some tried to poison their masters. Some, in despair, tried to kill themselves. Sometimes a group of slaves would revolt against their master.

In the story called "The People Could Fly," slaves rise from the ground and fly back to Africa. This story shows how slaves used their imaginations to keep up their hopes for freedom.

Some slaves worked and suffered quietly. Most slaves became Christians, and they often looked to heaven as a reward for their suffering on earth. Many slaves still held on to some of their African beliefs and customs. They made a new kind of music, songs called "spirituals," which brought together the old music of Africa and the newly learned Christian religion. These spirituals are moving and inspiring songs, often based on Bible stories about how the people of Israel were delivered from slavery in Egypt. Some of these spirituals, like "Swing Low Sweet Chariot" and "Go Down, Moses," are timeless, and beloved today.

흑인 영가

흑인 영가는 원래는 'Negro Spirituals'이라 불렸는데, 'Negro'가 차별적인 느낌을 주기 때문에, 지금은 간단히 'Spiritual' 혹은 'African-American Spirituals'라 한다. '가라, 모세'와 함께 흑인 영가의 대표적인 곡인 '조용히 흔들리는 수레'는 천국으로 데려다 줄 마차를 기다리는 바람을 노래했다. "아름다운 마차여, 천천히 흔들리며 여기까지 내려와서 나를 고향(천국)으로 데려다 주게……" 절망과 고통의 나날을 살고 있는 흑인들에게는 죽어서 천국에 가는 것이 이 지상에서 품을 수 있는 가장 감미로운 꿈이었다.

해리엇 터브만 1820~1913
1833년, 아메리카 노예제 반대 협회가 설립되는 등, 노예의 전면적인 해방의 기운이 높아져 갔다. '지하철도'는 노예들의 도망을 지원하는 조직이었다. 도망친 노예들이 숨을 수 있는 집을 '역', 도망하는 노예를 안내해 주는 사람을 '차장'이라고 불렀다.
도망한 노예들은 낮에는 '역'에서 몸을 숨기고 있다가 밤이 되면 '차장'의 안내로 어둠을 헤치며 길을 걸었다. 이 활동에 적극적으로 참가한 사람으로 해리엇 터브만이 유명하다. 노예에서 탈출한 뒤 '차장'으로서 19차례 이상 남부로 잠입하여, 약 300명의 노예가 도망치도록 도와주어 활동의 리더가 되었다.

를 일부러 망가뜨렸다. 자신의 주인을 독살하려 한 노예도 있었다. 또 절망한 나머지 자살을 기도한 노예도 있었다. 노예들이 모여 주인에 반대하는 반란을 일으킨 적도 있었다.

'사람들은 날 수 있다'는 이야기에서는 노예들이 땅에서 일어나 하늘을 날아올라 아프리카로 돌아간다. 자유를 찾고 싶은 소망을 지켜 나가기 위해 자신들의 상상력을 어떻게 펼쳤는지를 잘 보여준다.

조용히 일하며 참고 버티는 노예들도 있었다. 대부분의 노예들은 크리스트 교인이 되어, 지상에서의 고난에 대한 보상으로 천국을 기대했다. 그들은 아프리카의 전래 음악에 새로이 알게 된 크리스트교를 접목시켜 '영가'라는 새로운 음악을 만들어 냈다. 이 음악은 감동적이고, 사람들에게 영감을 불어넣어 주었다. 소재는 주로 이스라엘 백성들이 노예로 있던 이집트에서 어떻게 구원되었는지에 관한 것이었다. '조용히 흔들리는 수레', '가라, 모세' 같은 영가는 시대를 뛰어넘어 지금까지 애창되고 있다.

하퍼즈 페리의 존 브라운

1860년 대통령 선거가 있기 한 해 전에 남부의 노예 소유주들을

John Brown at Harpers Ferry

A year before the presidential elections of 1860, a violent event occurred that frightened Southern slaveholders. An abolitionist by the name of John Brown believed so strongly in the cause of freedom for blacks that he was willing to fight to gain it. In October of 1859, John Brown led a band of eighteen men, including five free African-Americans, to try to capture a large supply of weapons at Harpers Ferry, Virginia. His plan was to put guns in the hands of slaves and urge them to rebel against their owners.

John Brown' s plan failed. At Harpers Ferry, he was met by local and federal troops. Brown was wounded, captured, and sentenced to be hanged. In the North, people made a hero of Brown : on the day of his death, church bells tolled and cannons were fired. Southerners were amazed and angered by the Northern sympathy for a man they believed to be a dangerous fanatic.

Many Southerners believed that the whole North was like John Brown : ready to use violence against the slaveholding South. More and more, Southerners began to argue that the only way to protect the South and its way of life, including slavery, was to secede from the rest of the United States.

The United States was clearly becoming "a house divided against itself."

놀라게 한 폭력 사건이 일어났다. 존 브라운이라는 노예 폐지론자가 흑인들이 해방되어야 한다는 대의를 굳게 믿고 그것을 실현하기 위한 투쟁에 기꺼이 나선 것이었다. 1859년 10월, 그는 5명의 자유로운 아프리카계 미국인을 포함한, 18명의 남자를 이끌고 버지니아의 하퍼즈 페리에 있는 대규모 무기고를 탈취하려 했다. 그의 계획은 노예들에게 무기를 주어 그들의 소유주에 대한 반란을 촉구하려는 것이었다.

존 브라운의 계획은 실패로 돌아갔다. 그는 하퍼즈 페리에서 주 방위군 및 연방군과 마주쳤다. 그는 부상을 당해 붙잡혔고, 교수형을 선고받았다. 북부에서는 사람들은 브라운을 영웅시했다. 그가 교수형에 처해지는 날 교회의 종이 일제히 울렸고, 조의를 표하는 예포가 발사되었다. 남부 사람들은 브라운과 같은 위험한 광신도를 동정하는 북부 사람들에 대해 놀라고 분노했다.

많은 남부 사람들은 북부 전체가 남부의 노예 소유에 반대하여 폭력을 쓸 준비가 되어 있는 존 브라운과 같은 사람이라 생각했다. 남부 및 노예제를 포함한 남부의 생활 방식을 지키기 위해서는 합중국으로부터 분리되어야 한다고 주장하기 시작했다.

합중국은 확실히 '분열된 집안' 이 되어 가고 있었다.

링컨의 당선 : 남부 주들의 이탈

노예제 확산에 대한 반대는 에이브러햄 링컨의 대통령 선거 운동의 중심 이슈였다. 1860년, 링컨이 단 하나의 남부 주의 지지도 없이 가까스로 대통령에 당선되자 많은 남부 사람들은 이를 재앙으로 받아들였다. 링컨은 노예 제도가 이미 존재하는 주에 대해서는 간섭하지 않겠다고 공약했지만 많은 남부의 지도자들은 이를 믿지 않았다. 그들은 링컨을 '존 브라운의 친구' 라 불렀고, 그의 당

Lincoln Elected : Southern States Secede

Opposition to the spread of slavery was a central issue in the campaign of Abraham Lincoln for president. Thus, many Southerners considered it a disaster when Lincoln was narrowly elected president in 1860, without the support of a single Southern state. Even though Lincoln promised not to interfere with slavery in the states where it already existed, many Southern leaders didn' t believe him. They called Lincoln a "friend of John Brown" and saw his election as proof that the North was the enemy of the Southern way of life.

Many Southerners no longer wanted to have anything to do with a government that they saw as an enemy. So they took the dangerous and dramatic step of leaving the Union. In December 1860, South Carolina became the first state to secede from the Union. By February 1861, six other states in the Deep South had seceded. When Lincoln officially took over as president in March 1861, five states in the upper South still had not seceded : Virginia, North Carolina, Kentucky, Tennessee, and Arkansas. Some people in these states were against slavery, but they didn' t want to fight against their neighbors in the lower South to bring them back into the Union. Some Northerners agreed that the Southern states that had seceded should just be left alone. To fight them, they said, would just hurt the North.

선을 북부가 남부의 생활 방식의 적이라는 것을 보여 주는 증거라고 생각했다.

많은 남부 사람들은 적이라고 생각되는 정부와 더 이상 함께하지 않기를 원했다. 그래서 그들은 연방에서 이탈한다고 하는 위험하고도 극적인 수단을 택했다. 1860년 12월, 사우스캐롤라이나는 연방에서 이탈한 첫 번째 주가 되었다. 1861년 2월까지 남부의 중심인 여섯 개의 다른 주들이 연방을 떠났다. 1861년 3월에 링컨이 공식적으로 대통령에 취임했을 때 남부의 북쪽에 위치한 다섯 개 주가 아직 연방을 떠나지 않고 있었다. 버지니아, 노스캐롤라이나, 켄터키, 테네시, 그리고 아칸소였다. 이들 주에서는 일부 사람들이 노예 제도에 반대하고 있었다. 하지만 자신들과 인접한 남부의 주들을 연방에 복귀시키기 위해 싸우기를 원하지는 않았다. 북부의 일부 사람들은 연방을 떠난 남부의 주들을 그대로 내버려 두어야 한다고 말하기도 했다. 그들과 싸우는 것은 북부에 손해라는 것이었다.

섬터 요새 : 남북 전쟁의 시작

오랫동안 터질 듯 했던 전쟁이 마침내 1861년 사우스캐롤라이나의 근해에 있는 한 섬인 섬터 요새에서 시작되었다.

남부 사람들은 남부에서 북군을 몰아내려고 했다. 섬터 요새는 남부에 남아 있는 몇 안 되는 연방군 요새 중 하나였는데, 군수 물자가 바닥나고 있는 중이었다. 링컨은 북부가 섬터 요새에 물자를 공급하면 남부가 그것을 방해할 것이라는 점을 알고 있었다. 하지만 그는 어떻게든 물자를 보내기로 결정했다.

남부 사람들은 보급선이 출발했다는 소식을 듣고, 이를 적대적 행위라고 규정했다. 1861년 4월 12일 아침, 섬터 요새에 포격을 가

Fort Sumter : The Civil War Begins

But the fighting, so long in coming, began in 1861, on an island off South Carolina, at Fort Sumter.

Southerners wanted the United States soldiers to get out of the South. Fort Sumter was one of the few forts with Union soldiers remaining in the South, and it was running out of supplies. Lincoln knew the South would probably resist any attempt from the North to send supplies to Fort Sumter. But he decided to send them anyway.

When the Southerners heard that supply ships were on the way, they decided to consider this a hostile act. They began bombing Fort Sumter on the morning of April 12, 1861. The Civil War had begun.

Lincoln called for a Union Army to stop what Northerners saw as the South' s "rebellious ways." The South, said Lincoln, had fired the first shots. Southerners claimed they had been forced into it. But the question of "who started it" really didn' t matter. The causes of the Civil War, as you've seen, go way back, long before the firing on Fort Sumter.

Days after the firing on Fort Sumter, Virginia seceded from the Union, and three other Southern states quickly followed. Each side expected quick victory. They were horribly wrong.

남북 전쟁이 시작된 섬터 요새
사우스캐롤라이나 주의 찰스턴 항에 있는 섬터 요새는 남부에 있는 몇 안 되는 북군의 요새 중 하나였다. 1860년 대통령 선거에서 노예제에 반대하는 공화당의 링컨이 당선되자 남부 여러 주들은 연방에서 탈퇴하여 '남부 연합'을 결성했다. 남부 연합에 참가한 사우스캐롤라이나 주는 섬터 요새를 포위했다. 그리고 1861년 4월 12일, 남군은 요새를 공격하였다. 여기서 남북 전쟁이 시작되었다.
남북 양군은 30시간 넘도록 대포 공격을 계속했는데, 요새를 지키고 있던 북군의 탄약이 바닥나 항복하고 말았다. 그러나 전사자는 없었고, 항복한 뒤에 탄약이 폭발하여 2명의 병사가 죽었다. 다른 피해는 말 한 마리뿐이었다. 미합중국 붕괴의 위기를 불러온 큰 전투였지만 최초의 희생자는 극히 적었던 것이다.
그러나 4년 뒤 남북 전쟁이 끝났을 때, 양군 합해서 죽은 사람이 60만 명을 넘었다. 당시 18세부터 45세까지 미합중국 남자 인구는 560만 명이었다. 10%가 넘는 것이었다. 남북 전쟁이 미국 사람들에게 가져다 준 깊은 상처를 분명하게 말할 수는 없다. 총탄에 쓰러진 사람들뿐만 아니라, 전염병 등으로 죽은 사람들도 많았다.

하기 시작했다. 남북 전쟁이 시작된 것이다.

링컨은 연방군을 소집하여 북부에서 보기에 '반란적'인 남부의 행위를 저지하도록 했다. 링컨은 남부가 먼저 발포했다고 말했다. 이에 대해 남부 사람들은 그럴 수밖에 없었다고 대꾸했다. 하지만 '누가 먼저 쏘았느냐'는 중요한 것이 아니었다. 앞에서 보았듯이

Eager to Fight

When Fort Sumter fell, President Lincoln asked for seventy-five thousand volunteers to join the fight to save the Union. The Southern states – or, as they were called, the Confederate states – planned to bring together an army of about a hundred thousand men to defend the South. These might seem like large numbers, but before the Civil War was over, the Union would send over two million soldiers to fight against almost a million Confederate troops.

Though neither the North nor the South was ready to fight, both sides were eager to get started. Few Americans at this time had any firsthand experience of the horrors of war. When they clamored for the fighting to begin they didn' t think about bloodshed and death. Instead they thought of war as an exciting adventure, like stories they had read about famous battles and brave heroes. Each side expected the fighting to end quickly.

Some people in Washington, D.C., were so excited about the coming war that, on July 21, 1861, they packed picnic baskets and lined up, like spectators at a football game, to watch the first major battle. In what would later be called the First Battle of Bull Run, Union troops attacked Confederate troops by a creek called Bull Run near Manassas, Virginia (about thirty miles west of Washington, D.C.). At first it appeared that the Union soldiers were winning, but then the Confederate general Thomas J. Jackson arrived with

남북 전쟁의 원인은 섬터 요새에 대한 포격 훨씬 전에 있었다.

섬터 요새에서의 총격전이 있고 나서, 며칠 뒤 버지니아는 연방에서 탈퇴했고, 다른 남부의 세 주도 재빨리 뒤를 이어 탈퇴했다. 양쪽 모두 빠른 승리를 기대했다. 그러나 그것은 크게 잘못된 기대였다.

전쟁에 대한 열망

섬터 요새가 함락되자 링컨 대통령은 7만 5천 명의 지원병에게 전쟁에 참가해 연방을 구하자고 호소했다. 남부 연합으로 불렸던 남부의 주들은 남부를 지키기 위해 약 10만 명의 군대를 조직하는 계획을 세웠다. 이 숫자는 많아 보이지만, 남북 전쟁이 끝날 때까지 북군은 200만 명이 넘는 병사를, 남군은 거의 100만 명의 병사를 내보냈다.

북부와 남부 양쪽 모두 싸울 준비가 채 되어 있지 않았지만 전쟁을 시작하기 위해 서둘렀다. 전쟁의 공포를 직접 경험한 미국인은 당시에 거의 없었다. 전쟁을 시작한다고 외쳤을 때 전쟁으로 인한 유혈과 죽음을 생각하지 않았던 것이다. 그들은 전쟁을, 책에서 읽은 유명한 전투와 용감한 영웅들이 나오는, 손에 땀을 쥐게 하는 모험쯤으로 생각했다. 양쪽 모두 빨리 전쟁이 끝날 것이라고 생각했다.

1861년 7월 21일, 전쟁이 시작되자 워싱턴의 일부 사람들은 기다렸던 전쟁에 신이 난 나머지 최초의 큰 전투를 구경하기 위해 마치 풋볼 경기를 보러 가는 사람들처럼 소풍 가방을 챙겨 구경길에 올랐다. 나중에 제1차 불런 전투라 이름 붙여진 전투에서 북군은 버지니아 주의 머내서스(워싱턴에서 서쪽으로 약 30마일 떨어져 있다.) 근처에 있는 불런이라는 작은 개울 옆에 진을 치고 있던 남군을 공

reinforcements. His troops held their ground "like a stone wall," thus earning the general the nickname of "Stonewall" Jackson. The Confederate troops then turned the tables and attacked the Union soldiers, who retreated in panic, along with the frightened sightseers.

The Confederate Army won the battle. Confederates would continue to win most of the major battles from 1861 to the summer of 1863. Still, at Bull Run the Civil War had just begun. For the next four years, many soldiers would fall.

The Confederacy

Eleven states in total seceded from the Union : South Carolina, Florida, Georgia, Alabama, Mississippi, Louisiana, Texas, Virginia, Arkansas, North Carolina, and Tennessee. They formed the Confederate States of America. Their name was a reminder of the Articles of Confederation. Back in the 1780s, you remember, just after the United States broke away from Britain, many Americans were suspicious of any strong central government. So they established a weak central government under the Articles of Confederation. Similarly, in 1861, many Southerners wanted the Confederacy to be no more than a loose collection of states, without much central government at all. The Confederate states adopted a constitution that contained strong rules in favor of slavery and states' rights.

격했다. 처음에는 북군이 이기는 듯했다. 그러나 남군의 장군 토머스 잭슨이 지원군과 함께 도착했다. 그가 이끄는 군대는 마치 '돌담처럼' 후퇴를 몰랐다. 그래서 그에게 '돌담' 잭슨이란 별명이 붙여졌다. 남군은 형세를 역전시켜 북군에게 반격해 왔다. 북군은 혼란에 빠져 놀란 구경꾼들과 함께 후퇴했다.

남군은 전투에서 승리했다. 남부 연합은 1861년부터 1863년 여름까지 대부분의 주요 전투에서 승리했다. 하지만 전쟁은 이제 막 시작에 불과했다. 이후 4년 동안 많은 병사들이 죽어야 했다.

남부 연합

모두 11개 주가 연방에서 탈퇴했다. 사우스캐롤라이나, 플로리다, 조지아, 앨라배마, 미시시피, 루이지애나, 텍사스, 버지니아, 아칸소, 노스캐롤라이나, 그리고 테네시였다. 그들은 아메리카 연합(남부 연합)을 결성했다. 그 이름은 '연합 규약'을 상기시키는 것이었다. 1780년대로 돌아가서 생각해 보라. 미국이 영국으로부터 독립한 직후에 많은 미국인들은 강한 중앙 정부에 대해 회의적인 생각을 갖고 있었다. 그래서 그들은 연합 규약 아래 작은 중앙 정부를 세웠다. 그것과 비슷하게, 1861년에 대부분의 남부 사람들은 연합국이 큰 중앙 정부가 아니라 느슨하게 결속된 주들의 집합체이기를 바랐다. 남부 연합의 주들은 노예 제도와 각 주가 갖는 권리에 유리하도록 강력하게 규정한 조문을 포함한 헌법을 채택했다.

남부 연합 정부는 워싱턴에서 불과 100마일 떨어진 버지니아의 리치먼드를 수도로 했다. 또 초대 대통령으로 제퍼슨 데이비스를 뽑았다. 데이비스는 하원 의원과 상원 의원을 역임한 사람이었다. 그는 미합중국의 제14대 대통령 프랭클린 피어스 아래서 국방 장관을 했다. 그는 미국 · 멕시코 전쟁에도 참가했다.

The Confederate government established a capital at Richmond, Virginia, only a hundred miles from Washington, D.C. The Confederates chose Jefferson Davis to be their first president. Davis had been both a congressman and a senator. He had served as Secretary of War under Franklin Pierce, the fourteenth president of the United States. He had fought in the Mexican-American War.

Robert E. Lee

The commander of the Confederate Army was General Robert E. Lee. A graduate of the military academy at West Point, Lee had served in the United States Army for more than thirty years. He had been a hero of the Mexican-American War. It was Lee who led the federal troops that put down John Brown' s raid at Harpers Ferry in 1859.

When the Civil War broke out Lee faced a painful decision. He felt strong loyalty to the Union he had served for so many years. A few days after the attack on Fort Sumter, Lee was asked to take command of all Union forces and lead the fight against the Confederacy. But Lee was a Southerner from Virginia. "With all my devotion to the Union, and the feeling of loyalty and duty of an American citizen," Lee said, "I have not been able to make up my mind to raise my hand against my relatives, my children, my home." Lee resigned from the federal army and joined the Confederate Army.

남북 전쟁은 시민 전쟁인가?

1861년에 일어나 1865년에 끝난 미국의 시민 전쟁 Civil War을 보통 남북 전쟁이라 부르며 다른 나라의 시민 전쟁과 구별하고 있다. 영어로 정확하게 말하면 'the American Civil War' 라고 하는 것이 가장 일반적인데, 'the Civil War' 라는 말은 '반란군 Rebels' 에 의한 내전을 뜻한다. 남부인들 중에는 이렇게 부르지 않고 'the War Between the States(주들 사이의 전쟁)' 라고 부르기도 한다. 결국 한 국가에 대한 반란이 아니라 국가 자체의 분열로 보는 것이다.

또한 북부에서는 '반란 전쟁 the War of the Rebellion', '국가 통일 전쟁 the War of National Unification', 남부에서는 '남부 독립 전쟁 the War of Southern Independence' 등으로도 부른다.

전쟁이 시작되자마자 양군은 서로를 별명으로 불렀다. 북군은 '양키즈 Yankees', 남군은 '리벨스 Rebels' 라 했다. 또 그것을 줄여서 '양크스 Yanks', '렙스 Rebs' 라 하여, 이를테면 '빌리 양크 Billy Yank' 나 '조니 렙 Johnny Reb' 라는 식으로 불렀다.

군복의 색깔은 북군이 청색, 남군이 회색이었지만, 초기에는 각자 출신 주의 군복을 입고 있어서 각양각색이었다. 전쟁 말기가 되자 남군은 모두에게 군복을 제공할 수 없게 되어 사복을 입고 싸우거나 죽은 북군 병사의 군복을 물들여 입기도 했다.

로버트 리

남부 연합군의 사령관은 로버트 리 장군이었다. 웨스트포인트 사관학교를 졸업한 리 장군은 30년 이상 연방군에서 근무했다. 그는 미국 · 멕시코 전쟁의 영웅이기도 했다. 리 장군은 1859년 하퍼즈 페리에서의 존 브라운의 습격을 진압한 연방군을 이끌기도 했다.

남북 전쟁이 일어나자 그는 어려운 결정을 내려야만 했다. 그는 오랫동안 복무한 연방군에 대해 충성심이 강했기 때문이었다. 섬터 요새 공격이 있은 지 며칠 뒤, 그는 북군의 총사령관으로 남부 연합군과 싸워달라는 요청을 받았다. 하지만 그는 버지니아 출신의 남부인이었다. "합중국에 대한 나의 헌신, 그리고 미국 시민으로서의 국가에 대한 충성과 의무에도 불구하고, 나는 나의 친척, 나의 아이들, 그리고 나의 고향에 반대하는 데 찬성할 수 없다."고 말했다. 리는 연방군을 사직하고 남부 연합군에 들어갔다.

By the spring of 1862 Robert E. Lee was President Davis' s top military adviser. In battle after battle, Lee proved himself a master of planning and a strong leader. Soldiers who served under Lee liked and respected him. He set a good example for his men : he did not curse, smoke, or drink alcohol.

Ulysses S. Grant

On the Union side, the first years of the war were very disappointing. Again and again Union hoops failed in their efforts to achieve their goal : the capture of the Confederate capital at Richmond. Several times President Lincoln replaced the general in charge of Union troops in hopes of finding someone who could lead the army to victory. As the war went on, a few good officers began to prove themselves in battle ; the most important of these was Ulysses S. Grant.

Like Robert E. Lee, Grant had attended West Point. Both men fought in the Mexican-American War. Otherwise, Grant and Lee had little in common. Grant was fifteen years younger than Lee. Unlike Lee, Grant sometimes drank too much alcohol. Grant was not an army officer when the Civil War began. Instead, he was working in his father' s leather shop in Illinois.

As soon as he learned of the firing on Fort Sumter, Grant began organizing volunteers m his town. He entered the war as a colonel in charge of an Illinois regiment. (A

1862년 봄까지 로버트 리는 데이비스 대통령의 수석 군사 참모였다. 계속되는 전투에서 리는 뛰어난 전술가이자 강력한 지도력을 가진 사람이라는 것을 증명해 보였다. 그의 부하들은 그를 좋아했고 존경했다. 그는 부하들에게 훌륭한 모범이 되었다. 그는 욕하지 않았고, 담배도 피우지 않았고, 술도 마시지 않았다.

율리시스 그랜트

연방 쪽에서는 전쟁 초기 몇 년간은 매우 실망했다. 연방군은 여러 차례 남부 연합의 수도가 있는 리치먼드를 빼앗으려고 했지만 실패했다. 링컨 대통령은 전쟁을 승리로 이끌 수 있는 적임자를 찾기 위해 여러 차례 연방군의 사령관을 교체했다. 전쟁이 계속되는 가운데 몇몇 장교가 전투에서 능력을 보여 주기 시작했다. 그 중에서도 가장 중요한 인물이 율리시스 그랜트였다.

로버트 리와 마찬가지로 그랜트도 웨스트포인트를 다녔다. 두 사람 모두 미국·멕시코 전쟁에서 싸웠다. 그 밖에 그랜트와 리는

그랜트(왼쪽) **와 리**(오른쪽)
뛰어난 전술가이자 고귀한 인격자였던 리 장군은 남북 전쟁이 일어나자마자 북군의 링컨 대통령과 남군의 데이비스 대통령 양쪽으로부터 군의 최고 책임자가 되어달라는 요청을 받았다. 리 장군은 노예 제도에도, 남부의 연방 탈퇴에도 반대했지만 '나의 가족, 그리고 고향을 공격하는 데 찬성할 수는 없다'며 연방군을 떠나 남부군의 사령관을 맡아 병사들로부터 존경을 받았다. 리 장군은 농장의 노예 소유자였지만 전쟁이 시작되기 전에 갖고 있던 노예를 모두 풀어 주었다. 한편 북군의 사령관이었던 그랜트 장군은 전쟁이 시작되었을 때 처가로부터 유산으로 받은 노예를 소유하고 있었다.

regiment was a group of a thousand soldiers.) President Lincoln soon made Grant a general.

Grant led the Union to its first important victories of the war. In February 1862 his Union troops captured Fort Henry and Fort Donelson in Tennessee. When the Confederate commander at Fort Donelson realized his troops were outnumbered, he sent Grant a message to see if he would like to make a deal. Grant sent back a message saying, "No terms except an unconditional and immediate surrender can be accepted." After a three-day battle, the Confederates at Fort Donelson surrendered completely. News of the battle spread quickly. Northerners joked that Grant' s initials – U.S.G. – stood for "Unconditional Surrender" Grant.

Grant' s leadership and bravely impressed everyone, including President Lincoln. "I can' t spare this man," Lincoln said, "he fights." Lincoln had finally found the general who could bring victory and end the war. In the spring of 1864, Lincoln placed Grant in charge of the entire Union Army.

The Emancipation Proclamation

If one issue more than any other divided North and South, it was slavery. Yet when the war began, President Lincoln insisted that the purpose of the war was not to end slavery. According to Lincoln, the North was fighting for one reason :

공통점이 없었다. 그랜트는 리보다 열다섯 살 아래였다. 그리고 리와 달리 때때로 폭음을 하기도 했다. 남북 전쟁이 시작되었을 때 그랜트는 군인이 아니었다. 그는 일리노이에 있는 아버지의 가죽 제품 상점에서 일하고 있었다.

섬터 요새에 대한 공격 소식을 듣자마자 그랜트는 고향 마을에서 지원병을 조직했다. 그랜트는 일리노이 연대(연대는 천 명의 병사로 이루어진다.)를 지휘하는 대령으로 참전했다. 얼마 지나지 않아 링컨 대통령은 그랜트를 사령관으로 임명했다.

그랜트가 이끄는 북군은 전쟁에서 가장 중요한 승리들을 거두기 시작했다. 1862년 2월, 그의 군대는 테네시 주의 헨리 요새와 도넬슨 요새를 점령했다. 도넬슨 요새의 남군 사령관은 수적인 열세를 깨닫고, 협상을 하고 싶으니 만나자는 전갈을 그랜트에게 보내왔다. 그랜트는 다음과 같이 답장했다.

"무조건, 그리고 즉시 항복이라는 것 외에는 어떤 협상도 받아들일 수 없다."

사흘간의 전투 끝에 남군은 완전히 항복했다. 이 소식은 빠르게 전해졌다. 북부인들은 그랜트 장군 이름의 머리글자인 U.S.G.가 '무조건 항복 그랜트'를 뜻한다고 농담을 주고받았다.

그랜트의 지도력과 용기에 모두 감격했다. 링컨 대통령도 마찬가지였다. "이 사람이 필요하다. 그가 싸워야 한다."고 말했다. 승리를 거두고 전쟁을 끝낼 장군을 마침내 찾아낸 것이었다. 1864년 봄, 링컨은 그랜트에게 연방군의 총지휘를 맡겼다.

노예 해방 선언

북과 남을 분열시킨 최대의 문제는 노예 제도였다. 하지만 전쟁이 시작되었을 때 링컨은 전쟁의 목적이 노예 제도를 없애는 것이

to save the Union, to keep the United States united.

Lincoln wanted slavery to end, but first he wanted to bring the nation back together. He had to be careful about how he expressed his opposition to slavery because some states fighting on the Union side actually allowed slavery. These were the "border states": Delaware, Maryland, Kentucky, and Missouri. Lincoln was concerned that if he took too strong a stand against slavery, the border states would secede and join the Confederacy.

Northerners who opposed slavery urged President Lincoln to use his power to end slavery. At first the President refused to act but in the spring of 1862 the Congress began to pass laws against slavery. Several months later President Lincoln became convinced that freeing the slaves in the South would help the Union win the war. So he issued what is called the Emancipation Proclamation. To "emancipate" means to set free ; a "proclamation" is an official announcement. The Emancipation Proclamation announced that all slaves in areas controlled by the Confederacy would be free beginning January 1, 1863.

Of course, neither the Congress nor President Lincoln could force Southern slave owners to free their slaves right away. But news of the Emancipation Proclamation brought hope and joy to African-Americans. In the north, Frederick Douglass wrote, "We shout for joy that we live to recall this righteous moment."

아니라고 주장했다. 링컨은 북부가 싸우는 이유는 단 한 가지라고 했다. 그것은 연방을 구하고, 통합된 합중국을 지킨다는 것이었다.

노예 해방 선언
1862년 9월에 노예 해방에 대한 예비 선언이 발표되었고, 1863년 1월에 정식으로 노예 해방 선언이 공표되었다.

링컨은 노예 제도의 철폐를 원했지만, 먼저 나라를 다시 하나로 통일하고 싶었다. 북부와 함께 싸우고 있는 몇몇 주들이 노예 제도를 허용하고 있었기 때문에 자신의 생각을 표현하는 데 조심해야 했다. 이들 '경계에 서 있는 주들' 은 델라웨어, 메릴랜드, 켄터키, 그리고 미주리 였다. 그가 노예 제도에 반대하는 자신의 입장을 너무 강하게 표현하면 경계에 서 있는 주들이 연방을 떠나 남부와 결합하게 될 것을 걱정했다.

노예 제도에 반대하는 북부 사람들은 링컨 대통령이 노예 제도를 철폐하도록 권한을 행사하라고 촉구했다. 처음에는 대통령이 거부했지만, 1862년 봄에 의회가 노예 제도를 없애는 법률을 통과시켰다. 몇 달 뒤 링컨 대통령은 남부의 노예를 해방시키면 북군이 승리하는 데 도움이 될 것이라는 확신을 갖게 되었다. 그래서 그는 '노예 해방 선언' 을 했다. '해방시킨다' 는 것은 자유롭게 해 준다는 것을, '선언' 이라는 것은 공식적으로 발표한다는 것을 뜻했다. 노예 해방 선언에 의하면, 남부 연합이 지배하는 지역의 모든 노예가 1863년 1월 1일부터 자유로워진다는 것이었다.

물론 의회뿐만 아니라 대통령조차도 남부의 노예 소유자가 갖고 있는 노예를 즉각 풀어 주도록 강요할 수는 없었다. 그러나 선언이

Gettysburg : A Turning Point in the War

When the summer of 1863 arrived, the Confederates still seemed to be winning most of the battles. But the Union' s Army and Navy were attacking the Confederacy from all sides. The Union Navy bombarded cities and forts all along the Southern coastline. Thanks to Grant' s leadership and Union gunboats, the Union controlled all of the Mississippi River except a single Confederate fort. That fort, at Vicksburg, Mississippi, was already surrounded by General Grant' s Union troops.

Robert E. Lee knew that he must do something to draw the attention of Union forces away from the weary South. Most of the war had been fought on Southern soil. But if Lee' s troops could capture some Northern cities, then General Grant might have to send his troops north, away from Vicksburg, to fight Lee' s army. So, General Lee led seventy-five thousand troops northward from Virginia on a long march into Pennsylvania. Lee and his troops got a good head start before the Union generals realized Lee' s tactics and prepared to chase after him.

On July 1, 1863, part of Lee' s army headed toward the town of Gettysburg, an important crossroads in southern Pennsylvania. Just outside Gettysburg, the Confederates were surprised to find Union soldiers waiting for them. They fought all day long, until the Union soldiers took cover on top of some ridges south of the town.

General Lee then ordered all of his troops into battle at

발표되었다는 소식이 전해지자 아프리카계 아메리카 인들은 희망과 기쁨에 넘쳤다. 북부의 프레데릭 더글러스는 다음과 같이 적고 있다.

"우리는 기쁨으로 가득차서 외친다. 이처럼 정의로운 순간은 우리가 살아 있는 한 잊지 못할 것이다."

게티즈버그 : 전쟁의 전환점

1863년 여름이 되었을 때 남군은 여전히 대부분의 전투에서 이기고 있는 것처럼 보였다. 그러나 북군의 육군과 해군은 사방팔방에서 남군을 공격해 들어갔다. 해군은 남부 해안에 접해 있는 모든 도시와 요새에 포격을 가했다. 그랜트의 지도력과 군함 덕분에 북군은 단 하나의 남군 요새만 빼고 미시시피 강 전역을 장악했다. 미시시피의 빅스버그에 있는 남은 하나의 요새도 이미 그랜트 장군의 연방군에 의해 포위되어 있었다.

로버트 리는 피폐해진 남부로부터 북군의 주의를 딴 데로 돌리기 위해 무언가를 해야 한다고 생각했다. 그때까지 대부분의 전투가 남부 땅에서 벌어지고 있었다. 하지만 리의 군대가 북부의 도시들을 장악할 수도 있었다. 그렇게 되면 그랜트 장군으로서는 리의 군대에 맞서기 위해 빅스버그로부터 북쪽으로 군대를 보내야만 할 수도 있었다. 그래서 리 장군은 7만 5천 명의 군대를 이끌고 버지니아에서 북쪽으로 펜실베이니아까지 긴 행군에 들어갔다. 리와 그의 군대는 북군의 장군들이 리의 전술을 알아차려 그들을 추격하기 전에 신속히 출발했다.

1863년 7월 1일, 리의 군대 일부가 펜실베이니아 남부의 중요한 교차로에 있는 게티즈버그로 향했다. 남군은 게티즈버그 외곽에 막 도착했을 때, 북군이 그들을 기다리고 있는 것을 보고 깜짝 놀랐다. 그들은 하루 종일 전투를 벌였다. 마침내 북군은 도시의 남

Gettysburg. Ready to fight against them were ninety thousand Union troops. For two days, Lee' s troops and artillery attacked again and again. But the Union troops had the advantage of being positioned on hilltops, from which they could fire down at the Confederates. Each time the Confederates charged, cannonballs and bullets would ram down on them.

Finally on the hot afternoon of July 3, the Union cannons held their fire. It was a trick, and the Confederates fell for it. The Confederates believed the Union cannons must have been destroyed in the fighting. General Lee ordered some fifteen thousand Confederate troops to make one massive attack, to be led by General George Edward Pickett. General Pickett rallied his troops, calling out, "Up, men, and to your posts. Don' t forget today that you are from old Virginia."

But many of the Confederate soldiers who took part in what is known as "Pickett' s Charge" never made it back to Virginia. Pickett' s men marched forward in orderly rows, as if they were in a parade. They made easy targets for the Union soldiers standing behind a stone wall with guns loaded. Pickett' s Charge lasted only half an hour ; nearly half of the Confederates who took part in it were killed. When Pickett and his surviving troops returned to the Confederate lines, General Lee asked Pickett to gather his division and prepare for a possible Union counterattack. "General Lee," replied Pickett, "I have no division."

쪽에 있는 산등성이에 오를 수 있었다.

리 장군은 전군에게 명령을 내려 게티즈버그에서 싸우도록 했다. 그들을 기다리고 있었던 것은 9만 명의 북군이었다. 리 장군의 병사와 포대는 이틀 동안 수도 없이 공격을 가했다. 그러나 북군은 언덕 위라는 유리한 고지를 차지하고 있었기 때문에 아래를 바라보면서 남군에게 포격을 가할 수 있었다. 남군이 돌격할 때마다 포탄과 총탄이 비 오듯 남군 위로 쏟아졌다.

7월 3일 무더운 오후, 마침내 북군의 포격이 멈추었다. 그것은 속임수였다. 남군이 속아 넘어갔다. 남군은 북군의 대포가 전투 중에 망가졌다고 생각했다. 리 장군은 남군 1만 5천 명에게 대규모 공격 명령을 내렸다. 지휘는 조지 에드워드 피켓 장군이 맡았다. 피켓 장군은 병사들을 모아 놓고 외쳤다.

"병사들이여, 일어나라. 그리고 자기 자리를 지켜라. 오늘 여러분은 자신이 옛 버지니아 출신이라는 것을 잊어서는 안 될 것이다."

하지만 '피켓의 돌격' 이라고 알려진 이 공격에 참가했던 많은 남군 병사들은 결코 버지니아로 돌아가지 못했다. 피켓의 병사들은 마치 행진을 하는 것처럼 질서정연하게 앞으로 나아갔다. 그들은 총을 장전한 채 돌로 쌓은 벽 뒤에서 기다리고 있던 북군의 좋은 먹잇감이 되었다. 피켓의 돌격은 반시간 만에 끝났다. 전투에 참가한 남군 병사의 절반이 죽었다. 피켓 장군과 살아남은 병사들이 남군 진지로 돌아오자, 리 장군은 피켓에게 사단을 정비하여 북군의 반격에 대비하라고 요청했다. 피켓 장군이 대답했다. "리 장군님, 저에게는 사단이 없습니다."

다음 날인 1863년 7월 4일, 리 장군은 북군이 피로에 지친 회색 군복의 남군을 공격해 오기를 기다리고 있었다. 북군은 공격해 오지 않았다. 그날 밤, 리 장군은 버지니아를 향한 기나긴 후퇴의 길

The next day July 4, 1863, Lee waited for the Union troops to attack his weary men in gray. The attack never came. That night, Lee began the long retreat back to Virginia. He did not know that earlier in the day, a thousand miles away, the Confederate fort at Vicksburg, Mississippi, had fallen to Union troops led by Ulysses S. Grant, thus putting the entire Mississippi River under Union control.

At the Battle of Gettysburg, each side suffered over twenty thousand men either killed, wounded, or missing. Still, the Union had defeated the mighty army of Robert E. Lee. It was a turning point in the war. Although there were many months of fighting ahead, the Union could now see the possibility of victory over a weakened Confederacy.

Lincoln' s Gettysburg Address

To honor their soldiers who had fallen at Gettysburg, the governors of the Northern states decided to create a national cemetery there. The governors asked President Lincoln to come to Gettysburg to speak at the opening of the new national cemetery. Another man, Edward Everett, had also been asked to speak. Everett was a statesman and the most famous speaker in America. At the ceremony on November 19, 1863, Everett gave a speech that lasted two hours.

Then it was President Lincoln' s turn. He spoke his words slowly and carefully, but it took the President only a little more than two minutes to deliver his speech.

에 올랐다. 그날 이른 시각에 천 마일이나 떨어져 있는 미시시피의 빅스버그의 남군 요새가 그랜트 장군이 이끄는 북군에 의해 함락되어 미시시피 강 전역을 북군이 차지했다는 사실을 리 장군은 모르고 있었다.

게티즈버그 전투에서는 양쪽이 각각 전사자, 부상자, 행방불명자가 2만 명을 넘었다. 그렇지만 북군은 리 장군의 강력한 군대를 무찔렀다. 이것이 전쟁의 전환점이었다. 전쟁은 몇 달 동안 더 지속되었지만, 이제 북군은 약해진 남군을 상대로 승리를 거둘 수 있다는 것을 알았다.

링컨의 게티즈버그 연설

게티즈버그에서 전사한 장병들을 기리기 위해 북부의 주지사들은 그곳에 국립묘지를 짓기로 결정했다. 주지사들은 링컨 대통령이 게티즈버그에 와서 새로운 국립묘지 건립식에서 연설을 해 달라고 요청했다. 다른 한 사람, 에드워드 에버렛도 연설에 초대되었다. 에버렛은 정치가이자 미국에서 가장 유명한 연설가였다. 1863년 11월 19일에 열린 건립식에서 에버렛은 두 시간 동안이나 연설을 했다.

링컨 대통령의 차례가 되었다. 그는 천천히, 그리고 조심스럽게 말했다. 그러나 대통령의 연설은 불과 2분 만에 끝났다. 링컨의 말은 적었지만 엄선된 것이었다. 게티즈버그 연설이라 불이는 그의 연설은 미국 역사에서 가장 유명한 연설의 하나가 되었다. 링컨은 독립 선언문을 인용하여 그 자리에 모인 청중들에게, 그리고 모든 미국인에게, '가슴 속에 자유의 이념을 품고, 모든 인간은 평등하게 태어났다는 명제에 헌신한다.' 고 하는 고귀한 건국 이념을 상기

Lincoln' s words were few but well chosen. His speech, which we call the Gettysburg Address, has become one of the most famous speeches in American history. In it, Lincoln echoed the Declaration of Independence and reminded his audience, and all Americans since, of the high ideals behind the founding of this country, "conceived in liberty, and dedicated to the proposition that all men are created equal." And he affirmed that those who died at Gettysburg did not die in vain, but so that "this nation, under God, shall have a new birth of freedom, and that government of the people, by the people, for the people, shall not perish from the earth."

Surrender at Appomattox

As the war came to a closer Lee' s remaining troops were hurrying west across Virginia to escape the onrushing Union forces. Lee made it to a small town called Appomattox Court House, in the south central part of Virginia. There the war would come to an end for Lee and his weary soldiers. Grant sent a note to Lee : "The results of the last week must convince you of the hopelessness of further resistance," the note said. Grant called upon Lee to end the bloodshed by surrendering.

Lee sent back a note asking what terms Grant would offer for the Confederates' surrender. This time, Grant did not ask for unconditional surrender. Instead, he asked

게티즈버그 전투
이 전투는 남북 전쟁의 전환점이 되었다. 전투가 있은 지 4개월 후인 1863년 11월, 이 전투에서 죽은 병사들을 위한 국립묘지 건립식이 열렸다. 이때 링컨은 미국 역사상 가장 유명한 연설 중의 하나가 된 '게티즈버그 연설'을 했다.

시켜 주었다. 그리고 게티즈버그에서 죽은 병사들의 죽음은 헛된 것이 아니라, 오히려 "신의 가호 아래 이 나라에 새로운 자유를 가져다 줄 것이며, 인민의, 인민에 의한, 인민을 위한 정부가 이 땅에서 사라지지 않게 해 줄 것이다."라고 말했다.

아포마톡스의 항복

전쟁이 끝나자 리의 남은 군대는 돌진해 오는 북군을 피해 버지니아를 가로질러 황급히 서쪽으로 도망쳤다. 그리고 버지니아 주 남부 중앙에 있는 아포마톡스 코트 하우스라는 작은 마을에 도착했다. 리와 그의 지친 병사들은 이곳에서 전쟁의 끝을 맞이하게 된다. 그랜트는 리에게 전갈을 보냈다. "지난 주 전투의 결과를 보면 더 이상의 저항이 무의미하다는 것을 알 것입니다."라는 내용이었다. 그랜트는 리에게 항복하고 이 유혈 사태를 끝내자고 제안했다.

only that Lee' s soldiers lay down their weapons and stop fighting until they could be exchanged for Union soldiers captured by the Confederates.

General Lee learned from his scouts that his troops had no way to escape. "Then there is nothing left for me to do but go and see General Grant," Lee said, adding "and I would rather die a thousand deaths." On Sunday afternoon, April 9, 1865, Lee met with Grant and several of his officers in the front room of a house in the village of Appomattox Court House. When Grant arrived at the house, he and Lee shook hands. Grant tried to make Lee feel at ease by talking about the time they fought together in the Mexican-American War. But Lee solemnly interrupted. "I suppose, General Grant," he said, "that the object of our present meeting is fully understood." Then the two generals got down to the business at hand : the surrender of Lee' s troops.

Grant had fought long and hard to defeat the Confederates. But now that he had won, he was kind to them. Instead of taking prisoners, Grant agreed to let Lee' s soldiers return to their homes. Grant insisted that the Confederates give up their guns and military supplies, but he said that the Confederate officers would be allowed to keep their horses and personal weapons.

This unexpected kindness pleased Lee, but he was worried about his soldiers who were not officers. Many soldiers of lower rank had brought their own horses to the

리는 답장에서 항복의 조건에 대해 물었다. 그랜트는 이번에는 무조건 항복을 요구하지는 않았다. 대신 남군에 붙잡힌 북군 포로를 남군 포로와 교환할 때까지 리의 병사들이 무기를 내려놓고 전투를 중단할 것을 요구했다.

리 장군은 정찰병을 통해 자신의 부대가 도망갈 길이 없다는 사실을 알았다. 리는 말했다. "이제 내가 할 수 있는 것이라고는 그랜트 장군을 만나는 일뿐이다. 천 번을 죽는 것보다 괴롭구나." 1865년 4월 9일 일요일 오후, 리와 그랜트가 여러 부하 장교들과 함께 아포마톡스 코트 하우스 마을의 한 집 거실에서 만났다. 그랜트가 도착하자 서로 악수를 나누었다. 그랜트는 미국 · 멕시코 전쟁에서 함께 싸웠던 때를 회상하면서 리를 위로해 주려 했다. 하지만 리는 엄숙한 표정으로 분위기를 깼다. 그가 말했다. "그랜트 장군, 이 자리의 목적을 잘 알고 계시리라 생각합니다." 그러자 두 장군은 리의 부대의 항복에 관한 문제로 들어갔다.

그랜트는 오랜 기간 동안 싸워 마침내 힘겹게 남군에게 승리를 거두었다. 그러나 승리한 지금 그는 남군에게 친절함을 베풀었다. 남군의 병사들이 포로가 되지 않고 고향에 돌아갈 수 있게 해 주었다. 그랜트는 남군이 총과 군수품을 넘겨줘야 한다고 주장했다. 하지만 그는 남군의 장교들이 말과 개인용 무기는 가지고 갈 수 있도록 허락했다.

예상치 못했던 친절에 리는 기뻤다. 그러나 장교가 아닌 병사들이 걱정이었다. 계급이 낮은 대부분의 병사들도 전쟁에 자신의 말을 갖고 왔던 것이다. 리가 질문했다. "병사들도 자신의 말을 갖고 돌아갈 수 있는지 알고 싶습니다." 그랜트는 리의 걱정스런 표정을 보고는 재빨리 알아차렸다. 그랜트가 대답했다. "말과 노새와 함께 왔다고 주장하는 모든 병사들은 돌아가서 그들의 작은 농장에서 일할 수 있도록 말과 노새를 데려가는 것을 허락한다." 리는 그랜트의 관대함에 감사했다.

war. "I should 1ike to understand whether these men will be permitted to retain their horses?" Lee asked. Grant saw the concern in Lee's face and quickly understood. Grant promised "to let all the men who claim to own a horse or mule take the animals home with them to work their little farms." Lee thanked Grant for his generosity.

Finally, Lee mentioned that his troops had no food. Grant promptly ordered his officers to send beef, bread, coffee, and sugar to the hungry Confederates. For many of Lee' s soldiers, it would be the first decent meal they had eaten in months.

Once the generals had reached complete agreement on the surrender, Lee rose to leave. He shook hands with Grant, bowed to the other Union officers, and left the room. Lee did not speak, except to call for his beloved horse, Traveller. A Confederate officer who was there said Lee seemed suddenly "older, grayer, more quiet and reserved ... very tired."

As Lee rode away Grant stood quietly on the porch and removed his hat to show his respect for Lee. Then the other Union officers did the same. Happy Union soldiers started to celebrate the surrender. They yelled and fired off cannons, but Grant ordered the soldiers to be quiet. Grant did not want the rebel soldiers to feel worse than they already did. "The war is over," Grant said, "The rebels are our countrymen again."

Back in the Confederate camp, a saddened General Lee

마지막으로 리는 자신의 군대에 식량이 떨어졌다고 말했다. 그랜트는 즉시 장교들에게 명령하여 굶주린 남군 병사들에게 쇠고기, 빵, 커피, 그리고 설탕을 주도록 했다. 대부분의 남군 병사들에게 그것은 몇 달 만에 먹는 제대로 된 음식이었다.

두 장군 사이에 항복에 대한 완전한 합의가 이루어지자 리가 떠나기 위해 일어섰다. 그는 그랜트와 악수를 했고, 북군 장교들에게 인사를 했다. 그리고 방을 나섰다. 리는 자신의 애마인 트래블러를 데려오라는 것 이외에는 더 이상 말을 하지 않았다. 거기에 있던 한 남군 장교가 리에게 갑자기 "더 나이가 들고, 흰머리가 더 늘고, 더 말이 없어지고, 매우 피곤해 보인다."고 말했다.

리가 떠날 때 그랜트는 조용히 현관에 나와 모자를 벗어 리에게 경의를 표했다. 장교들도 이에 따랐다. 흥에 겨운 북군 병사들이 승리를 축하하기 시작했다. 고함을 지르고 대포를 쏘아댔다. 그러나 그랜트는 조용히 할 것을 지시했다. 그는 이미 패배한 남군 병사들을 더 이상 괴롭게 만들고 싶지 않았다. 그랜트가 말했다. "전쟁은 끝났다. 반란군은 다시 우리 국민이 되었다."

슬픔에 잠긴 리 장군은 남군 진지로 돌아와서 그의 병사들에게 항복 사실을 알렸다. 그들은 용감하게 싸운 강한 병사들이었지만 눈물을 흘릴 수밖에 없었다. 리가 자신의 병사들에게 내린 마지막 명령은 단순한 것이었다.

"제군들이여, 나는 여러분들을 위해 할 수 있는 최선의 것을 하고 돌아왔다. 이제 고향으로 돌아가라. 이제껏 훌륭한 병사였던 것처럼 훌륭한 시민이 되려고만 하면 잘될 수 있을 것이다. 나는 여러분이 항상 자랑스럽다."

told his troops about the surrender. Though they were tough soldiers who had fought bravely, many of them could not help but cry. Lee's last orders to his troops were simple : "Boys, I have done the best I could for you. Go home now and if you make as good citizens as you have soldiers, you will do well and I shall always be proud of you."

Lincoln Is Assassinated

Northerners rejoiced at the news of Lee' s surrender. In Washington, D.C., crowds of people filled the streets outside the White House and cheered for President Lincoln. But the celebrations would soon end. On April 14, 1865, only five days after Lee surrendered, President Lincoln and his wife were attending a play at Ford' s Theater, not far from the White House. An actor named John Wilkes Booth was also at Ford' s Theater that night. Booth was from Maryland, but he strongly supported slavery and the Confederacy. As Lincoln watched the play from a seat high above the stage, Booth sneaked up behind the President and shot him in the head. Then Booth jumped down onto the stage and shouted to the frightened audience, "Sic semper tyrannis" – Latin words meaning "Thus ever to tyrants." Booth ran from the theater and rode away on a fast horse. Lincoln was carried to a house across the street from the theater, where he died the next morning.

링컨 암살

에이브러함 링컨 1809~1865
1865년 4월 9일, 아포마톡스에서 리 장군이 항복한 날 찍은 링컨의 사진. 그로부터 5일 뒤 암살되어, 이것이 마지막 사진이 되었다.

북부 사람들은 리의 항복 소식을 듣고 기뻐했다. 워싱턴에서는 수많은 군중이 백악관 바깥 도로를 꽉 매운 채 링컨 대통령에게 갈채를 보냈다. 그러나 축하 의식은 곧 끝이 났다.

1865년 4월 14일, 리가 항복한 지 5일 뒤에, 링컨 대통령과 그의 부인은 백악관에서 멀지 않은 포드 극장에 연극을 보러갔다. 존 윌크스 부스라는 이름의 배우도 그날 밤 포드 극장에 있었다. 부스는 메릴랜드 출신이었지만 노예 제도와 남부 연합을 강력하게 지지하고 있었다. 링컨은 무대보다 높은 곳에 위치한 좌석에서 연극을 보고 있었다. 그때 부스는 대통령 뒤에 몰래 다가가서 머리에 총을 쏘았다. 그러고는 무대 위로 뛰어내려 놀란 관중들에게 외쳤다. "Sic semper tyrannis." 이는 라틴 어로, '폭군의 종말은 이런 것이다.' 라는 뜻이다. 부스는 극장을 빠져나와 발 빠른 말을 타고 도망갔다. 링컨은 극장 길 건너에 있는 집으로 옮겨졌으나, 그곳에서 다음 날 아침 숨을 거두었다.

일주일 뒤, 병사들이 부스를 뒤쫓아 북부 버지니아의 한 헛간으로 몰아넣었다. 그가 항복을 거부하자 헛간에 불을 질렀다. 부스가 불타는 헛간을 빠져나오려고 할 때 병사들은 총을 쏘아 그를 죽였다.

A week later, soldiers trapped Booth in a barn in northern Virginia. When Booth refused to give himself up, the barn was set on fire. Booth was shot and killed as he ran from the burning barn.

Reconstruction : Repairing the "House Divided"

Before the Civil War, Lincoln had warned that "a house divided against itself cannot stand." When the nation was violently divided by the war Lincoln wanted most of all to preserve the Union – to reconstruct the divided house. Even while the Civil War was going on, Lincoln began planning what is called "Reconstruction," the process of bringing the eleven Confederate states back into the Union.

Americans disagreed on how to go about reconstructing the country. President Lincoln wanted to make it easy for the Southern states to rejoin the Union. Before he died, he called upon all Americans to carry out the work of reconstruction "with malice toward none, with charity for all." Despite the President' s plea, many Northerners held unfriendly feelings toward the South. They looked upon the Confederates as traitors who should be punished.

Within President Lincoln' s political party, the Republican Party, there was a group that disagreed with Lincoln' s desire to heat the Southern states gently. This group, called the Radical Republicans, wanted the federal government to

남부 재건 : '분열된 집안'의 복구

남북 전쟁이 있기 전, 링컨은 "분열된 집안은 제대로 설 수 없다."고 경고했다. 나라가 전쟁에 의해 폭력적으로 분열되었을 때, 링컨은 무엇보다도 먼저 연방을 지속시키기를 원했다. 즉, 분열된 집안을 재건하는 것이었다. 전쟁이 진행되고 있는 동안 링컨은 11개의 남부 연합의 주들을 합중국으로 재통합하는 '남부 재건'이라는 사업을 구상하기 시작했다.

미국인들은 국가 재건을 놓고 의견이 갈라졌다. 링컨 대통령은 남부 주들이 연방에 쉽게 들어올 수 있도록 하고 싶었다. 죽기 전에 그는 모든 미국인들에게 '누구에게도 악의를 갖지 말고, 모두에게 자비심을 갖고' 재건 작업을 수행해 나가자고 호소했다. 대통령의 호소에도 불구하고 많은 북부 사람들은 남부에 대해 좋지 않은 감정을 갖고 있었다. 그들은 남부 연합의 사람들을 벌을 받아야 하는 반역자라고 생각했다.

링컨이 속한 공화당 내에서는 남부에 대한 부드러운 태도를 가진 링컨에 반대하는 의견을 가진 집단이 있었다. 급진 공화당원이라 불리는 이들은 연방 정부가 몇 가지 점에서 남부가 변화하도록 강제해야 한다고 생각했다.

급진 공화당원이 보기에, 남부의 백인들은 아프리카계 미국인들을 노예 제도 속에 묶어두기 위해 전쟁을 벌였으며, 전쟁이 끝나기는 했지만 흑인들을 공평하게 다룰 것이라고 믿기 힘들다는 것이었다. 노예를 풀어 주는 것만으로는 충분치 않다. 그러므로 연방 정부가 나서서 풀려난 아프리카계 미국인들의 권리를 보장해 주는 적극적인 역할을 해야 한다는 것이었다. 남부 백인들의 토지를 몰수해서 풀려난 노예들에게 주기를 바라는 사람들도 있었다. 모든 급진주의자들은 흑인들도 투표권을 가져야 한다고 주장했다.

force certain changes upon the South.

As the Radical Republicans saw it, since white Southerners had gone to war to keep African-Americans in slavery, those same white Southerners couldn' t be trusted to treat blacks fairly once the war ended. The Radicals said it wasn' t enough to free the slaves ; the federal government must now take an active role to guarantee the rights of freed African-Americans. Some Radicals wanted the government to take land away from white Southerners and give it to freed slaves. All Radicals insisted that blacks must have the right to vote.

As the Civil War was coming to an end, it appeared that the Radical Republicans and President Lincoln were headed for a long argument over how to proceed with Reconstruction. But then the President was assassinated. According to the U.S. Constitution, if a president dies in office, the vice president takes over. Now all eyes turned to the man who had been Lincoln' s vice president, Andrew Johnson. How would the new, seventeenth president handle the problem of Reconstruction?

Johnson' s Plan for Reconstruction

Andrew Johnson – a native of North Carolina who had served as governor of Tennessee – was a Southerner at heart. He had even owned five slaves before the war. Johnson quickly announced a plan to grant amnesty to Southerners. To grant amnesty means to forgive or pardon : in this case,

전쟁이 끝나갈 무렵, 남부를 어떻게 재건할 것인가를 놓고 급진 공화당원과 링컨 대통령 사이에 장시간에 걸친 토론이 전개되었다. 그러다가 대통령이 암살당했다. 미국 헌법에 의하면 대통령이 재직 중에 죽으면 부대통령이 그 자리를 잇게 되어 있다. 이제 모든 사람들이 부대통령이었던 앤드류 존슨을 주목하게 되었다. 새로운 제17대 대통령은 남부 재건의 문제를 어떻게 다루어 나갈까?

존슨의 남부 재건 계획

노스캐롤라이나 출신으로 테네시 주지사를 역임한 앤드류 존슨은 심정적으로는 남부인이었다. 그는 전쟁 전에 다섯 명의 노예를 소유하기도 했다. 존슨은 곧 바로 남부인에 대한 사면 계획을 밝혔다. 사면한다는 것은 용서한다는 것을 뜻한다. 즉, 남부인들에게 미국의 시민으로서의 완전한 권리를 되돌려 준다는 것이다. 대부분의 남부인이 미합중국에 대한 충성을 서약하는 것만으로 사면을 받을 수 있게 되었다.

존슨은 가능한 한 빨리 남부에 대한 통치권을 남부 각 주 정부에 주고 싶었다. 존슨은 노예 제도는 철폐되어야 한다고 주장했다, 그러나 해방된 아프리카계 미국인들에게 어떤 권리를 줄 것인지는 각 주에서 결정해야 한다고 주장했다. 존슨의 계획 아래, 노예 제도를 폐지하고 다른 몇 가지 필요조건을 만들어 내기 위해 주 헌법이 개정되었다. 그리하여 남부의 주들도 연방의 다른 주들처럼 같은 권리와 권한을 가진 자신들의 정부를 구성할 수 있었다.

대부분의 남부 백인들은 존슨의 계획에 만족했다. 그러나 새로 구성된 남부 주들이 내린 결정에 대해 흑인들과 급진 공화당원들은 화가 났는데, 그럴 만한 이유가 있었다. 남부 연합에 속했던 모든 주에서 아프리카계 미국인들에게 투표권을 주지 않았던 것이다.

amnesty would give Southerners back their full rights as United States citizens. Most Southerners could qualify for amnesty simply by swearing to be loyal to the United States.

Johnson wanted to return control of the South to the state governments as soon as possible. While Johnson insisted that slavery must be abolished, he believed the states should decide what rights freed African-Americans would have. Under Johnson' s plan, as soon as a Southern state amended its state constitution to abolish slavery and satisfy a few other requirements, then the people of that state could set up their own government with the same rights and powers as any other state in the Union.

Most white Southerners were happy with Johnson' s plan. But the decisions made by the new Southern state governments angered blacks and Radical Republicans – with good reasons. Every former Confederate state continued to deny African-Americans the right to vote.

Black Codes

Many Southern states went even further to deny African-Americans their rights. Southern legislatures passed laws that came to be called Black Codes. These laws limited a black citizen' s ability to own property and engage in certain trades and businesses. Some Black Codes gave whites the right to treat black workers almost like slaves. It was as though the clock had been set back to a time before the Civil War.

흑인 단속법

남부의 많은 주들은 심지어 아프리카계 미국인들의 시민권까지도 부정하기도 했다. 남부의 주 의회들은 흑인 단속법이라는 법률을 통과시켰다. 이 법률들은 흑인들이 재산을 가지거나 특정한 상거래나 사업을 하는 것을 제한했다. 몇몇 법률은 백인들에게 흑인을 거의 노예처럼 다룰 수 있는 권한을 주기도 했다. 마치 시계 바늘이 남북 전쟁 이전으로 되돌아간 듯했다.

남부의 아프리카계 미국인들은 분노했고 속았다고 생각했다. 그들은 자유 시민이 되기를 기대했다. 하지만 흑인 단속법 때문에 자유롭지 않게 되었다. 흑인 단속법은 의회의 급진 공화당원들을 분노하게 했다. 전쟁에 진 많은 남부 연합의 지도자들이 이제 남부 곳곳에서 즐겁게 주 의회 의원 노릇을 하며 흑인에 대한 기본적인 권리마저 거부하는 법률을 만들고 있었기 때문이었다. 급진주의자들은 흑인 단속법이 남부의 백인들을 믿을 수 없게 하는 증거라고 생각했다. 따라서 존슨의 계획은 철회되어야만 한다고 생각했다.

1867년, 의회는 남부 연합에 속했던 11개 주 중 10개 주에 다시 재건을 강제하는 법률들을 통과시켰다. 존슨 대통령은 거부권을 발동하려 했지만 의회의 급진주의자들은 존슨의 거부권을 무시할 수 있을 만큼 충분한 표를 확보하고 있었다. 새 법률에 의해 남부의 10개 주는 흑인을 포함한 모든 남자에게 선거권을 의무적으로 주게 되었다. 의회의 요구를 완전히 충족시킬 때까지 남부의 주들을 연방 군대의 통제 아래 있도록 했다. 남부 재건 계획은 이제 급진주의자들이 원하는 쪽으로 진행되고 있었다.

African-American Southerners felt angry and cheated. They had expected to be free citizens, but the Black Codes made them less than free. The Black Codes angered Radical Republicans in Congress. They saw many of the same Confederate leaders who lost the war now happily serving in state legislatures across the South, passing laws that denied blacks their basic rights. Radicals saw the Black Codes as proof that white Southerners could not be trusted, and that Johnson' s plan for Reconstruction must be overturned.

In 1867 Congress passed a series of laws which forced ten of the eleven former Confederate states to start Reconstruction over again. President Johnson tried to veto these laws, but the Radicals in Congress had enough votes to override Johnson' s veto. The new laws required the ten states to allow all of their male citizens to vote, including blacks. Until these Southern states satisfied all of Congress' s requirements, they would remain under the control of the federal army. Reconstruction was now proceeding as the Radicals wanted it to.

Scalawags and Carpetbaggers

Under the Radicals' Reconstruction plan, many former Confederate leaders were no longer allowed to hold public office. Federal military officials were working hard in the South to get blacks to register to vote. With fewer old Confederate leaders, and with more blacks voting, more Republicans were elected to the state legislatures.

스캘러왜그와 카펫배거

급진주의자들의 재건 계획 때문에 옛 남부 연합의 많은 지도자들은 더 이상 공직에 있을 수 없게 되었다. 연방군 장교들은 흑인들이 투표권을 갖도록 많은 노력을 했다. 이전까지의 남부 지도자들이 줄어드는 대신에 더 많은 흑인들이

카펫배거

투표에 참여함으로써 점점 더 많은 공화당원이 의회로 진출하게 되었다. 이와 같은 지도력의 변화로 말미암아 두 개의 전형적인 집단이 등장하게 되었다. 바로 '스캘러왜그'와 '카펫배거'이다.

스캘러왜그란 불량배를 말한다. 남부 재건의 과정에서 새로운 주 정부를 싫어하고 거기에 참여하기를 거부하는 남부 사람들은 새 정부에 협조적인 사람들을 스캘러왜그라고 불렀다. 물론 스캘러왜그 중에는 실제로 불량배도 있었을 것이다. 하지만 남부의 발전된 미래를 위해 진심으로 참여한 사람들 또한 많이 있었다.

스캘러왜그를 싫어하는 남부 사람들은 카펫배거라 불리는 또 다른 집단도 싫어했다. 카펫배거는 남부 재건에 참여하기 위해 남부에 온 북부인을 말한다. 그들은 카펫 비슷한 천으로 만든 싸구려 옷가방 속에 생활용품을 넣어서 오는 경우가 종종 있었기 때문에 그렇게 불렸다. 많은 남부인들은, 이 탐욕스런 북부인들은 뭐든 돈 되는 것을 갖기만 하면 '카펫 가방' 속에다 채울 것이라고 믿고 있었다. 실제로 돈을 벌기 위해 남부에 온 자들도 있었지만, 대부분의 경우 남부의 재건과 시민의 권리 확보를 도와주기 위해 온 사람

These changes in leadership led to the development of two stereotypes, "scalawags" and "carpetbaggers."

A scalawag is a rascal. In the South during Reconstruction, Southerners who cooperated with the new state governments were called scalawags by other Southerners who were disgusted with the new state governments and refused to have anything to do with them. Maybe some scalawags were rascals, but just as many were genuinely concerned about working to improve the South' s future.

Southerners who disliked scalawags felt the same way, if not worse, about another group called carpetbaggers. Carpetbaggers were Northerners who came South to take part in Reconstruction. They were called carpetbaggers because they sometimes arrived with their belongings in a cheap suitcase made out of a fabric like carpet. Many Southerners were convinced that these carpetbags would soon be stuffed with whatever riches the greedy Northerners could get their hands on. True, some carpetbaggers came South to get rich quick. But others came to help rebuild the South and to work for civil rights.

The End of Reconstruction

Reconstruction lasted about twelve years, from 1865 to 1877. During that period, most of the South continued to suffer from hunger and hard times. By the early 1870s, angry whites across the South were trying to overthrow their Republican state governments. Southern whites were fighting to regain control of their lives. Many Southerners claimed the

들이었다.

남부 재건의 종결

남부 재건은 1865년부터 1877년까지 12년간 계속되었다. 그 기간 동안 남부의 대부분은 계속 배고픔 때문에 고통 받았고, 힘든 시기였다. 1870년대 초반에는 남부 곳곳에서 분노한 백인들이 공화당 주 정부를 타도하려고까지 했다. 남부의 백인들은 자신들의 생활에 대한 통제권을 되찾기 위해 투쟁했다. 많은 남부인들은 공화당 주 정부가 부패했다고 주장했다. 몇몇의 경우는 그러했다. 하지만 대부분의 경우 남부의 백인들은 아프리카계 미국인들이 자신들과 동등하게 되는 것을 원치 않았기 때문에 주 정부에 반대했다.

일부 백인들은 흑인과 흑인에 호의적인 백인 모두를 위협하기 위한 비밀 조직을 만들었다. 비밀 조직 중 최악의 것이 쿠 클럭스 클란이라고 불린 조직이었다. 클란의 조직원들은 습격할 때 얼굴을 가리는 흰 두건을 썼다. 클란의 조직원들은 흑인들의 교회, 학교, 그리고 집을 불태웠고, 무고한 흑인들을 죽이기까지 했다.

1870년대 초 잇따른 선거에서 백인들은 아프리카계 미국인에게 투표권을 주지 않도록 하는 교활한 방법을 생각해 냈다. 예를 들면 어떤 주에서는 인두세를 매겨 투표하기 전에 내게 했다. 흑인들 대부분은 그럴 능력이 없었다. 그래서 투표를 할 수가 없었다.

1877년이 되자 연방 정부는 이제 더 이상 아프리카계 미국인을 도우려고 하지 않았다. 북부의 대부분의 유권자들은 비록 흑인들이 고통 받더라도 남부의 백인 정부가 스스로 다스려 나가도록 내버려 두었다. 1800년대의 마지막 10여 년 동안 남부의 백인들은 아프리카계 미국인들의 기본적인 권리를 부정하는 더 많은 조치를 취했다. 20세기 중반이 되어서야 아프리카계 미국인들은 수정 헌

Republican state governments were corrupt, and in some cases they were. But mostly white Southerners were fighting against the state governments because these whites did not want African-Americans to be their equals.

Some whites formed secret organizations to scare both blacks and those whites who were friendly to blacks. The worst of these secret organizations was called the Ku Klux klan. Members of the Klan wore white hoods to hide their faces when they went on raids. Klansmen would burn black churches, schools, and houses, and even kill innocent black people.

In election after election in the early 1870s, whites found underhanded ways of denying African-Americans their right to vote. For example, some states imposed a poll tax which required a payment before voting. Many blacks couldn' t afford to pay and so they couldn' t vote.

By 1877 the federal government was no longer willing to come to the aid of African-Americans. By then most Northern voters were willing to let white Southerners govern themselves, even if it meant blacks would suffer. In the last decades of the 1800s, Southern whites took ever greater steps to deny African-Americans their basic rights. Not until the middle of the twentieth century would African-Americans begin to achieve the equality promised by the Thirteenth, Fourteenth, and Fifteenth Amendments.

법 제13조, 제14조, 제15조에 의해서 보장된 평등권을 얻기 시작했다.

쿠 클럭스 클란

쿠 클럭스 클란(ku klux klan)은 그리스 어 'Kuklos Klan'에서 유래했다. Kuklos는 그리스 어로 'circle(원)'이란 뜻이고, Klan은 영어의 'clan'(일당)이란 뜻이다. 즉, 'family circle'이다. 이름만으로도 폐쇄적인 가족 공동체에 대한 향수가 느껴진다. 전쟁 직후인 1865년에 처음 결성되었다.

1867년에 결성된 제2차 쿠 클럭스 클란(KKK)의 주모자는 남군의 장군이었던 나단 베드포드 포레스트였다. 그는 전사한 남군 병사의 미망인과 전쟁고아를 돕는 것을 목표로 내걸었다. 그러나 '남부 재건'기인 1860년대 후반부터 1870년대에 걸쳐 그들이 했던 것은 특정 사람들을 표적으로 삼아 협박하거나 폭력을 가하고 죽이는 일이었다. 표적이 되었던 사람은 연방 정부에 의한 '남부 재건' 정책을 지지하는 흑인들만이 아니라, 북부에서 온 이 정책의 추진자와 남부 내에서의 지지자 등이었다.

그들은 흰옷 차림으로 말을 타고 흰 두건으로 얼굴을 가린 채 어둠 속에서 나타나 흑인들을 공포에 떨게 했다. KKK의 잔인한 범죄는 흑인에 대한 증오와 공포, 북부에 대한 한을 가진 남부인들의 불만을 끌어올리는 것이었다. 1870년대에 이를 단속하기 위한 연방법이 만들어져, 급속히 가라앉았지만, 제1차 세계 대전 이후 다시 생겨나 1950년대까지 활동했다.

Chapter 4

WESTWARD EXPANSION AND THE FRONTIER

서부로의 확대와 개척지

Chapter 4

WESTWARD EXPANSION AND THE FRONTIER

The Great Plains Indians

From the Rocky Mountains in the west to the Mississippi River in the east, an enormous grassland called the Great Plains stretches across the middle of our country. Before the Europeans arrived, the Great Plains provided a giant pasture for large herds of wild bison, or buffalo, as they are better known. At one time, as many as sixty million buffalo roamed freely across the Great Plains.

Because buffalo were so plentiful, most Plains Indians hunted the buffalo for food. The Plains Indians found ways to use every part of the buffalo, even the parts they could not eat. From the bones and sinews of the buffalo, the Indians made tools and weapons. The hide of the buffalo provided both clothing and shelter. Most Plains Indians lived in cone-shaped tents made of buffalo hide. You may know the name of these tents : they were called tepees.

To kill the buffalo, Plains Indians used the lance and the bow and arrow. Guns were also used once they became available. Before the Spanish brought horses to America, the Indians hunted on foot, often guiding a stampeding

제4장 서부로의 확대와 개척지

대평원의 인디언

서부의 로키 산맥에서 동부의 미시시피 강에 이르기까지 대평원이라고 불리는 거대한 초원이 미국의 한 가운데를 가로지르고 있다. 유럽 사람들이 오기 전에 대평원에는 많은 들소(버팔로라고 더 잘 알려진) 떼들이 풀을 뜯어먹고 살았다. 한때는 6천만 마리가 넘는 버팔로가 대평원을 가로지르며 자유롭게 뛰어다니기도 했다.

버팔로는 수가 워낙 많았기 때문에 대부분의 대평원에 살고 있던 인디언들은 버팔로를 식용으로 쓰기 위해 사냥했다. 대평원의 인디언들은 버팔로의 먹을 수 없는 부분까지도 모두 이용할 수 있는 방법을 찾았다. 버팔로의 뼈에서 근육에 이르기까지, 인디언들은 도구나 무기로 만들었다. 버팔로의 가죽은 옷과 주거용으로 쓰였다. 대평원의 대부분의 인디언들은 들소 가죽으로 만든 원추형 텐트에서 살았다. 여러분들도 '티피' 라고 하는 이 텐트의 이름을 들어 알고 있을 수 있다.

대평원의 인디언들은 버팔로를 죽이기 위해서 창과 활과 화살을 썼다. 총이 생겼을 때는 총을 사용했다. 에스파냐 사람들이 아메리카 대륙에 말을 갖고 들어오기 전에 인디언들은 걷거나 뛰어다니며 사냥에 나섰다. 떼를 지어 달리는 버팔로 떼를 벼랑 끝까지 몰아 떨어뜨려 잡기도 했다. 그런데 1800년대가 되자 대평원의 인디언들은 말을 타고 사냥하는 기술을 익혔다. 때때로 대평원의 인디

herd over a cliff. But by the 1800s, the Plains Indians had mastered the art of hunting on horseback. Sometimes, Plains Indians on horseback would hunt buffalo by stampeding a herd over a cliff. Horses could run faster than buffalo, but both horse and rider had to be careful to keep from being trampled by a stampeding herd.

In the eastern part of the Great Plains, in addition to hunting buffalo, many of the tribes raised crops for part of the year. During the growing season, these Indians lived in houses called earth lodges. To build an earth lodge, an Indian dug a shallow hole, placed a frame of logs and twigs over the hole, and then covered the frame with soil. The names of some of these eastern Plains tribes later became the names of states : Kansas, Iowa, and Missouri. Another major tribal group was often called the Sioux, but they called themselves Dakotas or LaKotas, which meant "allies" or "the friendly ones."

Tribes of the western Great Plains did not farm. They were nomadic, moving often to keep up with wandering buffalo herds. Some of these Indian tribes became famous for their fighting skills. To the north lived tribes called the Blackfoot and the Crow. To the far south lived the Comanche and the Wichita. And in between were the Arapaho and the Cheyenne.

"There' s Gold in Them Thar Hills"

In the first half of the 1800s, white settlers made slow,

언들은 말을 타고 버팔로 떼를 벼랑으로 몰아 사냥하기도 했다. 말은 버팔로보다 빨리 달릴 수 있었다. 하지만 버팔로 떼를 뒤쫓다가 말과 말을 탄 사람 둘 다 버팔로 떼에 밟히지 않도록 조심해야 했다.

버팔로를 사냥하고 있는 대평원의 인디언들
인디언들에게 버팔로는 귀중한 자원이었다. 그들은 버팔로를 옷, 집, 신발, 무기, 화장품 등에 이용했다. 백인들이 버팔로를 남획하면서 그 수가 급격히 줄어들었으나, 버팔로에 대한 보호 정책이 시작되어 지금은 약 5만 마리가 살고 있다.

대평원의 동부 지역에서는 많은 부족들은 버팔로 사냥과 함께 일 년 중 특정 시기에는 작물을 재배했다. 작물 재배 시기에는 인디언들은 토막집에서 살았다. 토막집을 지으려면 얕은 구덩이를 파서, 그 위에 통나무와 잔가지로 기둥을 세우고, 그 위에 흙을 덮었다. 동부 평원의 이들 몇몇 부족의 이름은 나중에 주 이름이 되기도 했다. 캔자스, 아이오와, 미주리 등이 그것이다. 또 다른 대부족 집단은 수우족이라고 불렸는데, 스스로는 다코타족 또는 라코타족이라고 불렀다. 그것은 '같은 편' 또는 '우호적인 사람들' 이란 뜻이다.

대평원의 서부에 사는 부족들은 농사를 짓지 않았다. 그들은 버팔로 떼를 쫓아다니는 유목 생활을 했다. 이들 인디안 부족 중 일부는 나중에 뛰어난 전투 기술로 유명해졌다. 북부에는 블랙풋(검은 발) 및 크로우(까마귀)라 불리는 부족이 있었다. 남쪽 끝에는 코만치, 위치토라고 불리는 부족이 살고 있었다. 그리고 그 사이에는 아라파호와 샤이엔이라는 부족이 살고 있었다.

'저 산에 금이 있다'

1800년대 전반, 백인 이주자들은 천천히, 그리고 꾸준히 서쪽으

unsteady progress in their efforts to move west. But in 1848 something happened to speed up the westward movement. In fact, it made thousands of people rush toward the West. On January 24, 1848, by a river in California, a man named James W. Marshall was building a sawmill for John A. Sutter. When Marshall looked down into the water that ran through the mill, he saw little flakes of dull yellow metal. It was gold!

News of this discovery spread quickly throughout the country, and even across the sea. Soon thousands of Americans, as well as people from many other countries, headed to California in hopes of striking it rich. The Gold Rush had begun. By the time most of the miners reached California, the year was 1849, so they were called "forty-niners." (Do you know the song, "Clementine"? Clementine's father, you might remember, was "a miner, forty-niner.")

Most forty-niners prospected (looked for gold) by sifting soil in a pan or sieve. Some forty-niners found gold and became rich. Many more found only misery in crowded mining camps where gamblers tried to cheat miners out of their money, and shopkeepers charged high prices for food and everything else. Some disappointed forty-niners returned home, but others kept looking.

The Gold Rush created an urgent need for better ways to transport people and goods out West. Californians asked the federal government to build a decent road across the country and to speed up mail service. Construction of the

로 이동해 갔다. 그런데 1848년에 서부로의 이동에 속도를 가하는 사건이 일어났다. 수천 명의 사람들이 서부로 몰려갔다. 1848년 1월 24일, 캘리포니아에 있는 한 강가에 제임스 마샬이라는 사람이 존 셔터라는 사람의 제재소를 짓고 있는 중이었다. 마샬이 제재소를 거쳐 흘러가는 물을 내려다보고 있었는데, 그때 누런 금속 조각이 보였다. 그것은 금이었다!

서부로 향하는 포티나이너

금을 발견했다는 이 소식은 온 나라에 빠르게 전해졌고, 해외에까지 전해졌다. 곧 많은 미국인들뿐만 아니라 다른 나라에서 온 사람들이 대광맥을 찾아 내겠다는 희망을 품고 캘리포니아로 향했다. '골드러시'가 시작된 것이다. 대부분의 금 채굴자들이 캘리포니아에 간 때가 1849년이었다. 그래서 그들은 '포티나이너'라고 불렸다. 여러분은 '클레멘타인'이라는 노래를 아는가? 클레멘타인의 아버지는 '포티나이너인 금 채굴자'였다. 대부분의 포티나이너는 냄비와 체로 흙을 추려서 금을 찾으려고 했다. 어떤 포티나이너는 금을 찾아 부자가 되기도 했다. 하지만 대다수의 사람들은 북적거리는 금광 캠프에서 비참함만 맛보았다. 도박꾼들이 금 채굴자를 속여 돈을 빼앗았고, 상점의 주인들은 식료품을 비롯한 모든 물건 가격을 매우 높은 가격으로 팔았다. 실망한 포티나이너들은 고향으로 돌아갔고, 그렇지 않은 사람들은 계속 금을 찾아다녔다.

골드러시 때문에 사람들과 물건들을 서부로 실어 나를 더 나은 교통수단을 긴급히 만들 필요가 생겼다. 캘리포니아 사람들은 연방 정부에 나라를 가로지르는 좋은 도로를 만들어 줄 것과 우편 서비스를 더 빠르게 해 줄 것을 요구했다. 도로 건설은 1857년이 되

road did not begin until 1857. But by 1858, stagecoaches loaded with passengers and mail were leaving twice a week from Tipton, Missouri, for the bumpy three-week trip to San Francisco.

The Transcontinental Railroad

Settlers intent on moving west and those already out West wanted faster, more reliable ways to move people and goods. By the 1850s most Americans agreed that the country needed a railroad stretching across the continent. A transcontinental railroad was far too expensive a project for any private business to attempt without government help. So, in 1863, Congress passed a law to pay for a transcontinental railroad by giving private companies federal land and loaning them money.

Two companies would build the railroad. In 1863 workers for the Central Pacific Railroad started laying track in California and headed east. In 1864 the Union Pacific Railroad started from Nebraska and headed west. Finally, on May 10, 1869, at Promontory Point, Utah, the Central Pacific track was linked to the Union Pacific with a golden spike. The nation had its first transcontinental railroad!

By the time the crews met at Promontory Point, other companies, with government help, had already begun to build as many as six other transcontinental railroad lines. Settlers would be able to move west faster and in ever

어서야 시작되었다. 그러나 1858년쯤에도 승객과 우편물을 실은 역마차는 미주리 주의 팁턴에서 일주일에 두 번 출발했고, 덜컥거리면서 3주가 걸려야 샌프란시스코에 도착했다.

대륙 횡단 철도

서부로 이주하려는 사람이나 이미 서부에 정착한 이주민들은 사람과 화물을 더 빨리 더 믿음직하게 운반해 줄 수단을 원했다. 1850년대가 되자 대부분의 미국인들은 국가가 나서서 대륙을 가로지르는 철도를 개설해야 한다는 데 동의했다. 대륙 횡단 철도는 민간 기업이 국가의 도움 없이 나서기에는 너무 비용이 많이 드는 사업이었다. 그래서 1863년에 의회는 민간 기업에게 연방 소유의 토지를 제공하고 돈을 빌려주는 대륙 횡단 철도 건설을 위한 법을 통과시켰다.

두 개의 회사가 철도를 건설하기로 했다. 1863년, 센트럴퍼시픽

대륙 횡단 철도
1869년, 프로몬토리 포인트까지 연결된 유니언퍼시픽 철도와 센트럴퍼시픽 철도의 선로. 이로써 대륙 횡단 철도가 완성되었다.

greater numbers.

Cowboys

In stories and movies, a cowboy is often a brave hero or a dangerous outlaw. But in the real West, cowboys usually lived less heroic lives, for the most part minding cattle and doing chores.

Cowboys became a familiar sight out West after the Civil War. When the war ended, Americans in the East had a shortage of beef. Meanwhile, down in southern Texas millions of beef cattle roamed free. Some businessmen decided to gather wild Texas cattle and sell them back East, but they faced one big problem : the railroad had not yet reached Texas. The cattle would have to walk to the nearest train depot in Missouri some fifteen hundred miles away! The trip was called the Long Drive, because cowboys would ride alongside the cattle herd and drive (guide or coax) the cattle in the right direction.

Newspapers spread exaggerated reports about the money to be made in cattle ranching. Soon many people rushed into the cattle business, just as the forty-niners had rushed West to hunt for gold. Cattle ranches sprang up across the west, wherever there was enough grass for pasture. With the spread of cattle ranching, the cowboy became a familiar sight on the Western frontier.

철도의 노동자들이 캘리포니아에서부터 철로를 놓기 시작하여 동쪽으로 향했다. 1864년, 유니언퍼시픽 철도가 네브래스카 주에서 시작하여 서쪽으로 향했다. 마침내 1869년 5월 10일, 유타 주 프로몬토리 포인트에서 센트럴퍼시픽의 철로는 유니언퍼시픽 철로와 금빛 불꽃을 튀기며 연결되었다. 미국이 첫 번째 대륙 횡단 철도를 갖게 되었다!

프로몬토리 포인트에서 두 회사의 승무원들이 만났을 때, 다른 회사에서도 정부의 도움을 받아 다른 여섯 개의 대륙 횡단 철도 노선을 이미 건설하고 있는 중이었다. 이주자들은 더 빨리, 그리고 더 많이 서부로 갈 수 있게 된 것이다.

카우보이

소설이나 영화 속에서 카우보이는 종종 용감한 영웅이나 위험한 무법자로 등장한다. 그러나 사실 서부에서 카우보이는 그다지 영웅적인 생활을 하지 않았고, 대부분의 경우 소를 돌보거나 온갖 허드렛일을 했다.

카우보이는 남북 전쟁 뒤 서부에서 쉽게 볼 수 있는 모습이 되었다. 전쟁이 끝나자 동부에 있는 미국인들은 쇠고기가 부족했다. 반면에 남부 텍사스에서는 수백만 마리의 소가 자유로이 돌아다니고 있었다. 몇몇 사업가들은 텍사스의 야생 소들을

카우보이
원래는 매우 힘든 직업이었지만, 소설이나 영화 등에서는 '영웅'으로 묘사되었다. 이 사진은 1867년에 찍은 카우보이이다. 2년 뒤에 남북 전쟁이 끝났다.

The Wild West

Ever since Lewis and Clark brought back reports of their 1804 expedition, Americans have enjoyed stories about the West. Because the West seemed much less civilized and much more dangerous than the East, people often called it the "Wild West."

Some stories about the West stretched the truth. If an event happened out West, the facts would likely change a bit each time the story passed from person to person. Sometimes newspaper writers would spice up stories to make more people want to buy the newspaper. By the time the report traveled back East, the story might have very little truth left in it. A sheriff who had arrested one drunk cattle thief might be transformed into a hero who had singlehandedly gunned down a dozen murderous outlaws. In this way, legends about heroes and villains grew and spread.

You may know some stories about famous Western outlaws. Some of the most feared outlaws were men who had served in the Civil War. During the war they had learned to kill without hesitation and to steal whatever was needed to survive. When the war was over, some desperate men continued to kill and rob as a way of life.

One of the most notorious Western outlaws was Jesse James. He fought in the Civil War with a group of Confederate raiders who behaved much like outlaws. After the war, Jesse and his brother Frank formed a gang to rob banks. Later they turned to

모아 동부에 팔기로 했다. 하지만 그들에게 큰 문제가 하나 있었다. 철도가 아직 텍사스까지 연결되지 않았던 것이다. 소를 몰고 미주리에 있는 가장 가까운 역까지 가야 했는데, 거리가 무려 1500마일이나 되었다! 이것은 '롱 드라이브' 라고 불렸다. 카우보이들이 말을 타고 소 떼를 몰아 바른 방향으로 유도해야 했기 때문이었다.

소 방목이 돈이 된다는 소식이 신문에서 크게 보도되었다. 그러자 포티나이너들이 금을 찾아 서부로 갔듯이 많은 사람들이 목축업에 뛰어들었다. 서부에서 방목장이 확산되었다. 방목장은 방목에 충분한 풀이 있는 곳은 어디라도 생겨났다. 방목장이 늘어나면서 카우보이는 서부 개척지에서 쉽게 볼 수 있는 모습이 되었다.

거친 서부

루이스와 클락이 1804년 탐험 보고서를 낸 뒤로 미국인들은 서부에 관한 이야기를 즐겼다. 서부는 동부에 비해 덜 문명화되어 있고 더 위험하기 때문에, 사람들은 '거친 서부' 라고 부르기도 했다.

서부에 관한 이야기들은 사실을 과장하기도 했다. 서부에서 한 사건이 벌어지면 사람들을 거쳐 갈 때마다 조금씩 부풀려졌다. 때로는 신문 기자들이 더 많은 사람들이 신문을 사게 하기 위해 이야기를 뜯어고치기도 했다. 이야기가 동부에 전해질 때쯤에는 그 속에 진실은 거의 없을 정도가 되었다. 술에 취한 소도둑 한 명을 붙잡은 보안관이 혼자서 열 명의 무법자를 쓰러뜨린 영웅으로 바뀌었을지도 모른다. 이런 식으로 영웅과 악당에 관한 전설이 생기고 퍼졌다.

여러분들은 유명한 서부의 무법자에 관한 이야기를 알고 있을 것이다. 가장 무서운 무법자로는, 남북 전쟁 때 싸웠던 사람도 있다. 그들은 전쟁 때 사람들을 주저 없이 죽이고 살아남기 위해 필요한

robbing railroad trains, too. For twenty-five years, as Jesse and Frank James kept robbing banks and trains, legends about them spread. Then one morning in 1882, Jesse was at home in Missouri with two young members of his gang, Charles and Robert Ford. When Jesse stood on a chair to straighten a picture on the wall, Robert Ford shot and killed him. His brother Frank was captured and put on trial for his crimes, but he was found not guilty.

Another famous outlaw was Billy the Kid, whose real name was William Bonney. Before he reached his eighteenth birthday, Billy may have killed as many as twelve men. He and his gang stole cattle and killed anyone who tried to stop them. For a time it seemed no one could stop Billy the Kid. Then Billy's friend Pat Garrett became a sheriff. At the end of 1880, Garrett trapped Billy's gang and forced Billy to surrender. Before he could be hanged for murder, Billy killed two jail guards and escaped, but not for long. Within a couple of months, Garrett tracked Billy to his hideout. Garrett fired a shot into a dark bedroom, and at the age of twenty-one Billy the Kid was dead.

Based on colorful stories they had heard or read, some people admired Billy for his daring acts. But Billy's hometown newspaper wanted everyone to know that Billy was no hero. Shortly after Billy died the editor of the town newspaper wrote, "Despite the glamour of romance thrown about his dare-devil life by sensational writers, the fact is, he was a low-down vulgar cut-throat, with probably

것은 무엇이든 훔치는 것을 배운 자들이었다. 전쟁이 끝나자 절망적인 사람들은 생활의 한 방식으로 살인과 강도짓을 계속했다.

서부의 무법자 중 가장 악명 높은 자는 제시 제임스였다. 그는 남북 전쟁 때 거의 무법자에 가까운 행동을 했던 남군 침략자 집단에 속해 싸웠다. 전쟁이 끝나자 그와 그의 형 프랭크는 강도단을 만들어 은행을 털었다. 나중에는 열차까지 습격했다. 제시와 프랭크는 25년 동안 은행과 열차를 털었고, 이들에 관한 전설은 퍼져나갔다. 1882년 어느 날 아침, 제시는 미주리의 집에서 찰스와 로버트 포드라는 두 명의 젊은 부하와 함께 있었다. 제시가 벽에 걸린 그림을 바로 하려고 의자 위에 올라 선 순간 로버트 포드가 그를 쏘아 죽였다. 그의 형 프랭크는 붙잡혀 재판에 회부되었지만 무죄를 선고받았다.

다른 유명한 무법자는 빌리 더 키드였다. 그의 본명은 윌리엄 보니였다. 그는 열여덟 살 생일이 되기 전에 벌써 열두 명을 죽였다. 그와 그의 강도단은 소를 훔쳤는데, 반항하는 자는 누구든지 죽였다. 한동안 누구도 빌리 더 키드를 저지할 수 없었다. 그런데 빌리의 친구 팻 개럿이 보안관이 되었다. 1880년대 말 개럿은 빌과 그의 강도단을 함정에 빠뜨려 빌리가 항복하게 만들었다. 빌리는 살인죄로 교수형에 처해지기 전에 두 명의 간수를 살해하고 도망쳤지만 오래 버티지는 못했다. 두 달 뒤, 개럿은 빌리의 은신처를 추적했다. 개럿은 어두운 침실을 향해 한 발의 총을 발사했고, 빌리 더 키드는 스물한 살의 나이로 죽었다.

자신들이 읽고 들은 다양한 이야기를 토대로 빌리의 대담한 행동을 칭찬하는 사람들도 있었다. 하지만 빌리의 고향에서 발간되고 있는 신문은 빌리가 영웅이 아니라는 것을 모든 사람들에게 알리고 싶었다. 빌리가 죽고 난 직후 그의 고향 신문의 편집자는 이렇게 썼다. “선정적인 작가들이 그의 무도한 인생을 매혹적인 소설

not one redeeming quality."

Just as the West produced legendary outlaws, some men became famous for enforcing the law. One of the most famous marshals was Wild Bill Hickok, whose real name was James Butler Hickok. As a young boy, he became an excellent marksman. During the Civil War, Hickok was a scout and a spy for the Union. After the war, he was asked to serve as marshal in the rough towns of Kansas, where cowboys gathered at the end of their cattle drives. As marshal of Abilene, Kansas, Hickok wore his blond hair down to his shoulders. He also wore fancy clothes, expensive high-heeled boots, and a pair of ivory-handled pistols around his waist. He killed a number of men, and some people said not all of the killing was necessary to uphold the law. One man who knew Wild Bill Hickok called him "the most fearless and perhaps the most dangerous man ... on the frontier."

American Indians Are Removed to Reservations

Back in 1840 the United States Government had promised American Indians they would be allowed to live freely on Western lands. The land west of Missouri and Iowa would remain a "Permanent Indian Frontier," closed to whites except for trading purposes. At the time this promise was made, most Americans thought of the Great Plains as a wasteland. As far as the government was concerned, the

로 그리고 있지만, 사실 그는 비열하고 저속한 살인자였다. 아마 그의 어떤 행동도 속죄받을 수 없을 것이다."

서부에 전설적인 무법자들이 있었던 것과 마찬가지로, 어떤 사람들은 법을 지키는 것으로 유명해졌다. 가장 유명한 보안관 중 한 사람은 와일드 빌 히콕이었다. 그의 본명은 제임스 버틀러 히콕이었다. 그는 젊었을 때 사격의 명수가 되었다. 남북 전쟁 때에는 북군의 정찰병이자 척후병이었다. 전쟁 후, 그는 카우보이들이 소를 몰고 오는 종착지였던 캔자스의 거친 마을에서 보안관으로 일해 달라는 요청을 받았다. 그는 캔자스 애빌린의 보안관이었을 때, 어깨까지 내려오는 금발을 하고 있었다. 또 멋진 옷과 값비싼 높은 굽의 부츠에다가, 허리에는 상아로 손잡이를 장식한 쌍권총을 차고 있었다. 그는 수많은 사람들을 죽였는데, 그 모두가 법을 유지하기 위한 것은 아니었다고 말하는 사람들도 있다. 와일드 빌 히콕을 잘 아는 한 사람은, 그를 '개척지에서…… 가장 두려움이 없고, 그리고 아마 가장 위험한 인물' 이라고 부르기도 했다.

아메리카 인디언 보호 구역으로 이주

일찍이 1840년에, 미국 정부는 아메리카 인디언들에게 서부 지역에서 자유로이 살도록 해 주겠다고 약속했다. 미주리와 아이오와의 서쪽을 '영구적인 인디언 변경 지대' 로 남겨 두고, 상거래 외의 목적으로는 백인들이 출입하지 못하게 했다. 이 약속이 있었을 때, 대부분의 미국인들은 대평원을 황무지라고 생각했다. 정부 입장에서는 인디언들이 그와 같은 황무지에서 사는 것은 아무런 문제가 없었다. 하지만 앞에서도 보았듯이 골드러시와 소 방목, 그리고 철도의 확장 등으로 인해 서부는 이제 더 이상 쓸모없는 땅이 아니었다. 인디언들은 자신들의 땅을 지키기 위해 이주민들에게 저

Indians were welcome to live on such useless land. But as we have seen, the Gold Rush, cattle ranching, and the spread of railroads showed that the West was far from useless. When Indians resisted attempts by settlers to take their land, the federal government came to the aid of the settlers. The government broke its promise ; the "Permanent Indian Frontier" turned out to be only temporary.

The United States Government began pressuring Indian tribes to give up land to make way for settlers. To persuade them to give up land, the government made a new promise. If a tribe would agree to stay within a smaller area, the government promised the tribe could live there forever, free from the threat of more settlers. A tribe would be limited to an area set aside, or reserved, for them. Each of these areas was called a reservation.

Reservations tended to be much smaller than the areas the tribes had once lived in. Sometimes Indians were forced to move to reservations far away from their homelands. Some Indians who had been farmers were forced to accept dry, rocky lands not suited for farming. Indians who had once roamed over vast stretches of the Great Plains hunting for buffalo might be forced to stay on small reservations where the hunting was poor.

Though the government promised Indians they could stay on a reservation forever, the government sometimes broke its promise. If the government decided the land was needed by settlers or other Indians, the government might

항했지만 연방 정부는 이주민들의 편이었다. 정부는 약속을 어겼다. '영구적인 인디언 변경 지대'는 일시적이었을 뿐이었다.

미국 정부는 인디언 부족들이 이주민들에게 땅을 내주도록 압력을 가하기 시작했다. 땅을 포기하도록 만들기 위해 새로운 약속을 했다. 만약 인디언 부족이 좀 더 작은 지역 내에서 사는 것에 동의한다면, 그곳에서 더 이상 이주민들의 위협이 없이 영원히 살 수 있도록 해 주겠다는 것이었다. 인디언 부족들은 자신들에게 제공된 지역 안에서 살게 되는 것이다. 이 지역들은 '보호 구역'이라고 불렸다.

보호 구역은 각 부족들이 이전에 살고 있던 곳보다 훨씬 작은 것이 보통이었다. 자신들의 고향으로부터 아주 멀리 떨어진 곳으로 가야 하기도 했다. 농사를 짓던 인디언들이 농사에 적합하지 않는 곳, 즉 비가 오지 않으며 바위투성이의 땅으로 가야 하는 경우도 있었다. 한때 광대한 대평원을 돌아다니며 들소를 사냥했던 인디언이 사냥거리라고는 없는 소규모 지역에서 살아야 하는 경우도 있었다.

정부가 인디언들에게 보호 구역 내에서 영원히 살게 해 주겠다고 약속했지만, 약속은 종종 깨졌다. 만약 정부가 그 땅이 이주민들이나 다른 인디언들에게 필요하다고 결정을 내리면, 강제로 그들에게 보호 구역에서 떠나 다른 곳으로 이동하게 했다.

인디언 대책국이라는 연방 기관이 인디언에 대한 정책을 관리하고 있었다. 대책국은 인디언들이 보호 구역 내의 생활에 익숙해지도록 지원하는 것이었다. 또 인디언들이 정부와 맺은 여러 가지 조약 아래 인디언들의 권리를 보호하는 책임을 맡고 있었다. 하지만 인디언들을 돕거나 그들의 권리를 지켜 주지 않는 경우도 자주 있었다. 많은 대책국 관리들은 인디언의 생활에 대한 지식과 경험이 없었다. 게다가 일부 관리들은 부정을 저지르기도 했다.

force a tribe to leave its reservation and move to another.

A federal agency called the Bureau of Indian Affairs administered government policies toward Indians. Agents of the bureau were supposed to help Indians adjust to life on the reservation. The bureau also had responsibility for protecting the rights of Indians under their various treaties with the government. Sometimes the bureau did help Indians and guard their rights. But many bureau officials had no knowledge or experience of Indian life, and more than a few officials were corrupt.

The Indian Wars

Some Indians decided to fight to keep their lands and their way of life. Shortly before the Civil War began in the East, events in the West touched off a series of wars that pitted Indians against settlers and the United States Army.

In 1859 thousands of miners looking for gold in Colorado forced Cheyenne and Arapaho Indians to leave their homes. Federal officials tried to force the Indians to accept a smaller reservation away from the miners. Angry Indians took to the warpath and fought for over three years. Then the weary Indians tried to make peace. Led by Chief Black Kettle of the Cheyenne, the Indians offered their surrender at a federal army outpost.

The Indians thought the war was over, but a band of white volunteers led by Colonel J. M. Chivington attacked

인디언 전쟁

몇몇 인디언 부족들은 자신들의 땅과 생활을 지키기 위해 싸우기로 결심했다. 동부에서 남북 전쟁이 시작되기 바로 전에, 서부에서 일어난 몇 가지 사건 때문에 전쟁이 벌어져 인디언들은 이주민과 미국 정부군에 맞서 싸우게 되었다.

1859년, 콜로라도에 금을 찾으러 간 수천 명의 광부들은 샤이엔족과 아라파호족 인디언들을 그들의 고향에서 몰아내려고 했다. 연방 관리들은 인디언들이 광부들과 멀리 떨어진 곳에 있는 더 작은 보호 구역에 살도록 강요했다. 화가 난 인디언들은 맞서 싸우기로 해 3년 동안 전쟁을 벌였다. 싸움에 지친 인디언들은 평화를 원했다. 샤이엔족의 블랙 캐틀 추장이 이끄는 인디언들은 연방군의 기지에 항복을 받아 줄 것을 요청했다.

인디언들은 전쟁이 끝났다고 생각했다. 하지만 시빙턴 대령이 이끄는 백인 지원병 부대가 샌드 크리크라는 곳에서 그들을 공격했다. 블랙 캐틀은 항복의 표시로 미국 국기와 흰 깃발을 흔들었다. 하지만 시빙턴의 병사들은 몇 명의 도망친 인디언을 빼고 모두 잔인하게 죽였다. 젖먹이와 어린아이까지 죽였다. 샤이엔족과 아라파호족은 이듬해에 평화 조약에 서명했다. 연방 정부는 샌드 크리크 대학살의 '야비하고 불법적인 만행'에 대해 사과했다.

북쪽에서는 추장 레드 클라우드가 이끄는 수우족이 정부의 도로 건설을 막기로 맹세하자 또 다른 전쟁이 벌어졌다. 수우족은 도로가 그들의 중요한 사냥터를 지난다는 이유로 반대했다. 연방군은 반란을 진압하기 위해 요새마다 병사를 배치했다. 수우족은 2년 동안이나 그 요새들과 인디언의 땅을 지나가려는 백인들을 공격했다. 가장 유명한 싸움은, 인디언들이 잠복하고 있다가 80명의 연방군 병사를 기습하여 죽인 것이었다.

them at a place called Sand Creek. Black Kettle waved an American flag and a white flag as a sign of peace. But Chivington' s men brutally killed all the Indians except a few who escaped. Even babies and children were killed. When the Cheyenne and Arapaho signed a peace treaty the following year, the federal government apologized for "the gross and wanton outrage" of the Sand Creek Massacre.

To the north, another war broke out when Sioux Indians led by Chief Red Cloud vowed to Mock a road that the government wanted to build. The Sioux opposed the road because it would pass through their favored hunting grounds. Federal troops manned a series of forts in an effort to put down the uprising. For two years the Sioux attacked the forts and the white people who tried to travel through their lands. In the most famous battle, Indians ambushed and killed eighty federal soldiers.

General William Tecumseh Sherman called for revenge against the Sioux, "even to their extermination, men, women, and children." But many Easterners, horrified by reports of the earlier Sand Creek Massacre, wanted to try peace instead. In the spring of 1868, the government signed a peace treaty ending the Sioux War of 1865 – 1868, sometimes called "Red Cloud' s War."

The Sioux War of 1875-1876 : Little Big Horn

In 1874 gold was discovered in the Black Hills, located

윌리엄 테쿰세 셔먼 장군은 수우족에 대한 복수를 크게 외쳤다. "남자든, 여자든, 아이들이든 모두 죽여라." 그러나 동부의 많은 백인들은 앞서 일어난 샌드 크리크 대학살 소식에 충격을 받아 평화를 바라고 있었다. 1868년 봄, 정부는 1865년~1868년의 수우족과의 전쟁을 끝내는 평화 조약을 맺었다. 이 전쟁은 '레드 클라우드 전쟁'이라고 부르기도 한다.

'눈물의 길' – 인디언들의 강제 이주

1830년에 제정된 인디언 이주법은 체로키족을 비참한 운명으로 내몰았다. 그들은 1791년에 연방 정부와 조약을 맺어 성문 헌법을 가진 독립된 국가로서 자치를 인정받았다. 그러나 1829년에 그들의 땅에서 금이 발견되자 백인들이 불법으로 이주하기 시작했다. 그 뒤 이주법이 제정되어 체로키족은 1838년에 오클라호마로 강제로 이주되었다. 추운 한겨울에 이동을 하면서 1만 2000명 중 $\frac{1}{3}$이 죽었다. 이 강제 이주는 나중에 '눈물의 길'이라고 불리게 되었다.

수우족과의 전쟁(1875년~1876년) : 리틀 빅혼 전투

1874년, 수우족 보호 구역에 있는 블랙 힐에서 금이 발견되었다. 광부들이 다시 몰려오기 시작했다. 정부는 수우족에게 귀중한 그 땅을 팔거나 아니면 광부들에게 빌려주기라도 하라고 설득했지만 소용없었다. 수우족에게 블랙 힐은 신성한 장소였다. 그들은 그것을 지키기 위해 싸울 각오가 되어 있었다. 1876년 봄이 되자 수우족, 샤이엔족, 아라파호족의 수많은 전사들이 연방군과의 전쟁을 위해 집결했다.

시팅 불(앉아 있는 황소)과 크레이지 호스(미친 말)라는 두 명의 인디언 지도자가 있었다. 그들은 모두 백인과 싸우기로 결심한 자부심 강한 지도자였다. 한동안 그들의 생각이 들어맞는 듯 했다.

연방군에는 조지 암스트롱 커스터라는 건방진 젊은 대령이 있었다. 1876년 6월 커스터는 리틀 빅혼이라는 개천을 따라 소규모 부

on the Sioux reservation. Once again miners moved into the area. The government tried in vain to persuade the Sioux to sell the valuable land, or at least rent it to the miners. The Sioux considered the Black Hills sacred ground and were ready to fight for it. By the spring of 1876, large numbers of Sioux, Cheyenne, and Arapaho warriors joined in a war against the United States Army.

Two of the Indian leaders were Sitting Bull and Crazy Horse, both proud warriors determined to defeat the white men. For a time, it seemed they could do it.

Among the federal troops was a brash young officer, Colonel George Armstrong Custer. In June of 1876 Custer led a small band of soldiers along a stream called Little Big Horn. Custer was under orders not to attack until a larger group of federal troops arrived. But he was confident that even a small unit of United States Cavalry could defeat any number of Indian. Ignoring his orders, Custer tried to make a surprise attack against a camp where Sitting Bull and Crazy Horse were staying.

As it turned out, the Indians surprised Custer. A force of 2,500 Indian warriors quickly surrounded Custer' s 265 federal troops. Within a few hours, Custer and all his men lay dead. The Battle of Little Big Horn became famous as "Custer' s Last Stand."

Despite their victory at Little Big Horn, the Indians did not win the war. Months after Custer fell, most of the Indians were forced to surrender. Sitting Bull and a small group of

대를 이끌고 있었다. 대규모의 연방군이 도착하기 전까지는 공격하지 말라는 명령이 이미 내려져 있었다. 하지만 그는 소규모 연방군 기병으로도 아무리 많은 인디언이 온다고 해도 충분히 물리칠 수 있다고 확신하고 있었다. 커스터는 명령을 무시하고 시팅 불과 크레이지 호스가 머물고 있는 인디언 진지를 기습하려고 했다.

커스터의 기습 계획이 알려지자, 인디언이 커스터를 기습 했다. 2,500명의 인디언 전사들이 재빨리 커스터의 265명의 연방군을 포위했다. 몇 시간 만에 커스터와 그의 병사들은 모두 죽임을 당했다. 리틀 빅혼 전투는 '커스터의 최후 전투' 로 유명해졌다.

인디언들은 리틀 빅혼 전투에서 승리했지만 전쟁에서 이기지는 못했다. 몇 달 뒤, 대부분의 인디언들은 항복할 수밖에 없었다. 시팅 불과 그의 일행 몇 명이 항복을 거부하고 북쪽 캐나다로 도망쳤다. 그러나 얼마 후 시팅 불 일행은 배고픔 때문에 돌아올 수밖에 없었다.

시팅 불 1834?~1890
서부 확장에 맞서 싸운 라코타족의 지도자

커스터
리틀 빅혼 전투 수년 전의 커스터

followers refused to surrender and escaped north to Canada. Starvation later forced Sitting Bull' s group to return.

Attempts to Assimilate the Indians

Many white Americans felt compassion for the Indians and wanted to help them. But even those who cared about the plight of Native Americans rarely respected Indian ways. For most well-meaning Americans, helping the Indians meant assimilating them, absorbing them into the general culture – in other words, helping them become more like white Americans.

Schools were started to assimilate young Indians. In 1879 the Carlisle Indian School opened in Carlisle, Pennsylvania. Young Indians from the Western reservations were sent to the Carlisle School for mechanical and agricultural training, as well as lessons in good citizenship. While many Indians understood the need for education, they distrusted the new schools, which often taught them to reject the ways of their own people. At the Carlisle School, students were forbidden to wear tribal clothes, speak tribal language, or practice tribal customs. The school' s philosophy was bluntly expressed by its founder, who said, "Kill the Indian and save the man."

An Age of Industry and Invention

The period from the Civil War to the beginning of the

인디언을 동화시키려는 시도

미국의 대부분의 백인들은 인디언들을 동정하여 돕기를 원했다. 그러나 아메리카 원주민들의 처지에 관해 염려하는 사람들조차 인디언식 생활 방식을 존중하는 사람들은 드물었다. 선의를 가진 대부분의 미국인들에게 인디언을 돕는다는 것은 그들을 동화시켜 미국 문화에 흡수하는 것을 뜻했다. 즉, 그들에게 도움을 주어 미국의 백인처럼 되게 한다는 것이다.

어린 인디언들을 동화시키기 위한 학교가 개설되었다. 1879년, 펜실베이니아 칼라일에 인디언 학교가 열렸다. 서부의 보호 구역에서 온 어린 인디언들은 좋은 시민이 되기 위한 수업뿐만 아니라 기계와 농업에 대해 교육 받기 위해 칼라일 학교에 보내졌다. 많은 인디언들이 교육이 필요하다는 것을 알고는 있었지만, 새로운 학교를 믿지는 않았다. 학교는 종종 그들에게 자신들의 생활 방식을 거부하도록 가르쳤기 때문이었다. 칼라일 학교에서 학생들은 부족의 옷을 입지 못하고, 부족의 말을 할 수 없었으며, 부족의 관습을 따를 수 없었다. 학교의 창설자는 그 학교의 철학을 퉁명스럽게 내뱉었다. 그것은 '인디언을 죽이고, 사람을 구한다.' 는 것이었다.

산업과 발명의 시대

남북 전쟁부터 20세기 초까지 미국은 산업과 발명의 시대였다. 1860년과 1900년 사이에 미국 특허국이라는 정부 기관은 50만 건이 넘는 발명에 대해 특허를 주었다.

아마 발명 정신을 가장 잘 구현한 사람은 토머스 에디슨이었을 것이다. 에디슨은 천 건이 넘는 장치와 공법을 발명했다. 그의 발명품 중 축음기, 활동 사진(영화), 그리고 전구 세 가지가 가장 유명

twentieth century was an age of industry and invention in America. Between 1860 and 1900, a government agency called the United States Patent Office issued patents for more than a half million different inventions.

Perhaps no one embodied the spirit of invention more than Thomas Edison. Edison invented over one thousand devices and processes. He is most famous for three of his inventions : the phonograph, motion pictures (movies), and the electric lamp. Actually, Edison was not the first to invent the electric lamp. But he did what inventors often do : he solved problems and improved upon the ideas of others.

Before Edison, no one had invented a system that would make electric light affordable. Edison and his team of researchers developed a better electric lamp and a system for generating electricity cheaply. Thanks to Edison, cities soon replaced their relatively dim gaslights with bright electric streetlights.

Sometimes accidents lead to a new invention. Such was the case in the invention of the telephone by Alexander Graham Bell. Bell was working on a new type of telegraph. One day while Bell was experimenting, his machine accidentally made a familiar sound. It was the sound of human speech! With the help of an electrical engineer named Thomas Watson, Bell developed his chance discovery into the first working telephone. On March 10, 1876, Bell spoke the first sentence ever transmitted by telephone : "Mr. Watson, come here ; I want you."

했다. 실제로 전구를 발명한 것은 에디슨이 처음은 아니었다. 그는 다른 발명가들이 하는 것을 했을 뿐이었다. 그렇지만 그는 문제를 해결하고 다른 사람들의 아이디어를 발전시켰던 것이다.

에디슨 이전에는 전기적인 빛을 공급할 수 있게 하는 장치를 만들어 내지 못했다. 에디슨과 그의 연구원들은 더 좋은 전기 램프와 값싸게 전기를 생산하는 장치를 만들어냈다. 에디슨 덕분에 도시에서는 곧 희미한 가스 불빛 대신에 밝은 전기 가로등이 밝혀지게 되었다.

때로는 사고 때문에 새로운 발명이 이루어지기도 한다. 알렉산더 그레이엄 벨이 전화기를 발명한 것이 그 예이다. 벨은 새로운 형식의 전화기를 연구하고 있었다. 어느 날 벨이 실험을 하고 있는데, 기계가 우연히 익숙한 소리를 냈다. 그것은 사람의 목소리였다! 벨은 토머스 왓슨이란 전기 기술자의 도움으로 이 우연한 발견을 최초의 실용적인 전화기로 발전시켰다. 1876년 3월 10일, 벨은 전화기를 통해 전달되는 최초의 말을 했다. "왓슨 군, 이리로 오게. 용건이 있네."

알렉산더 그레이엄 벨
1847~1922
전화로 특허를 받은 벨은 1877년에 벨 전화 회사를 설립했다. 이 회사는 아메리칸 텔레폰 & 텔레그래프사(ATT)라는 거대 기업으로 성장했다. 사진은 이어폰으로 라디오를 듣고 있는 모습이다. 벨은 전화 발명으로 얻게 된 이윤 가운데 일부를 청각 장애자를 위한 특수 학교에 지원했다. 벨은 그 뒤에도 발명을 계속해 선박을 보다 빠르게 항해할 수 있게 하는 수중날개를 고안했다. 또한 사람들이 탈 수 있는 연을 만들기도 했다.

Industrialists, Capitalists, and Monopolies

In the decades after the Civil War, the United States became an increasingly industrialized nation. Many Americans went from working on farms to working in factories. The new industries brought both progress and problems to America. On one hand, the country grew wealthy. On the other hand, the wealth was not enjoyed by all. In this land dedicated to the proposition that "all men are created equal" the growth of America as an industrial power produced disturbing social inequalities, including a widening gap between the rich and the poor.

The basic gap was between those who worked in the factories and those who owned the industries. The owners were called "capitalists" : "capital" means money and capitalists were those who put their money into the development of businesses and industries, in the hope of making more money – profits – from what they produced and sold.

Many businesses and industries required a great deal of capital ; for example, almost no one on his own could afford to start a railroad, which would require a lot of money to pay for locomotives, tracks, and more. In such cases, several capitalists would combine their money to form a corporation. Each person who invested money would own a share of the corporation, and would receive a share of the profits.

One tremendously rich American capitalist was Andrew

산업가, 자본가, 그리고 독점 기업

남북 전쟁 이후 수십 년 동안 미국은 점점 공업 국가로 성장해 갔다. 많은 미국인들은 농장을 떠나 공장에서 일하게 되었다. 새로운 산업은 미국에 발전과 함께 문제점도 가져왔다. 한편으로 나라는 부유해졌다. 하지만 다른 한편으로는 누구나 다 그 부를 누리지는 못했다. '모든 사람은 평등하다' 고 주장하는 미국에서 산업의 발전에 따라 사회적 불평등이 생겨 혼란스러워졌고, 부자와 가난한 사람 사이의 격차는 더욱 벌어져 갔다.

가장 근본적인 격차는 공장에서 일하는 사람과 기업을 소유하고 있는 사람 사이에 있었다. 이들 소유자들은 '자본가' 라 불린다. '자본' 이란 돈을 뜻하는 것인데, 자본가들은 생산과 판매를 통해 더 많은 돈을 벌려는 희망으로, 즉 이윤을 얻기 위해 자신들의 돈을 사업과 산업의 개발에 투자하는 사람들이다.

대부분의 사업과 산업에는 많은 양의 자본이 필요하다. 예를 들어 누구도 자신의 돈만으로는 철도 사업을 시작할 수 없다. 기관차, 선로, 그 외의 것들을 사기 위해 많은 돈이 필요하기 때문이다. 그런 경우 몇몇 자본가들이 돈을 모아 하나의 회사를 만든다. 돈을 투자한 사람들은 기업의 주식을 갖게 되며, 주식에 따라 이익을 배분받는다.

앤드류 카네기는 엄청난 부를 가진 미국인 자본가였다. 그는 강철을 만드는 여러 공장을 갖고 있었다. 미국의 제철 산업은 수천 마일에 달하는 선로 건설이 필요한 철도의 발달로 크게 성장했다. 남북 전쟁이 끝나자 앤드류 카네기는 강철 수요가 폭발할 것임을 알고 펜실베이니아 주의 피츠버그에서 발전하기 시작한 철강업에 투자했다.

철강업에서 카네기의 성공은 산업가와 자본가 들에게 강력한 독

Carnegie, who owned many factories that made steel. The steel industry in America was booming because of the growth of railroads, which required thousands of miles of steel track. After the Civil War, Andrew Carnegie saw that there would be a great need for steel, so he invested in the iron and steel industry that was developing in Pittsburgh, Pennsylvania.

Carnegie' s success in the steel business shows the way some industrialists and capitalists built powerful monopolies. "Monopoly" comes from the Greek words for "one" and "sell" : a monopoly is the one group that has the means to produce or sell all of something. If you had a monopoly on, for example, televisions, you would be very very rich! A monopoly has the power to control prices in an industry and can drive other companies out of the business. That' s what Carnegie did in the steel industry. He built modern steel mills to produce steel faster. To ensure a steady supply of cheap raw materials, Carnegie' s company acquired control of iron ore mines and coal mines. Carnegie' s company even bought the railroads and shipping companies it used to transport iron and coal from the mines to the mills. Because Carnegie controlled everything needed to make steel, his company could sell steel at low prices that other companies could not match. Carnegie soon drove other steel companies out of business. Eventually, Carnegie controlled most of the steel business in this country.

Through similar methods, capitalists in other businesses

점 기업을 만드는 방법을 보여 주었다. 모노폴리(독점 기업)란 말은 그리스 어의 '하나', 그리고 '판다'라는 말에서 왔다. 독점 기업이란 어떤 물건의 전부를 생산하거나 팔 수 있는 수단을 갖고 있는 집단이다. 예를 들어 여러분이 텔레비전 독점 기업을 소유하고 있다면, 여러분은 매우 큰 부자가 될 수 있다. 독점 기업은 산업에서 가격을 통제할 수 있는 힘을 갖고 있으며, 다른 기업을 그 사업에서 몰아낼 수 있다. 카네기가 철강업에서 했던 것이 바로 그것이다. 그는 강철을 더 빨리 생산할 수 있는 근대적 강철 공장을 세웠다. 값싼 원료의 지속적인 공급을 위해 카네기의 회사는 철광석과 석탄 광산을 지배했다. 광산에서 공장까지 철광석과 석탄을 운반하는 철도 회사와 선박 회사까지 사들였다. 강철을 만드는 데 필요한 모든 것을 통제하고 있었기 때문에 그의 회사는 다른 회사들이 도저히 경쟁할 수 없는 낮은 가격으로 강철을 팔 수 있었다. 그는 곧 다른 철강 회사들을 사업에서 몰아내 버렸다. 결국 카네기는 미국의 대부분의 철강 사업을 통제하게 되었다.

비슷한 방법으로 다른 사업 분야에서의 자본가들도 거대한 독점 기업을 만들었다. 이것은 트러스트라고 불려지게 되었다. 존 록펠러의 스탠더드 오일 트러스트는 '정유소'라 불리는 가공 처리 공장을 지배함으로써 미국의 석유 산업을 대부분 차지했다. 존 피어폰트 모건은 나라의 은행 조직을 독점해 버렸다. 1900년에는 소수의 강력한 트러스트가 구리, 설탕, 고무, 가죽, 농업 기계, 그리고 전화를 포함한 미국의 가장 중요한 산업을 지배하게 되었다. 카네기, 록펠러, 모건, 그리고 몇몇 자본가들은 믿을 수 없을 만큼 부자가 되었다.

자본가들 중에는 박애주의자들도 있었다. 그들은 자신이 가진 막대한 부의 일부를 다른 사람들을 돕는 데 썼다. 자선 사업에 기부하거나, 도서관, 박물관, 대학을 세우는 데 돈을 내놓아 공공을 위해 쓰이게 했다.

created huge monopolies, which came to be called trusts. John D. Rockefeller' s Standard Oil trust took over most of the country' s oil industry by controling the processing plants, called "refineries." John Pierpont Morgan gained a monopoly over the country' s system of banks. By 1900 a small group of powerful trusts dominated America' s most important industries, including copper, sugar, rubber, leather, farm machinery, and telephones. Carnegie, Rockefeller, Morgan, and some other capitalists became fabulously wealthy.

Some capitalists were also philanthropists, which means that they devoted part of their enormous wealth to helping others. Some helped the public by donating to charity, or by paying to build libraries, museums, and colleges.

Jane Addams and Hull House

In many of America' s cities, poor people crowded into filthy slums. There were few government programs to help them. Jane Addams of Cedarville, Illinois, was not poor and she was not from a big city, but she was determined to help those less fortunate than herself. She could not stop thinking, as she once wrote, about "the old question eternally suggested by the inequalities of the human lot."

Like many young women from well-off families in the late 1800s, Jane Addams made a tour of Europe, accompanied by her friend Ellen Gates Starr. But Jane Addams and her

제인 애덤스와 헐 하우스

미국의 여러 도시에서 가난한 사람들이 불결한 슬럼가로 몰려들었다. 그들을 도우려는 정부의 계획은 없었다. 일리노이 주의 시더빌의 제인 애덤스는 가난하지도 않았고 대도시 출신도 아니었다. 하지만 그녀는 자신보다 불행한 사람들을 돕기로 마음먹었다. 이전에 그녀가 썼듯이, '인간 운명의 불평등이 끊임없이 제기하고 있는 오랜 문제' 에 대한 생각을 멈출 수 없었기 때문이었다.

1800년대 말의 부유한 가정 출신의 많은 젊은 여자들처럼 제인 애덤스는 친구인 엘렌 게이츠 스타와 함께 유럽 여행을 다녀왔다. 하지만 제인 애덤스와 그녀의 친구는 박물관이나 성당을 찾았던 것이 아니었다. 그들은 공장과 슬럼가에 갔다. 그들은 런던에서는 '세틀먼트 하우스' 라 불리는 곳에서 가난한 사람들과 함께 살고 있는 개혁가들에게 감동을 받았다.

1889년, 제인 애덤스는 일리노이의 시카고에 있는 빈곤 지역에 세틀먼트 하우스인 '헐 하우스' 의 문을 열었다. 그것은 이웃 사람들에게 음식과 잠자리, 의료 서비스, 그리고 음악과 예술을 즐기기 위한 기회를 제공하는 일종의 지역 센터였다. 또 엄마들이 일하러 갈 수 있도록 아이들을 돌봐 주었다. 어린 아이들을 위한 장난감과 게임도 갖추고 있었으며, 나이가 든 아이들이 미술, 무용, 연기 수업을 받을 수 있게 했다. 배고픈 사람들은 항상 훌륭하고 따뜻한 음식을 먹을 수 있었으며, 실직자들은 직장을 구하는 데 도움을 받을 수 있었다.

애덤스는 다음과 같이 적고 있다.

"세틀먼트는 대도시의 현대적인 삶의 조건 때문에 생겨나는 사회적이고 산업적인 문제를 해결하기 위한 하나의 실험적인 노력이다."

애덤스의 '실험' 은 당시에 일반적으로 받아들여지고 있던 믿음

companion did not visit museums and cathedrals ; instead, they went to factories and slums. In London, they were inspired by the example of reformers who lived among the poor in what was called a settlement house.

In 1889, Jane Addams opened the doors of Hull House, a settlement house in a poor part of Chicago, Illinois. It became a kind of community center, providing food and shelter, medical services, and opportunities for people in the neighborhood to enjoy music and art. Hull House provided child care so that mothers could go to work. There were toys and games for the youngest children and lessons in art, dance, and acting for older children. The hungry could always get a good, hot meal, and the unemployed could get help in finding a job.

"The Settlement," Addams wrote, "is an experimental effort to aid in the solution of the social and industrial problems which are engendered by the modern conditions of life in a great city." Addams' s "experiment" went against generally accepted beliefs of the time, including the idea that life was a matter of "survival of the fittest" – the idea that, in society, only the strongest get ahead, and if others suffer – well that' s too bad, and there' s nothing to do about it. In contrast, Jane Addams wrote that "it is natural to feed the hungry and care for the sick. It is certainly natural to give pleasure to the young, (and) comfort the aged."

Addams also opposed another common belief of the

에 반대하는 것이었다. 그 믿음은 인생이란 '적자생존'의 문제라는 것, 즉 강한 자만이 성공하고 그렇지 못한 사람들은 고통 받는 것이며, 그것이 나쁘기는 하지만 어쩔 수는 없다는 것이었다. 이와는 반대로, 제인 애덤스는 다음과 같이 적고 있다.

"가난한 사람에게 먹을 것을 주고 아픈 사람을 돌봐 주는 것은 당연한 일이다. 아이들에게 즐거움을 주고 노인들에게 위안을 주는 것도 확실히 당연한 일이다."

또 애덤스는 당시의 또 다른 일반적인 믿음에도 반대했다. 수많은 새로 도착한 이민자들에 관해 널리 퍼져 있던 의심과 편견에 반대했던 것이다. 자신들이 이민자들의 자식이거나 손자인 미국인들이 새로운 이민자들을 위험하고 '미국적이지 않은' 생활을 하는 '외국인'으로 간주하고 있었던 것이다. 그러나 제인 애덤스와 헐 하우스의 사람들은 새 이민자들이 미국의 도시 생활에 적응하도록 도와주었다. 그녀는 이민자들에 대한 편견 때문에 아이들, 특히 가난한 가정 출신자들이 자신들의 전통과 습관을 부끄럽게 여기고 부정하려 한다는 것을 알았다. 이에 대해 그녀는 그들이 자신들의 과거를 부정하지 말고 그로부터 힘을 이끌어 내도록 격려했다. 그

제인 애덤스 1860~1935
애덤스는 1887년 시카고의 슬럼가에 미국에서는 처음으로 사회 복지 시설인 헐 하우스를 설립했다. 애덤스는 특히 아동과 여성의 8시간 노동 준수 · 이민 여성 보호 · 위생 사상 보급 · 공립학교 개선 · 여성 지위 향상 · 최초의 소년재판소 설립 등의 운동을 지도하여 1931년 노벨평화상을 수상했다.

time, the wide-spread feelings of suspicion and prejudice against the many thousands of newly arrived immigrants. Americans who were themselves the children or grandchildren of immigrants looked upon new immigrants as "foreigners" with dangerous, "un-American" ways. But Jane Addams and her co-workers at Hull House helped new immigrants make the difficult transition to life in urban America. Addams saw how prejudice against immigrants could cause the children, especially those who came from poor backgrounds, to feel ashamed and want to deny their heritage and customs. In response, she encouraged them not to deny their past but to draw strength from it. She pointed to Abraham Lincoln, who never denied his humble origins, as an example of in her words, the "marvelous power to retain and utilize past experiences."

Hull House became famous, and reformers in many other American cities established settlement houses. Jane Addams described her experiences in an interesting book called "Twenty Years at Hull House."

Reform for African-Americans : Washington and Du Bois

After the Civil War, African-Americans were no longer slaves, but they were still denied an equal opportunity to take part in American life. As you' ve read, blacks often did not have a chance to go to school : Booker T. Washington

녀는 비천한 자신의 출신을 결코 부정하지 않았던 링컨을 지적하면서, '과거의 경험을 가슴 깊이 새기고 활용하는 놀라운 힘' 을 예로 들었다.

헐 하우스는 유명해졌고, 다른 많은 미국의 도시에서 개혁가들이 세틀먼트를 세웠다. 그녀는 '헐 하우스에서의 20년' 이란 재미있는 책에서 자신의 경험을 적었다.

아프리카계 미국인을 위한 개혁 : 워싱턴과 두 보이스

남북 전쟁이 끝나자 아프리카계 미국인들은 더 이상 노예가 아니었다. 그러나 그들에게는 여전히 미국의 생활에 참여할 평등한 기회가 주어지지 않았다. 앞에서 보았듯이 흑인들은 보통 학교에 갈 기회를 가질 수 없었다. 부커 T. 워싱턴은 교육이 아프리카계 미국인들의 생활을 향상시키는 데 있어서 가장 중요한 것이라고 믿었다. 1881년, 워싱턴은 앨라배마에 터스키기 정규 산업 전문학교를 설립하는 데 공헌했다. 그의 지도로 터스키기 학교는 흑인 교육을 위한 중요한 거점이 되었다. 학교는 흑인 선생님과 숙련 기술자를 양성했다. 워싱턴이 조지 워싱턴 카버를 교원으로 초빙한 뒤부터 터스키기 학교는 근대적인 농업 기술도 가르치게 되었다.

워싱턴은 흑인들에게 사회적 · 정치적 평등을 얻기를 바라기 전에 먼저 경제 수준을 끌어 올려야 한다고 말했다. 그는 1895년에 애틀랜타에서 한 연설에서, 흑인들에게 참고, 열심히 일할 것을 요구했다. 그리고 권리를 찾기 위해 싸우지는 말 것을 요구했다. 그는 말했다.

"우리 종족 중에서 현명한 사람이라면 사회적 평등의 문제로 사람들을 선동하는 것이야말로 지극히 어리석은 짓이라는 것을 이해할 것이다."

believed that education was the key to a better life for African-Americans. In 1881 Washington helped establish the Tuskegee Normal and industrial Institute in Alabama. Under Washington' s leadership, Tuskegee Institute grew to become an important center for black education. It prepared blacks to become teachers and skilled tradesmen. After Washington invited George Washington Carver to join the faculty, Tuskegee Institute also taught modern farming techniques.

Washington told blacks that, before they could expect to win social and political equality, they must first raise their economic status. In a speech he gave in Atlanta in 1895, Washington asked blacks to be patient, work hard, and not to fight for their rights. He said, "The wisest among my race understand that the agitation of questions of social equality is the extremest folly."

But another prominent African-American reformer, W. E. B. Du Bois (do-BOYS), strongly disagreed with Washington. While Booker T. Washington asked for quiet patience on the part of African-Americans, Du Bois urged them to insist loudly upon the equal rights promised in the Fourteenth Amendment. Du Bois said, "We claim for ourselves every single right that belongs to a free-born American, political civil and social ; and until we get these rights we will never cease to protest and assail the ears of America."

In 1905 Du Bois and other well-educated blacks met at Niagara Falls, Canada, to form a civil rights group called the

한편 다른 뛰어난 아프리카계 미국인 개혁가인 두 보이스(do-Boys, '소년이여 행동하라' 라는 뜻)는 워싱턴의 생각에 대해 강하게 반대했다. 부커 워싱턴이 아프리카계 미국인들에게 조용하게 인내할 것을 요구한 데 비해, 두 보이스는 수정 헌법 제14조에 명시된 평등권을 소리 높여 주장해야 한다고 촉구했다. 두 보이스는 말했다. "우리는 정치적, 시민적, 사회적인 권리 및 자유를 갖고 태어난 미국인으로서의 권리를 어느 것이라도 스스로 추구해 나가야 한다. 이 권리를 얻을 때까지 결코 우리는 항의하는 것을 그쳐서는 안 되며, 미국인들의 귀를 시끄럽게 만들어야 한다."

1905년, 두 보이스와 다른 교육받은 흑인들이 캐나다 쪽 나이아가라 폭포에서 나이아가라 운동이라고 불린 시민 권리 그룹을 결성하기 위해 만났다. 1909년에는 나이아가라 운동원들이 머리글자인 NAACP로 더 잘 알려진 '전미 유색 인종 향상 협회' 를 만들기 위해 백인 개혁가들과 함께 했다. 두 보이스는 '위기' 라는 NAACP가 발행하는 출판물의 첫 번째 편집자로서 '인종적 편견이 갖는 위험을 보여 줄 사실과 논의를 제시' 하겠다고 약속했다. NAACP는 20세기에 인종 간 평등을 위한 싸움을 이끈 지도 조직이었다.

부커 T. 워싱턴 1856~1915
남부 버지니아에서 노예로 태어나, 고학으로 교육자의 길을 걸었다. 흑인들을 위한 터스키기 학교의 초대 교장이 된 것은 26세의 젊은이였을 때였다. 그는 흑인들이 백인들과 화해하면서 미국의 현존 질서에 순응하고 노동과 교육 및 직업을 통해 경제적으로 성공해야 한다고 주장했다.

두 보이스 1868~1963
두 보이스는 가난했지만 후원자의 도움과 장학금을 받아 자신의 재능을 발휘하여 활약했다. 1895년에는 흑인으로서는 처음으로 하버드 대학에서 박사 학위를 받았다. 그는 부커 T. 워싱턴과는 정반대의 입장에 섰다. 그는 행동을 자제하는 워싱턴의 보수적 태도를 비판하고 흑인들의 권리를 되찾기 위해 행동하고 외쳐야 한다고 주장했다.

Niagara Movement. In 1909 members of the Niagara Movement joined with white reformers to create the National Association for the Advancement of Colored People, better known by its initials, NAACP. As the first editor of the NAACP publication called The Crisis, Du Bois promised to "set forth those facts and arguments which show the danger of race prejudice." Throughout the twentieth century, the NAACP has been a leading organization in the fight for racial equality.

Theodore Roosevelt : Trust-Buster and Conservationist

The twenty-sixth president of the United States, Theodore Roosevelt – popularly known as "Teddy" – was also an active reformer. He set out to reform the practices of American businesses that joined together in large monopolies called trusts. Powerful businessmen who joined together in a big trust would sometimes do things that were unfair. Sometimes they would put unfair pressure on smaller businesses : for example, John D. Rockefeller' s huge Standard Oil Trust often forced small oil companies to join the trust or go out of business. Sometimes trusts would agree to keep prices high : the beef trust, for example, made sure that Americans paid high prices for beef.

Teddy Roosevelt became known as a "trust-buster." In one famous case, he ordered government lawyers to break

시어도어 루스벨트 : 트러스트 단속관이자 자연 보호론자

미국의 제26대 대통령인 시어도어 루스벨트(보통 '테디'로 알려져 있는) 역시 활동적인 개혁가였다. 그는 '트러스트'라 불리는 대규모 독점 기업을 만드는 미국의 사업 관행을 개혁하기 시작했다. 대규모 트러스트에 가담한 유력한 실업가들이 불공정한 일을 하는 경우가 종종 있었던 것이다. 그들은 중소기업에 불공정한 압력을 가했다. 예를 들면, 록펠러가 소유한 거대한 '스탠더드 오일 트러스트'는 소규모 석유 회사들에게 트러스트에 가입하거나 아니면 사업에서 떠날 것을 강요했다. 서로 짜고 가격을 높이기도 했다. 예를 들면 쇠고기 트러스트 때문에 미국인들은 쇠고기를 높은 가격으로 살 수밖에 없었다.

테디 루스벨트는 '트러스트 단속관'으로 알려지게 되었다. 다음은 유명한 이야기의 하나이다. 그는 정부의 법률가들을 동원해 J.P. 모건이 통제하는 거대 철도 트러스트인 '노던 시큐리티 컴퍼니'를 해체하도록 했다. 루스벨트의 조치는 사업가들에게 충격을 주었다. 그들은 정부의 통제를 받는 데 익숙해 있지 않았던 것이다.

루스벨트는 거대 기업을 반대하지는 않았다. 그는 다만 거대 기업이 공정한 행위를 하도록 감독하는 권한을 정부가 가져야 한다는 것이었다. 그는 말했다. "우리는 기업을 파괴하기를 원하지 않는다. 다만 공익에 도움이 되도록 하고 싶다." 루스벨트 정부는 기업이 지켜야 할 법률을 만드는 데 매우 적극적이었다. 예를 들면 루스벨트 덕분에 오늘날 햄버거를 안심하고 먹을 수 있게 되었다. 미국 정부가 1906년에 '식육검사법'을 만들기 전까지는 햄버거 속에 무엇을 넣었는지 알 수 없었다. (1906년에 업튼 싱클레어가 쓴 '정글'이라는 박력 넘치는 책에 정육업자들의 악질적인 수법이 묘사되어 있다.)

up the Northern Securities Company, a huge railroad trust largely controlled by J. P Morgan. Roosevelt' s action shocked businessmen, who were not used to being told what to do by the government.

Roosevelt was not against big business, but he was in favor of giving government the power to make sure that big businesses acted fairly. He said, "We do not wish to destroy corporations, but we do wish to make them subserve the public good." Under Roosevelt, the government became more active in passing laws that businesses had to follow. Thanks to Roosevelt, for example, you can be pretty sure that it' s safe today to eat a hamburger : but, before the government passed the Meat Inspection Act of 1906, you never knew what you might bite into. (The disgusting practices of meat packers are described in a powerful book you can read called "The Jungle", written in 1906 by Upton Sinclair.)

Roosevelt was also a sportsman who loved the outdoors. As president he took strong steps to stop Americans from destroying too much of our country' s wilderness for industrial purposes such as logging or mining. At Roosevelt' s urging, the government began a program of conservation, which called for more efficient use of natural resources and the protection of our forests. By doubling the number of national parks, Roosevelt did much to create the system of parks we still have today.

루스벨트는 전원을 사랑한 스포츠맨이기도 했다. 그는 대통령으로서 채벌이나 채굴과 같은 산업적인 목적 때문에 미국의 자연이 지나치게 파괴되지 않도록 하는 강력한 대책을 강구했다. 루스벨트의 요청에 의해 정부는 자연 보호 프로그램을 내놓았다. 그것은 자연 자원을 보다 효율적으로 사용하고 숲을 보호하도록 촉구하는 것이었다. 루스벨트는 국립공원의 수를 두 배로 늘려, 지금의 공원 제도를 만드는 데 많은 기여를 했다.

시어도어 루스벨트 1858~1919
제26대 미국 대통령. 그는 사냥을 갔을 때 작은곰과 마주쳤는데 너무 작아서 총을 쏘지 않았다고 한다. 이 이야기가 신문에 실리자, 이것이 힌트가 되어 작은곰 인형이 만들어졌다. 바로 그의 애칭이 된 '테디 베어'가 탄생했다. 사진은 대통령이 되기 전 미국 · 에스파냐 전쟁 때의 루스벨트의 모습이다.

Chapter 5

WORLD WAR Ⅰ AND THE GREAT DEPRESSION

제1차 세계 대전과 대공황

Chapter 5
WORLD WAR I AND THE GREAT DEPRESSION

The Deadliest War Ever

In 1914 a great war broke out in Europe. It involved so many nations of the world that it was called the Great War, or the World War. Later, after a second such war, it came to be called the First World War or World War I.

European nations began the conflict. On one side were the Allies, led by France and Britain ; on the other were the Central Powers, led by Germany. Then, in 1917, after three years of fighting in Europe, the United States entered the war on the side of the Allies, an event that would turn out to be one of the most important in our history. From that time on the United States would be more deeply involved in the affairs of foreign countries than ever before. After World War I, America would be a power on the world stage : its actions would affect people all over the globe, and its responsibilities would weigh heavily on many people' s lives at home.

More soldiers died in World War I than in any other war in history. This war was so bloody and destructive because soldiers used many new weapons that were products of

제5장 제1차 세계 대전과 대공황

역사상 가장 치명적인 전쟁

1914년, 유럽에서 큰 전쟁이 일어났다. 세계의 많은 나라들이 전쟁에 휘말렸기 때문에 대전쟁 또는 세계 대전이라고 부른다. 뒤에 그와 같은 두 번째 전쟁이 있고 나서 이 전쟁은 '제1차 세계 대전'이라고 불리게 되었다.

유럽 국가들 사이에 분쟁이 일어났다. 한쪽은 프랑스와 영국이 중심이 된 연합국이었고, 다른 한쪽은 독일 중심의 동맹국이었다. 1917년, 유럽에서의 3년간의 전쟁 끝에 미국이 연합국으로 전쟁에 참가했다. 이는 미국 역사에서 가장 중요한 사건 중 하나가 되었다. 이후 미국은 이전보다 훨씬 깊이 다른 나라들의 문제에 개입하게 되었다. 제1차 세계 대전이 끝난 뒤 미국은 세계 무대에서 강국이 되었고, 미국의 행동은 전 세계 사람들에게 영향을 미치게 되었다. 그리고 책임 또한 커져서, 미국의 많은 국민들의 생활에 매우 큰 부담을 주게 되었다.

제1차 세계 대전에서 역사상 어느 전쟁보다 많은 병사들이 죽었다. 병사들이 산업 시대의 산물인 많은 새로운 무기를 사용했기 때문에 이 전쟁은 매우 잔혹하고 파괴적이었다. 탱크와 비행기가 이 전쟁에서 처음으로 사용되었다. (이것들이 전쟁의 승패에 큰 영향을 미치지는 못했다. 왜냐하면 당시의 탱크와 비행기는 장비가 아직은 단순했고 비효율적이었기 때문이었다.) 잠수함은 바다에서 파괴적인 신병기임이

the industrial era. Tanks and airplanes were used for the first time in battle (though they didn' t greatly affect the outcome of the war, because the first tanks and airplanes were rather simple, ineffective machines). Submarines proved a deadly new weapon at sea. Huge cannons hurled explosive shells farther than was ever possible before. In some battles thousands of soldiers were blinded, wounded, or killed by a terrible new weapon, poison gas.

The greatest loss of life, however, was caused by one weapon : the machine gun. In earlier wars – even in our Civil War, the bloodiest war in history before World War I – a soldier' s rifle could fire only one shot at a time. But in World War I a machine gun could fire more than four hundred bullets a minute. A single machine gunner could shoot down dozens, or even hundreds, of charging soldiers.

Because both the Allies and the Central Powers were well equipped with machine guns, both armies found it almost impossible to move forward. The war soon bogged down into a draw, with soldiers on each side stuck in protective ditches called "trenches." These trenches were separated from each other by a stretch of ground called No Man' s Land. Life in the trenches was grim, dirty, and boring. Fleas and lice bit the soldiers ; rats stole their food. When it rained the trenches filled with water and mud. From time to time one side or the other would launch a great assault on the enemy' s trenches. These attacks usually ended in the slaughter of thousands of the

증명되었다. 거대한 대포는 포탄을 이전보다 멀리 발사할 수 있게 되었다. 가공할 신무기인 독가스에 의해 전투에서 수많은 병사가 실명하거나 부상당하거나 죽었다.

하지만 무엇보다 사람의 목숨을 가장 많이 빼앗은 것은 기관총이었다. 제1차 세계 대전 전에 일어난 가장 잔혹한 전쟁이었던 미국의 남북 전쟁 같은 이전의 전쟁에서는 병사들이 갖고 있는 소총으로 한 번에 한 발밖에 발사할 수 없었다. 하지만 이 전쟁에서는 기관총으로 1분에 4백 발 이상을 발사할 수 있었다. 하나의 기관총으로 한꺼번에 수십 명, 수백 명의 공격해 오는 적군을 쓰러뜨릴 수 있었다.

연합국과 동맹국 모두 기관총을 충분히 갖고 있었기 때문에 양쪽 군대가 모두 거의 진군을 할 수 없게 되었다. 그리고 어느 쪽도 병사들이 '참호'라 부르는 방어용 고랑 같은 곳에 틀어박혀 전황은 수렁에 빠져 승패가 쉽게 나지 않았다. 이 참호들은 '사람의 땅이 아닌 곳'이라 불리는 적과 아군의 중간 지대를 사이에 두고 서로를 갈라놓았다. 참호 속의 생활은 잔인하고, 불결하고, 지루했다. 벼룩과 이가 들끓었고, 들쥐가 식량을 축냈다. 비가 내리면 참호 속은 물과 진흙 범벅이 되었다. 때때로 한쪽에서 다른 한쪽을 향해 맹공격을 퍼붓기도 했다. 이와 같은 공격으로 공격하는 쪽 병사만 많은 희생을 당했다. '사람의 땅이 아닌 곳'을 가로질러 돌격할 때 일방적으로 적의 기관총에 당했기 때문이었다. 한번은 영국군이 독일군 방어선을 향해 돌진하다가 단 하루에 2만 명이 죽기도 했다.

미국의 중립

미국인들은 전쟁의 참혹함에 공포를 느끼고 있었다. 대부분의 미국인들은 싸움터와 큰 바다를 사이에 두고 있는 평화로운 땅에

attackers, who were mowed down by enemy machine guns as they charged across No Man's Land. Once, when the British tried to storm the German line, twenty thousand English soldiers were killed in a single day.

American Neutrality

Americans were horrified by the brutality of the conflict. Most Americans were thankful to be living in a peaceful country, a whole ocean away from the fighting. Most Americans agreed with the decision of the United States government to remain neutral, which means not to take a side in a fight. But as time went on, more people became sympathetic to the Allied cause. Americans felt tied to England because Englishmen and Americans spoke the same language, and because a number of basic American ideas and institutions had their roots in England. Also, many Americans sympathized with France, where the battles were being fought, because they admired French culture and remembered how the French had helped them win the Revolutionary War. Then, too, France and England had forms of government that were more democratic than the imperial government of Germany, and Americans thought that democracy was the best form of government.

But in the end it was two things the Germans did that made Americans angry enough to go to war against Germany. The first was to sink a ship. The second was to

서 살고 있는 데 감사하고 있었다. 또 대부분의 미국인들은 미국이 어느 한쪽 편을 들지 않는 중립을 지키기로 한 결정에 찬성했다. 그러나 시간이 지나자 많은 사람들이 연합국의 대의에 공감하게 되었다. 영국인과 미국인이 같은 언어를 쓰고 있으며, 미국인들의 기본적인 사상과 제도의 대부분이 영국에 뿌리를 두고 있었기 때문에, 미국인들은 영국과 유대감을 느꼈다. 또 많은 미국인들은 전쟁터가 되어 버린 프랑스에 대해서도 동정했다. 왜냐하면 그들은 프랑스 문화를 동경하고 남북 전쟁 당시 미국인들이 승리하도록 도운 사실을 기억하고 있었기 때문이다. 또 독일의 제국주의 정부와 비교해서 프랑스와 영국은 보다 민주적인 정부였다. 미국인들은 민주주의가 최고의 정부 형태라고 생각하고 있었다.

결국 독일인들의 두 가지 행위가 미국인들을 화나게 했고, 독일에 대항한 전쟁에 참가하게 만들었다. 첫 번째는 선박을 침몰시킨 것이었고, 두 번째는 전보를 친 것이었다.

루시타니아호의 침몰

전쟁이 시작된 1914년, 영국은 세계에서 가장 강력한 해군을 갖고 있었다. 영국군은 독일 해안에까지 군함을 정박시켜 배들이 독일에 물자를 들여오는 것을 막기 위해 해상 봉쇄를 하고 있었다. 훨씬 힘이 약한 독일 해군으로서는 막강한 영국 군함을 몰아내고 봉쇄를 풀 길이 없었다. 그래서 그들은 반격을 위해 영국 주위에 독자적인 봉쇄망을 설치하기로 했다. 바로 수중 봉쇄망이었다.

독일은 영국보다 훨씬 적은 수상 선박밖에 갖고 있지 않았다. 하지만 잠수함은 많았다. 영국에서는 잠수함을 U 보트('수중의 배'라는 뜻의 독일어에서 유래했다.)라고 불렀다. 독일 해군은 U 보트로 영국에 화물을 싣고 가는 배를 격침시키겠다고 선언했다. 그리고 영

send a telegram.

The Sinking of the Lusitania

In 1914 when the war began, the British had the most powerful Navy on earth. They stationed ships off the German Coast, setting up a naval blockade to prevent vessels from carrying goods into Germany. The Germans, with their much smaller Navy, had no way of defeating the mighty British warships and breaking the blockade. So, in order to strike back, they decided to set up their own blockade around England – an underwater blockade.

The Germans had far fewer surface ships than the British, but they had plenty of submarines, or as the English called them, "U-boats" (from a German word meaning "undersea boat"). The German Navy declared that it would use its U-boats to sink ships trying to carry goods into England, and warned that anyone traveling on an English supply ship was risking his life.

One day in May 1915, the British passenger ship Lusitania was steaming across the Atlantic on its way from New York City to England. Suddenly the captain heard one of his officers cry "Torpedo coming!" Before the captain had time to react, the torpedo, fired by a German U-boat, smashed into the center of the ship and exploded. The Lusitania immediately started to go down. It sank in less than twenty minutes – so quickly that many of the

U 보트
제1차 세계 대전에서 상선을 침몰시킨 독일의 잠수함. 제1차 세계 대전 초기 영국 장갑순양함 3척을 격침해 알려졌다. U 보트는 군함 · 상선을 구별하지 않고 무차별 공격해, 한때 영국을 궁지에 몰아넣었다.

국 화물선을 탄 사람들은 목숨을 걸어야 할 것이라고 경고했다.

1915년 5월 어느 날, 영국 여객선 루시타니아호가 뉴욕을 떠나 영국을 향해 대서양을 항해하고 있었다. 선장은 갑자기 한 승무원의 비명 소리를 들었다. "어뢰가 접근하고 있다." 선장이 미처 대응해 보기도 전에 독일의 U 보트에서 발사된 어뢰가 배의 중심을 맞히며 폭발했다. 루시타니아호는 가라앉기 시작했다. 20분이 채 못 되어 배는 가라앉았고, 많은 승객들은 구명보트에 오르지도 못했다.

1,000명이 넘는 승객들이 죽었다. 그들 대부분은 전쟁과는 무관한 일반인, 여자, 아이 들이었다. 그중 128명이 미국인이었다. 이 참사를 알게 된 미국인들은 분노했다. 미국의 신문들은 독일 선원들을 '해적' 또는 '살인자'라고 불렀다. 미국 정부는 독일 정부에 항의했지만, 독일은 루시타니아호의 승객들에게 미리 경고를 했으며, 그리고 배가 연합국 측의 무기를 싣고 있었다고 지적했다. 독일은 앞으로 무고한 시민들을 죽이는 일이 없도록 U 보트 선장들에게 새로운, 더 엄격한 지시를 내렸다. 그러나 미국인들은 루시타

passengers were unable to get into the ship' s lifeboats.

Over a thousand passengers were killed, most of them ordinary men, women, and children who were not involved in the war. One hundred and twenty-eight of the dead were Americans. When people back in the United States learned of this disaster, they reacted with outrage. American newspapers called the German sailors "pirates" and "murderers." The American government complained to the German government, but the Germans pointed out that the people on the Lusitania had been warned, and furthermore, that the ship had been carrying arms for the Allies. Hoping to avoid killing civilians in the future, the Germans gave new, stricter orders to their U-boat captains. But Americans would not soon forget the Lusitania.

America Enters the War

For over a year American anger at Germany went on simmering ; then, in early 1917, German actions brought it to a boil. First the German government announced that it would once again instruct U-boat captains to sink any ship sailing toward England. Second, the Germans sent a telegram to a German diplomat in Mexico. This telegram offered a secret deal to the Mexican government. If Mexico would join the war on the side of the Central Powers, then Germany would help the Mexicans get back the territories they had lost to the United States in the Mexican-American

니아호 사건을 잊지 않았다.

미국의 참전

1년이 넘게 독일에 대한 미국의 분노는 폭발 직전까지 이르렀다. 그리고 1917년 초, 독일의 행위가 미국인들의 분노를 끓어 넘치게 만들었다. 먼저, 독일 정부는 영국으로 향하는 모든 선박을 침몰시킬 것을 U 보트에 다시 한번 지시했다. 이어서, 멕시코의 독일 외교관에게 전보를 보냈다. 이 전보는 멕시코 정부에게 비밀 거래를 제안한 내용이었다. 만약 멕시코가 동맹국 측에 가담한다면 독일은 미국·멕시코 전쟁에서 미국에 빼앗긴 영토(미국의 주가 된 애리조나, 뉴멕시코, 텍사스)를 되찾게 도와주겠다는 것이었다.

영국의 첩자가 이 전보를 알아내어 미국 정부에 알렸다. 이제 우드로 윌슨 대통령을 포함한 대부분의 미국인들은 격노했다. 이전까지 윌슨 대통령은 유럽에서의 전쟁에 개입하지 않겠다고 주장했다. 그는 루시타니아호의 격침 이후에도 다음과 같이 말했다. "자존심이 강한 사람이 싸우지 않는 경우가 있는 것처럼, 자신이 옳기 때문에 무력으로 다른 국가를 납득시킬 필요가 없는 국가가 있다."

엉클 샘
United States의 U와 S로 만들어진 미합중국 정부의 애칭. 이전부터 있었지만 이 그림과 함께 널리 알려지게 되었다. 엉클 샘은 지원병 모집 등 애국심을 고무시킬 때 사용되었다. 그림은 1917년 징집 공고 포스터이다.

War – territories that had become the states of Arizona, New Mexico, and Texas.

Some British spies found out about this telegram and informed the U.S. government. Now most Americans were furious with Germany, including the American president, Woodrow Wilson. Until now, Wilson had argued that the United States should stay out of the conflict in Europe. Even after the sinking of the Lusitania, he said, "There is such a thing as a man being too proud to fight. There is such a thing as a nation being so right that it does not need to convince others by force." But now the president changed his mind. In April 1917, he asked Congress to declare war on Germany. In his speech before Congress, Wilson proclaimed, "The world must be made safe for democracy" – in other words, Germany, which was trying to conquer democratic nations like England and France, must be defeated. Most members of Congress agreed with Wilson, and a few days after the president' s speech America was officially at war. About two million men joined the military as volunteers; almost three million more were eventually drafted. But it would be many months before American soldiers were trained and would actually take part in the fighting.

The End of the War

When the first American troops arrived in France in 1917, an American officer declared, "Lafayette, we are here." He

하지만 이제 대통령도 생각이 달라졌다. 1917년 4월, 그는 의회에 독일과의 전쟁을 선언하도록 요구했다. 의회 앞에서 한 연설에서 윌슨은 다음과 같이 선언했다. "세계는 민주주의를 위해 안전해져야 한다." 달리 말하자면, 영국이나 프랑스와 같은 민주 국가를 정복하려고 하는 독일을 무찔러야 한다는 것이었다. 의원 대다수가 윌슨에게 찬성했다. 대통령의 연설 며칠 뒤 미국은 공식적으로 전쟁에 참여했다. 2백만 명이 넘는 지원병이 몰려들었고, 모두 합해서 3백만 명이 소집되었다. 그러나 훈련을 받고 실제 전투에 투입되기까지는 몇 달이 걸렸다.

전쟁의 종결

1917년, 미군이 프랑스에 처음 도착했을 때, 한 미군 장교가 선언했다. "라파예트여, 우리가 왔다." 그는 독립 전쟁에서 미국을 위해 싸웠던 프랑스 귀족 라파예트 공작을 말했던 것이다. 미국이 프랑스를 돕기 위해 온 것은 프랑스에게 은혜를 갚으려고 한다는 것을 뜻하는 것이었다.

미국의 참전은 전쟁의 흐름을 바꾸어 놓았다. 참신하고 활력이 넘치는 미군은 지난 4년 동안의 전쟁으로 지친 독일군을 상대로 격렬하게 싸웠다. 미국이 참전하는 것만으로도 프랑스와 영국 군대의 사기가 올랐고, 그들은 더 효과적으로 싸울 수 있었다. 영국, 프랑스, 미국은 함께 독일의 진격을 가로막았고, 독일 군대를 프랑스 국경 쪽으로 밀어붙였다. 이 패배 후 독일은 결코 전쟁에 이길 수 없다는 것을 깨닫고, 연합국 측에 평화 조약을 요청했다. 1918년 11월에 공격이 멈추어졌다.

27개국 대표가 파리 근처의 베르사유라고 불린 거대한 궁전에 모였다. 1919년 6월 28일 이곳에서, 프란츠 페르디난트가 사라예

was referring to the Marquis de Lafayette, a French nobleman who had fought on the American side during the Revolutionary War. By coming to the aid of France, the officer suggested, America was returning a great favor.

The arrival of American troops helped turn the tide of the war. The Americans, who were fresh and full of energy, fought fiercely against their German enemies, who were worn out by almost four years of combat. The presence of the Americans also raised the spirits of the French and British troops, and they began to fight more effectively. Together, the British, French, and Americans stopped the German advance and then drove the German army back toward the French border. After this defeat Germany realized that it was never going to win the war, and it offered to make peace with the Allies. In November 1918 the shooting stopped.

Representatives from twenty-seven countries met near Paris at the enormous palace called Versailles. Here – on June 28, 1919, the fifth anniversary of the assassination of Francis Ferdinand at Sarajevo – they signed a treaty called the Treaty of Versailles. This treaty dealt harshly with Germany ; it forced the Germans to say that they alone were guilty of starting the war, and it forced them to agree to pay billions of dollars in fines to the Allies. Many Germans were angered by the treaty, because they didn' t think they were the only ones to blame for the war.

There was also a more positive side to the agreement

보에서 암살된 지 5년이 되는 날, 베르사유 조약이 체결되었다. 이 조약은 독일을 매우 심하게 대우했다. 즉, 전쟁의 책임이 독일에 있다는 것을 인정하고, 독일이 연합국 측에 전쟁 배상금 수십 억 달러를 물도록 했다. 많은 독일인들은 분노했다. 전쟁에 책임이 있는 것이 자기들만이 아니라고 생각했기 때문이었다.

베르사유의 합의는 긍정적인 면도 갖고 있었다. 국제 연맹이라는 조직을 만든 것이다. 이것은 국제 분쟁을 평화적으로 해결하기 위해 모든 나라가 모인 대단한 조직이었다. 국제 연맹에 찬성한 나라들은 전쟁이 더 이상 일어나지 않거나, 아니면 적어도 유럽이 겪었던 것과 같은 참혹한 전쟁은 더 이상 일어나지 않기를 희망했다.

국제 연맹의 창설에 관한 아이디어는 윌슨 대통령이 내놓았다. 그러나 그는 미국이 국제 연맹에 가입하는 것을 미국 국민들에게 납득시킬 수 없었다. 많은 미국인들은 미국이 다른 나라들의 허락을 받지 않고 하고자 하는 것을 항상 할 수 있어야 한다고 생각했다. 그래서 상원은 베르사유 조약의 비준을 거부했다. 또 미국인들은 미국이 이미 멀리 떨어져 있는 나라들의 문제에 너무 깊숙이 개입해 있다고 느꼈다. 제1차 세계 대전이 '전쟁을 끝내기 위한 전쟁' 이기를 바랐던 윌슨 대통령은 미국이 국제 연맹에 가입하지 못한 것에 가슴 아파했다.

made at Versailles. It set up an organization called the League of Nations. This was to be a great assembly in which all nations could get together to settle their conflicts peacefully. Those who favored the League of Nations hoped that it would mean the end of war or at least the kind of terrible war that Europe had just suffered.

It was the American president, Woodrow Wilson, who had come up with the idea of the League of Nations. But he was unable to convince his own countrymen that they should join the League. Many Americans felt that the United States should always be able to do what it wished without asking permission of other nations, so the Senate refused to approve the Treaty of Versailles. Americans also felt that the United States had already gotten too deeply involved in the affairs of far-off countries. President Wilson, a man of high ideals who had hoped that World War I would be "the war to end war," was heartbroken at the failure of the United States to join the League.

America Turns Inward

The rejection of the League of Nations was only one sign of increasing "isolationism" in America. Isolationists wanted the United States to be isolated, or separated, from the problems and conflicts of the rest of the world.

One way the government tried to isolate the United States was to limit the number of immigrants who could

내부로 눈을 돌리는 미국

국제 연맹의 가입 거부는 고조되고 있던 미국의 '고립주의'에 대한 하나의 신호에 불과했다. 고립주의자들은 미국이 세계 다른 지역의 문제와 분쟁으로부터 고립되거나 분리되기를 바랐다.

미국이 고립되기 위해 정부가 취한 하나의 조치가 미국으로 들어오는 이민자 수를 제한하는 것이었다. 제1차 세계 대전 이전에는 지금의 미국인들의 선조일지도 모르는 많은 사람들이 자유와 기회를 찾아 미국으로 왔다. 19세기 후반에 이민이 급증하자 몇몇 단체들은 정부가 이민을 금지시킬 것을 촉구하기도 했다.

최근에 이민 온 사람들과 과거에 이민 온 사람들의 후손들이 인구의 대부분을 차지하고 있는 나라에서 '외국인'에 대해 그렇게 의심의 눈초리를 보낸다는 것이 이상하게 보일지도 모른다. 그럼에도 불구하고 제1차 세계 대전이 끝난 뒤, 많은 미국인들은 전쟁으로 황폐해진 유럽으로부터 홍수처럼 밀려드는 이민자들을 두려워했다. 그래서 의회는 소수의 허가받은 자들에게만 미국으로 이주하는 것을 허가하는 법을 통과시켰다.

새 법은 특히 대부분의 미국인과 종교적, 정치적인 신념이 다른 사람들을 배제시키기 위한 의도로 만들어졌다. 편견을 갖고 있는 많은 사람들은 북유럽 출신의 프로테스탄트만이 '진짜' 또는 '순수한' 미국인이라고 믿었다. 특히 가톨릭이거나 유대 교를 믿는 남유럽과 동유럽 출신자들에 대해 의심의 눈초리를 보냈다. 여러분들은 남부의 흑인에 대한 테러를 위해 남북 전쟁 뒤에 만들어진 '쿠 클락스 클란'을 알고 있을 것이다. 1920년대에 클란이 다시 생겨나, 이제는 흑인뿐만 아니라 가톨릭 교도와 유대 인들을 공격했다.

여러분들은 자유의 여신상에 새겨진 말을 기억하고 있을 것이다. "나는 황금의 문 옆에서 횃불을 들고 있을 것이다." 제1차 세계

enter the country. Before World War I, many thousands of people, perhaps some of your ancestors, had come to America seeking freedom and opportunity. A sharp increase in immigration in the late nineteenth century led some groups to urge the government to restrict immigration.

It might seem strange that in our nation, with a population consisting largely of recent immigrants and the descendants of past immigrants, people would feel so suspicious of "foreigners." Nevertheless, after World War I, when many Americans feared a flood of immigrants from the war-torn countries of Europe, Congress passed laws saying that only a small number of people would be allowed to immigrate into the United States each year.

The new laws were especially designed to keep out those whose religious and political ideas might differ from those of most Americans. Many prejudiced people believed that only Protestants of Northern European descent were "true" or "pure" Americans. They were especially suspicious of immigrants from Southern and Eastern Europe, who were often Catholic or Jewish. You may recall the Ku Klux Klan, a group that had been founded after the Civil War to terrorize Southern blacks. In the 1920s the Klan was reborn, but now it attacked Catholics and Jews as well as black people.

Do you remember these words inscribed on the Statue of Liberty: "I lift my lamp beside the golden door"? After World War I, the "golden door" was partially closed, keeping out many, while others got in only to find a cold

대전 이후 '황금의 문' 은 일부가 닫혀 많은 사람들을 들어오지 못하게 했고, 겨우 들어왔다고 해도 차갑고 적대적인 대접을 받아야만 했다.

번영과 발전

1920년대는 많은 소수자들에게는 힘든 시기였지만, 번영과 기술적인 발전이 확산되는 시기이기도 했다. 대다수 미국인들은 소비에 쓸 수 있는 많은 돈을 가지게 되었고, 공장은 그들이 살 수 있는 더 많은 새로운 물건들을 생산했다.

1920년대가 되자, 대부분의 미국 가정에 전기가 들어왔다. 미국인들은 생활을 편안하게 해 주는 많은 것들을 누릴 수 있게 되었다. 전등이나 난방뿐만 아니라, 진공청소기, 세탁기, 냉장고와 같은 새로운 기구들을 갖게 되었다.

그러나 이 시기 미국인들의 생활을 진정으로 변화시킨 것은 자동차였다. 가솔린을 동력으로 하는 자동차가 처음 팔리게 된 것은 1890년대였다. 하지만 너무 비싸서 부자들만 살 수 있었다. 그런데 1908년에 미국의 사업가 헨리 포드가 '모델 T' 라는 자동차를 만들기 시작했다. 모델 T는 별로 예쁘지 않았고, 색깔도 검은색 하나뿐이었다. 하지만 잘 만들어졌고 가격이 쌌기 때문에 보통

T형 포드
1908년부터 1927년까지 1500만 대가 생산되었다. 1924년에는 미국의 승용차 등록 대수의 50%를 차지했다.

and hostile welcome.

Prosperity and Progress

Though the 1920s was a difficult decade for many minorities, it was a time of widespread prosperity and technological progress. Most Americans had more money to spend, and manufacturers produced more new things for them to buy.

By the 1920s most American homes had electricity. Americans could now enjoy a number of things that made life more comfortable – not just electric light and heat but also new machines like the vacuum cleaner, the washing machine, and the refrigerator.

But the machine that really changed American life in this time was the automobile. Gasoline-powered automobiles were first sold in the 1890s, although they were so expensive that only the wealthy could afford them. Then in 1908 an American businessman named Henry Ford began to manufacture a car called the Model T. The Model T wasn' t very pretty, and it only came in one color, black. But it was well built and cheap enough for the average person to afford. It soon became the most popular automobile in America.

A few years later Ford figured out a new way to manufacture cars by using an assembly line. Instead of having an individual worker put together a whole product, in the assembly line system many workers assemble a

사람들도 살 수 있었다. 그것은 곧 미국에서 가장 인기 있는 자동차가 되었다.

몇 년 뒤 포드는 조립 라인에 의한 새로운 방식의 자동차 제조 방법을 고안해 냈다. 개별 노동자들이 함께 완성품을 만드는 대신, 조립 라인 시스템에서는 많은 노동자들이 움직이는 라인을 따라서 진행되는 부품을 한 번에 하나씩 조립해 나가는 것이었다. 공정 라인을 따라서 다른 위치에서, 각각의 노동자들은 서로 다른 부품을 제품에 끼워 넣었다. 헨리 포드는 이처럼 효율적인 시스템으로 자동차를 더 빨리 만들어서 더 싸게 팔 수 있었다.

자동차는 미국인들의 생활을 완전히 바꾸어 놓았다. 미국인들은 자동차 여행의 속도와 편리함, 그리고 언제라도 자기 마음대로 어디라도 갈 수 있는 자유를 좋아했다. 또 교외에 살면서 자동차로 도시에 나와 일하는 것도 좋아했다. 이곳저곳 마음대로 돌아다닐 수 있는 이 새로운 수단은 매우 인기가 높아 1920년대 말에는 자동차 산업은 미국의 어떤 다른 산업보다 더 많은 노동자를 고용하게 되었다.

product one piece at a time as it proceeds along a moving line. At different stations along the line, each worker adds another piece to the product. After Henry Ford figured out this efficient system, he was able to produce cars quickly and sell them cheaply.

The automobile changed the lives of Americans forever. Americans liked the speed and convenience of auto travel, the freedom of being able to go anywhere on their own at any time. They liked being able to live in the countryside and drive to the city to work. This new way of getting around was so popular that by the end of the 1920s the auto industry employed more workers than any other industry in the United States.

The Roaring Twenties

The 1920s are sometimes called the "Roaring Twenties," because for many people, especially young people, they were such exciting, fast-paced times. In this period young Americans started to rebel against some of the strict rules of behavior that older Americans had lived by. Many of them decided that it was more important to enjoy life than to work hard. For many young Americans of the middle and upper classes, the decade of the twenties was like one long party.

It was a party where people drank lots of alcohol, even though it was now against the law to do so. For many years advocates of the "temperance" movement had attacked

광란의 20년대

1920년대는 종종 '광란의 시대'라고 불린다. 왜냐하면 많은 사람들, 특히 젊은이들에게는 매우 자극적이고 속도감 있는 시대였기 때문이다. 이 시기의 젊은 미국인들은 구세대의 미국인들의 엄격한 생활 방식에 반항하기 시작했다. 많은 젊은이들은 열심히 일하는 것보다는 인생을 즐기는 것이 더 중요하다고 생각했다. 중·상류 계급의 많은 젊은 미국인들에게 1920년대의 10년간은 긴 파티와 같은 것이었다.

비록 법을 어기는 일이 될지라도, 사람들은 파티에서 많은 술을 마셨다. '금주' 운동의 옹호자들은 오랜 기간 동안 음주를 비난해

1920년대의 대중오락과 채플린

제1차 세계 대전 뒤, 1920년대의 미국은 경기가 호황이 지속되어 대중오락이 크게 발전했다. 축음기가 날개 돋힌 듯 팔렸고, 1920년 11월에는 펜실베이니아 주에서 사상 최초로 라디오 방송이 시작되었고, 라디오가 가정에 급속도로 보급되었다. 영화 산업도 흑백의 무성 영화가 원숙기에 접어들어, 서부극, 애정물, 모험 활극의 스타가 속속 탄생했다. 여자 배우로는 메어리 픽포드가 '미국의 연인 America's Sweetheart'으로 사랑받았다. 그녀 이상으로 인기를 얻은 사람은 희극 왕 찰리 채플린이었다.

영화 '방랑자'에서의 찰리 채플린

채플린은 특히 '방랑자 The Little Tramp'에서 희극 배우로서의 자신의 모습을 결정적인 것으로 만들었다. 중절모에, 콧수염을 달고, 헐렁한 바지를 입고, 큰 구두와 지팡이를 든 채 바보짓만 하는 수줍음 타는 역을 연기하여 대중의 공감을 얻었다.

'키드 The Kid'(1921년), '황금광 시대 The Gold Rush'(1925년), '가로등 City Lights'(1931년) 등이 그의 대표작이다. 익살스런 바보짓을 하고, 어려움에 처하지만 결코 희망을 잃지 않는 룸펜 신사 역할에 웃어넘길 수 없는 위엄이 있었다. 대중들은 바로 그와 같은 희극성에 취해 갈채를 보냈던 것이다. '모던 타임즈 Modern Times'(1936년)는 대량 생산 공장에서 기계의 톱니바퀴처럼 되어 가는 노동자의 모습을 재미있고도 희극적으로 묘사한 영화인데, 그 웃음 속에는 날카로운 사회 풍자와 세태 비판이 들어 있었다.

the use of alcohol. They pointed out that drinking alcohol was unhealthy, and that people often committed violent crimes when they drank too much. In 1919 Congress passed the Eighteenth Amendment to the U.S. Constitution : this amendment prohibited (banned) the making and selling of beer, wine, and alcohol everywhere in the United States. The years during which this ban was in effect are known as the period of Prohibition. Prohibition lasted from 1920 to 1933, when Americans voted to ratify the Twenty-first Amendment to the Constitution, which repealed the Eighteenth Amendment.

Although Prohibition cut down on the number of Americans who drank alcohol, many went on drinking in secret. Often when something is forbidden it becomes more attractive ; and now people, especially young people, began to think of drinking as something daring and exciting to do. They started going to illegal drinking places called "speakeasies." Alcohol was supplied to the speakeasies by men known as "bootleggers" who either made their own illegal liquor or smuggled it in from foreign countries. (The term "bootlegger" comes from the old smuggler' s trick of hiding a bottle inside the leg of a boot.)

Speakeasies were usually noisy and crowded. Customers listened to loud music, and drank and danced for hours on end. Many of the customers were young women, and this was something new. Before World War I, women were not supposed to drink in public, and most bars would let in

왔다. 음주는 건강에 나쁘고, 너무 취하면 난폭한 범죄를 저지르게 된다고 주장했다. 1919년, 의회는 수정 헌법 제18조를 통과시켰다. 미국 전역에서 맥주, 와인, 그리고 알코올 음료의 제조와 판매를 금지하는 것이었다. 이 법이 시행되었던 기간을 금주법의 시대라고 한다. 금주법은 1920년에 시작되어 수정 헌법 제21조가 승인된 1933년까지 시행되었다. 수정 헌법 제21조에 의해 제18조는 폐지되었다.

금주법은 술을 마시는 미국인의 수를 감소시켰지만, 많은 사람들은 비밀리에 술을 마셨다. 금지된 것은 더 매력적인 것으로 된다. 즉, 사람들, 특히 젊은이들은 술을 마시는 것을 무언가 모험적이고 짜릿함을 느끼게 해 주는 것으로 생각하기 시작했다. 그들은 '스피크이지' 로 불린 불법 술집에 가기 시작했다. '부트레거' 라고

광란의 20년대

19세기 말의 보수적인 예절과 도덕을 지키며 살았던 사람들에게 1920년대는 20세기 미국이 마치 판도라의 상자 같았을 것이다. 금주법이 시행된 사실이 그들에게 긍정적이었다면, 밀주가 홍수처럼 범람하고 사람들이 술에 절어 살고 있는 현실은 그들에게는 부정적이었다.

1920년대를 풍속에서부터 정치에 이르기까지 잘 묘사한 F.L. 알렌의 명저 '온리 예스터데이' 는 여성의 패션 혁명의 전야라고 할 수 있는 1919년의 어느 가정 부인의 옷차림의 변화를 그리고 있다. 새로운 여성은 예전에는 창녀들이나 하던 진한 화장을 하고, 술을 마시며, 담배를 피웠다. 무허가 술집은 술 취한 남녀들로 흥청거리고, 성 도덕도 무너져 버린 듯했다. 그러나 정치, 경제, 사회, 문학, 스포츠 등 모든 분야에서의 20세기 미국의 비약적인 성장은 1920년대에서 그 뿌리를 찾을 수 있고, 파괴와 창조가 하나의 에너지로 모여 소용돌이치고 있었다.

1920년대를 달리 부르는 말로는 '광란의 20년대', '황금의 20년대', '금지의 시대', '메마른 시대', '재즈의 시대' 등이 있다. 어떻든 1920년대는 미국 역사상, 아니 세계 역사상 처음으로 '젊은이들' 의 시대였다. 그들은 '불타오르는 청춘' 이었다. 아이도 어른도 아닌 세대라고 하는 애매한 위치뿐만 아니라, 고유의 취미와 행동 양식을 가진 젊은이로서 사회 속에 자리 잡고 있었다.

젊은이의 전형으로, 여자는 '플래퍼 flapper', 남자는 '셰이크 sheik' 라고 했는데, 처음에는 둘 다 예일이나 프린스턴 등 아이비리그 대학의 학생이었는데, 곧 젊은이 일반으로 확대되었다.

only men. But now women were becoming more independent in lots of ways.

The fun-loving, carefree young women who frequented speakeasies were often called "flappers." Flappers not only drank but also smoked cigarettes and wore heavy makeup – two more things that were thought to be very daring for women to do. Flappers also wore their clothes in a carefree way. Before World War I, women had usually worn dresses that completely covered their legs, but now the flappers began wearing dresses that only came down to their knees. Older people were shocked by these short new dresses. In fact, flappers and their male friends did many things just because they wanted to shock their elders : that was part of the spirit of the Roaring Twenties.

African-Americans Move North

As you' ve seen, the years after World War I were years of great prosperity for many Americans. New industries were thriving, especially in the North. These industries needed workers, but, with the new restrictions on immigration, there were fewer people coming from Europe to work in American factories. The prospect of jobs and a better way of life attracted many African-Americans to leave their homes in the rural South and move to the great cities of the North. They came North looking not only for good jobs, but also because they believed they would encounter

불리는 사람들이 스피크이지에 술을 공급했다. 그들은 밀조하거나 외국으로부터 밀수하였다. ('부트레거'라는 말은 장화 안에 병을 몰래 숨겼던 옛날 밀수업자들의 수법에서 유래하였다.)

스피크이지는 항상 소란럽고 붐볐다. 손님들은 끝날 때까지 몇

린드버그와 에어하트

1927년 5월, '세인트 루이스의 영혼'이라는 이름의 비행기에 탄 젊은 모험가 찰스 린드버그는 2만 5천 달러의 상금을 타기 위해 샌드위치와 1리터의 물, 그리고 몇 통의 소개장을 갖고 뉴욕을 떠나 33.5시간 뒤에 파리에 도착했다. 악천후에 시달리고, 대자연에 두려움을 느끼며, 눈꺼풀을 억지로 열어가며 졸음을 쫓아 뉴욕에서 파리까지의 대서양 무착륙 단독 비행에 최초로 성공했다. 이 모험은 미국 국민을 열광하게 했다. 뉴욕에 개선한 린드버그를 맞이한 것은 거리를 가득 메운 수백만 명의 인파와 색종이였다.
이 성공으로 '럭키 린디' 불리게 된 린드버그가 1932년에 불행에 처했다. 두 살 된 아들이 유괴되어 두 달 뒤에 죽은 채 발견되었던 것이다. 이 사건은 온 나라의 주목을 받았고, 유괴를 연방 범죄로 다룬다는, 이른바 린드버그 법이 생겼다.
제2차 세계 대전 중에는 미국의 중립을 주장해 '친 나치'로 비난받기도 했지만, 군의 고문으로 종군했다. 1953년에는 단독 비행 회상록 '비행기여, 저것이 파리의 등불이다'를 썼고, 이것이 영화화되어 화제가 되었다.
창공의 여성 모험가인 아멜리아 에어하트가 단독으로 대서양을 횡단한 것은 1932년의 일이었다. 에어하트는 단순한 모험가가 아니었다. 여성 해방 운동을 전개한 페미니스트였으며, 캘리포니아와 하와이 사이의 단독 비행 등 여러 차례 무착륙 비행 기록을 세워 여성들의 의식을 변혁시키고자 했다. 1937년, 에어하트는 세계 일주 비행에 나섰다. 그러나 7월 2일, 예정 항로의 $\frac{1}{4}$을 남긴 채 남태평양을 비행하다 항로를 잃은 채 연료도 바닥났다는 무선 교신을 마지막으로 소식이 끊어졌다.

찰스 린드버그 1902~1974

아멜리아 에어하트 1897~1937

less racial prejudice in the North.

Many African-Americans headed for Chicago and New York City – so many that during the 1920s the black population of New York grew by six times (from about fifty thousand to over three hundred thousand). Most of these newcomers made their homes in a New York City neighborhood called Harlem. Harlem would in time become a great center of African-American culture. In Harlem African-Americans found a new sense of independence and of pride in their traditions.

The Great Depression

In the 1920s, most Americans lived better than ever before. But the decade of the 1930s was just the opposite – a time of great economic hardship and widespread poverty. During the 1930s millions of Americans lost their jobs and their homes, and had to struggle to feed themselves and their families. This period of hardship and poverty became known as the "Great Depression."

Historians still argue over what caused the Great Depression, but most agree that in the twenties, American industry grew too rapidly. As more and more people bought new products like cars and refrigerators, more and more factories were built to make these products. But at a certain point there were more products than people could buy. Sooner or later the factories would have to stop

시간이나 큰 음악 소리를 들으며 술을 마시고 춤을 추었다. 손님 중 많은 사람이 젊은 여성이었다. 이전까지 볼 수 없었던 현상이었다. 제1차 세계 대전 전에 여성들은 사람들 앞에서 술을 마신다는 것은 생각할 수 없었고, 술집에는 남자들만 출입했다. 하지만 이제 여성들도 여러 면에서 자유로워지고 있었다.

스피크이지에 드나들며 재미를 즐기는 태평스러운 여자들을 종종 '플래퍼' 라고 했다. 이들은 술을 마실 뿐 아니라, 담배도 피웠으며, 진한 화장을 했다. 여성들이 이런 행동을 하는 것은 용기 있는 일로 생각되었다. 이들은 또 옷차림도 자유분방했다. 제1차 세계 대전 이전에 여성들은 다리를 완전히 가리는 드레스를 입었지만, 이제 플래퍼들은 무릎 정도까지만 내려오는 치마를 입었다. 나이 든 사람들은 이에 큰 충격을 받았다. 실제로 플래퍼들과 그녀들의 남자 친구들은 단지 나이 든 사람들을 놀라게 하고 싶었기 때문에 여러 가지 행동을 했다. 그것은 바로 광란의 시대의 정신의 일부였다.

아프리카계 미국인의 북부 이주

앞에서 보았듯이, 제1차 세계 대전 뒤의 몇 년간은 많은 미국인들에게 대단한 번영의 시기였다. 특히 북부에서 새로운 산업이 번영했다. 이들 산업은 노동자들이 필요했다. 하지만 새로운 이민 제한법 때문에 미국의 공장에서 일하기 위해 유럽에서 오는 사람들이 거의 없었다. 일자리와 더 나은 생활에 대한 전망에 이끌려 많은 아프리카계 미국인들이 고향인 남부의 농촌을 떠나 북부의 대도시로 옮겼다. 그들은 좋은 일자리뿐만 아니라 북부에서는 인종적 편견이 덜할 것이라는 기대가 있었기 때문에 북부로 갔다.

많은 아프리카계 미국인들이 시카고와 뉴욕으로 몰려와 1920년대에 뉴욕의 흑인 인구는 여섯 배로 증가했다(5만에서 30만 이상으

producing at such high levels, and the people who worked in them would lose their jobs.

Another problem was that people got into the habit of spending more money than they had. Because people thought that times would continue to get better and better, they thought that they would always have more money than they had before. So if they saw something they wanted to buy, they borrowed money to pay for it, or paid for it "on installment" (a little bit at a time). In doing this, many people went further and further into debt, which was dangerous because if people's incomes went down instead of up, they would be stuck with debts they were unable to pay. With companies producing more goods than people could buy, and people spending more money than they really had, the stage was set for economic disaster.

Many people also became reckless with their money in another way. They began to invest heavily in the stock market. When you buy a bit of stock – called a "share" – in a company it's as if you own a little piece of the company. By buying stock in a company, you invest money that helps the company grow, and when the company makes a profit, you, as a stockholder, are entitled to a share of the profit. The price of a share of stock goes up and down depending upon how well the company is doing : if the company is growing and making big profits, then the price of its stock will go up. If you buy stock in a company when it is still small and not very well known, you might pay a low price

로). 새로이 북부로 온 흑인들은 할렘이라 부르는 뉴욕 시 근교에 있는 지역에 자리 잡았다. 할렘은 얼마 안 있어 미국 흑인 문화의 제일 중심지가 되었다. 아프리카계 미국인들은 할렘에서 새로운 독립심과 자신들의 전통에 대한 자부심을 되찾았다.

대공황

1920년대에 대부분의 미국인들은 어느 때보다 풍요로운 생활을 누렸다. 하지만 1930년대는 정반대였다. 엄청난 경제적 궁핍과 빈곤이 기다리고 있었던 것이다. 1930년대에는 수많은 미국인들이 직장과 집을 잃었고, 자신과 가족을 먹여 살리기 위해 싸워야 했다. 이 고난과 빈곤의 시대는 '대공황'으로 알려졌다.

역사가들은 아직도 무엇 때문에 대공황이 발생했는지를 놓고 논쟁 중이다. 어떻든 20세기에 미국의 산업이 너무 빠르게 성장했다는 것에는 대부분 동의하고 있다. 더 많은 사람들이 자동차나 냉장

대공황
1930년대 초 대공황으로 인해 미국의 실업자는 약 1,300만 명으로 전체 노동자의 $\frac{1}{4}$이 넘었다. 사진은 음식을 받으려고 줄지어 서 있는 사람들의 모습이다.

for the stock, let' s say, for example, five dollars per share. If the company then goes on to become very successful, the price of the stock will go up, and one way you can make money is to sell your shares of stock at the new high price of, say, twenty-five dollars per share. For every share you sell, you make a profit of twenty dollars.

Normally you buy stock in a company because you think it makes a good product that people want to buy and you want to share in the profits that result from the sale of that product. But in the 1920s, when American companies were making high profits and the price of stocks was going up and up, people began to gamble on the price of stocks. Instead of investing in a company so that they could share in its profits, people began to buy stocks just so they could sell them later when their price had gone up. More and more people began "playing" the stock market this way – not just wealthy people but millions of ordinary working men and women, who invested their life savings in stocks.

The problem was, as more and more people played the stock market, they were willing to pay much more for stocks than they were really worth. They kept gambling that stock prices would go even higher. But by the end of the twenties stocks were dangerously overvalued, or inflated. The whole stock market was like a big balloon getting ready to burst. It finally burst in October 1929, when the price of stocks started to fall rapidly. For example, a share in U.S. Steel (an excellent company) cost

고와 같은 새로운 상품들을 사게 됨에 따라 더 많은 공장들이 상품을 생산하기 위해 지어졌다. 그런데 어느 시점에 이르자 사람들이 살 수 있는 양보다 더 많은 상품이 생산되었다. 이윽고 공장들은 그와 같은 대량 생산을 중단해야 했고, 그 공장에서 일하는 사람들은 직장을 잃게 되었다.

또 다른 문제는 사람들이 버는 돈보다 더 많이 쓰는 습관에 빠지게 되었다는 것이다. 사람들은 상황이 좋아질 것이라고 생각했기 때문에, 앞으로 더 많은 돈을 벌 수 있을 것이라 생각했다. 사고 싶은 것이 생기면 돈을 빌려서 사거나 '할부(한 번에 조금씩 갚는 것)'로 샀다. 이렇게 하여 사람들은 점점 더 많은 빚을 지게 되었다. 수입이 줄어들면 갚을 수 없는 빚의 구렁텅이에 빠져들기 때문에 위험했다. 기업이 사람들이 살 수 있는 것보다 많은 상품을 생산하고, 사람들이 가진 돈보다 많은 돈을 쓰게 되자, 경제 위기가 닥칠 무대가 마련된 셈이었다.

많은 사람들은 다른 면에서도 돈을 쓰는 데 앞뒤를 헤아리지 않게 되었다. 주식 시장에 대량으로 투자하기 시작한 것이었다. 어떤 회사의 주식(지분이라고도 한다)을 조금 샀다면 그 회사의 일부분을 소유하는 것과 같다. 주식을 사는 것은 그 회사가 성장할 수 있도록 투자하는 것이다. 회사가 이윤을 내면 주식 보유자는 자기 몫의 이윤을 받을 자격을 갖게 된다. 주식의 가격은 그 회사의 실적과 전망에 따라 오르내린다. 만약 회사가 성장하여 이윤을 내면 주식 가격은 오른다. 규모가 작고 잘 알려져 있지 않은 회사의 주식이라면 싼 가격에 살 수 있다. 예를 들어 한 주당 5달러에 샀다고 하자. 그 회사가 크게 성공하면 주식 가격이 오를 것이다. 이때 주식 보유자가 돈을 벌 수 있는 방법은 갖고 있는 주식을 높은 가격에 파는 것이다. 만약 25달러에 갖고 있는 주식을 모두 판다면 한 주당 20달러의 이익을 얻을 수 있을 것이다.

$262 in 1929 ; by 1932 it was worth only $22.

People who had invested in the stock market panicked ; they tried to sell their stocks before the prices went down further. But with everyone trying to sell, almost no one wanted to buy.

The "crash" of the stock market – which came to be called "the Crash of '29" – helped bring on the Great Depression. In the 1930s, many people went broke. They lost the houses and cars they could no longer afford to make payments on. Even people who were not impoverished were afraid to buy new things. Factory warehouses were already too full of unsold goods. Hardly anybody was buying, and factories started to lay off workers. Then the laid-off workers could not afford to buy things made by other workers, and more and more factories shut down. By the end of 1932 about one in four American workers had lost his job. Suddenly millions of Americans had no way to pay for even the basic necessities of life.

If you walked through a large American city in the early thirties, you would see the frightening results of the Depression. You would see people standing patiently in lines that stretched for blocks, waiting to be sewed a bowl of soup. Beggars would come up to you, asking "Brother, can you spare a dime?" – a line heard so often in the thirties that it became the title of a popular song. On certain sidewalk you would see men standing behind crates full of apples, trying to earn a few cents by selling fruit. The man

보통 사람들이 주식을 사는 것은 그 회사가 모든 사람들이 사고 싶어 하는 좋은 제품을 만드는 회사라 생각하기 때문이다. 그 제품을 팔아서 생기는 이익의 일부를 받으려는 것이다. 그런데 미국의 기업들이 높은 수익을 올려 주식 가격이 나날이 치솟던 1920년대에 사람들은 투기를 하기 시작했다. 회사의 이익을 공유하기 위해 투자하는 대신 나중에 가격이 올랐을 때 팔기 위해 주식을 사기 시작한 것이다. 점점 더 많은 사람들이 이와 같은 '투기'를 하기 시작했다. 부자들만이 아니라 수많은 보통의 노동자들도 생활비를 털어서 주식 투자에 나섰다.

문제는 투기하는 사람들이 많아짐에 따라 주식을 원래 갖고 있는 가치보다 더 비싼 가격에도 사려고 했다는 것이다. 주식 가격이 더 오를 것이라 보고 계속 투기를 했다. 하지만 20년대 말에는 주식이 위험 수준까지 과대평가되거나 부풀려졌다. 주식 시장 전체가 터지기 일보 직전의 풍선 같았다. 1929년 10월에 마침내 터지고 말았다. 주식 가격이 급락하기 시작했다. 예를 들어 (우량 회사인) U.S.스틸의 주는 1929년에 262달러였던 것이 1932년에 22달러가 되었다.

주식 시장에 투자했던 사람들은 공황 상태에 빠졌다. 그들은 주가가 더 떨어지기 전에 팔아치우려 했다. 하지만 팔려는 사람은 많았지만 사려는 사람은 없었다.

'29년의 대폭락'이라 불리게 된 이 주식 시장의 '대폭락'은 대공황을 몰고 왔다. 1930년대에는 많은 사람들이 파산했다. 이제 더 이상 지불할 능력이 없어져 집과 자동차를 잃었다. 가난하지 않은 사람들조차 새 물건을 사기를 꺼려했다. 공장의 창고에는 팔리지 않은 상품들로 가득 찼다. 제품을 사는 사람은 거의 없었고, 노동자들은 공장에서 쫓겨났다. 직장을 잃은 노동자들은 다른 노동자들이 만든 제품을 살 수가 없었다. 그러자 더 많은 공장들이 문을

who sold you an apple today might have been a factory worker or a teacher or a banker just a few months before.

If you walked to the outskirts of the city, you would see dozens or hundreds of homeless people camped in shacks made out of scraps of wood and metal. And if you passed the city dump, you would see the hungriest, most desperate people picking through the garbage for something to eat.

The New Deal

When Franklin Delano (FDR) Roosevelt was sworn in as president, he gave a stirring speech. He urged the American people, in the face of their troubles, to take hope and courage. "The only thing we have to fear," he declared, "is fear itself." He promised to "wage war" against the Depression, to treat it as if it were a foreign enemy that had invaded the land. And he noted, "Our greatest primary task is to put people to work."

True to his word, Roosevelt saw to it that the government immediately began putting people to work. One of the first programs set up by the New Deal was the Civilian Conservation Corps (known as the CCC). This program employed young men between the ages of eighteen and twenty-five to work on projects to improve and protect the environment. CCC workers lived in camps on public lands, especially in the national parks. They built trails and bridges, stopped soil erosion, fought forest fires, and

닫았다. 1932년 말에는 미국 노동자의 $\frac{1}{4}$가량이 직장을 잃었다. 수백만 명의 미국인들이 갑자기 기본적인 생필품조차 살 수 없게 되었다.

만약 1930년대 초 미국의 대도시를 걷다 보면 공황의 무서운 결과들을 볼 수 있을 것이다. 한 접시의 수프를 배급받으려고 담벼락을 따라 길게 줄을 서서 참을성 있게 기다리고 있는 사람들도 볼 수 있을 것이다. 거지가 나타나 "형제여, 10센트만 주실 수 없나요?" 라고 구걸을 해 올지도 모른다. 이 말은 1930년대에 하도 많이 듣던 말이어서 유행가의 제목으로 쓰일 정도였다. 어떤 거리에서는 과일을 팔아 몇 센트라도 벌려고 사과가 가득 든 나무 상자 뒤에 서 있는 사람들도 볼 수 있을 것이다. 사과를 팔고 있는 사람은 몇 달 전만 해도 어느 공장의 노동자였거나, 혹은 선생님이었거나, 아니면 은행원이었는지도 모른다.

도시 외곽으로 나가 보면, 나무나 금속 조각들로 만든 움막 같은 곳에 살고 있는 수많은 집 없는 사람들을 보게 될 것이다. 도시의 쓰레기 처리장을 지나다 보면 쓰레기 더미에서 먹을거리라도 찾으려는 굶주리고 절망에 빠진 사람들을 보게 될 것이다.

뉴딜

프랭클린 루스벨트는 대통령 선서를 할 때 사람들을 감동시키는 연설을 했다. 어려움에 닥친 미국 국민에게 희망과 용기를 가질 것을 촉구했다. '우리가 두려워해야 할 것은 두려움 그 자체일 뿐이다.' 라고 하면서, 대공황에 대하여 미국을 침략한 외적과 마찬가지로 '전쟁을 벌일 것' 을 약속했다. 그는 "우리가 해야 할 가장 중요한 과제는 사람들이 일할 수 있게 하는 것"이라고 말했다.

자신이 한 말 그대로, 루스벨트는 사람들이 즉각 일을 하도록 하

planted millions of acres of trees. It was hard but useful and healthy work. The CCC gave millions of frustrated, jobless young men a new sense of pride and satisfaction.

Beginning in 1935, an even bigger jobs program, the Works Progress Administration (WPA), employed construction workers and engineers on new building projects all over the country. Roads, bridges, power plants, school buildings, hospitals, and airports were built or improved with government money. The WPA also gave jobs to artists. Musicians and actors went out to perform in large and small communities, some of which had never before seen a professional performance. Writers put together a series of guidebooks about different parts of the country. Painters splashed brilliant, colorful murals on the walls of public buildings. (Some of these can still be seen in post offices and other buildings around the country.) Never before had the American government done so much to help the arts.

But Roosevelt' s New Deal programs went beyond the creation of jobs. One bold program, the Tennessee Valley Authority (TVA), was set up to improve the lives of millions of people in the poverty-stricken Tennessee Valley (an area that includes parts of seven Southern states). The TVA taught farmers in the region better ways to grow their crops. It constructed great dams along the local rivers to protect against the flooding that destroyed the farmers' crops. And it built electric power plants, harnessing the

는 조치를 정부가 취하게 했다. 뉴딜에 의한 최초의 계획 중의 하나는 '자연 보호 청년단(CCC)' 이었다. 이 프로그램은 18세에서 25세까지의 젊은이들을 채용해 환경 개선과 보전을 위한 사업에서 일하게 하는 것이었다. CCC의 노동자들은 공유지, 특히 국립공원 내에 캠프를 짓고 살았다. 그들은 소규모 도로나 다리 건설, 토양 침식 방지, 산불 끄기, 수백만 에이커의 땅에 나무 심기 등을 했다. 힘이 들지만 유용하고 건전한 사업이었다. CCC는 수백만에 달하는 좌절하고 일자리가 없는 젊은이들에게 새롭게 자부심과 만족감을 주었다.

1935년 초, '공공사업 촉진국(WPA)' 이 구성되어, 규모가 더 큰 사업 계획, 즉 전국에 걸친 새로운 건설 계획에 노동자와 기술자를 고용했다. 정부가 돈을 대어 도로, 교량, 발전소, 학교, 병원, 그리고 공항이 새로 지어지거나 개량되었다. WPA는 예술가들에게도 일거리를 주었다. 음악가와 배우 들은 이전까지 전문적인 공연이 없었던 크고 작은 지역 사회에서 공연을 했다. 작가들은 미국의 각 지역에 관한 일련의 안내 책자를 만들었다. 또 화가들은 공공건물의 벽에 화려하고 색감 넘치는 벽화를 그렸다. (이들이 그린 것은 지금도 농촌 지역의 우체국이나 다른 건물에서 볼 수 있다.) 미국 정부가 그때처럼 예술가들을 원조해 준 적은 없었다.

그런데 루스벨트의 뉴딜 정책은 일자리를 만드는 데 그치지 않았다. 테네시 유역 개발 공사(TVA)라는 대담한 계획이 테네시 강 유역(7개의 남부 주를 포함하는 지역)의 가난에 찌든 수백만 명의 생활을 개선하기 위해 시작되었다. TVA는 이 지역 농부들에게 우수한 작물 재배 방법을 가르쳐 주었다. 농사지어 놓은 곡식을 쓸어 가버리는 홍수로부터 보호하기 위해 지역의 강에 거대한 댐을 건설했다. 그리고 수력을 이용하여 가정에 전기를 공급하는 발전소도 지었다. (TVA가 시작되기 전에는 100가구 당 2가구만 전기가 공급되고 있

power of the rivers to bring electricity to the homes in the area. (Before the TVA was set up, only two of every hundred local homes had electric power.) The TVA gave new life to the whole region.

Some people thought that under Roosevelt the federal government was growing too big and too powerful. They mocked all the new agencies – known by their initials, CCC, WPA, TVA and many more – joking that Roosevelt had cooked up a big pot of "alphabet soup." But for other people, especially poor people, the New Deal showed that America could be a caring Country.

Social Security

Perhaps the most important of the New Deal programs was Social Security. Before Social Security existed, Americans worried that they would not be able to support themselves if they lost their jobs or if they were unable to work due to age or illness. A worker who lost his job could turn to local groups that provided charity or "relief," but many Americans were ashamed to ask for help because they had been brought up to believe that people should take care of themselves.

Then in 1935 Congress passed the Social Security Act. This law said that most workers had to pay a small part of their income into a special government fund. Then if the worker lost his job, the government would pay him money out of the fund. This way he could support himself while

었다.) TVA는 그 지역 모두에게 새로운 생활을 가져다주었다.

루스벨트 정부가 너무 비대해져 너무 힘이 강해지고 있다고 생각하는 사람들도 있었다. CCC, WPA, TVA 등 머리글자로 불리는 새로 생긴 모든 기관들을 조롱했다. 루스벨트가 큰 솥에 '알파벳 수프'를 끓인다는 농담을 주고받았다. 그러나 다른 사람들, 특히 가난한 사람들에게 뉴딜은 미국이 복지 국가답다는 것을 보여 주었다.

사회 보장 제도

뉴딜 정책의 가장 중요한 것은 아마 사회 보장 제도일 것이다. 사회 보장 제도가 있기 전에는 미국인들은 직장을 잃거나 나이가 많거나 병이 들어 일을 할 수 없을 때 생계를 유지해 나갈 수 없을까 봐 걱정했다. 직장을 잃은 노동자는 자선이나 '구제' 사업을 하는 지역의 단체에 구원을 요청할 수 있었지만, 많은 미국인들은 스스로 자신을 책임져야 한다고 교육받아 왔기 때문에 도움을 청하는 것을 부끄러워했다.

그런데 1935년에 의회가 사회 보장법을 통과시켰다. 이 법은 대부분의 노동자들이 수입의 일부를 특별히 마련된 정부 기금에 납부하도록 했다. 직장을 잃게 된 경우, 정부는 이 기금에서 돈을 지급하는 것이다. 이렇게 되면 다른 직장을 구할 때까지 생계를 유지해 나갈 수 있다. 노동자가 병들거나 은퇴를 하면 정부가 기금을 이용해 그의 여생 동안 정기적으로 돈을 보내 준다. 이제 미국인들은 자신이 직장을 잃거나 나이가 들어 일을 할 수 없게 되어도 살아나갈 수 있다는 것을 알았다. 그리고 자신들이 낸 돈이라는 것을 알기 때문에 사회 보장을 받는 것이 부끄럽지 않게 되었다.

he looked for another job. If the worker became ill or he reached the age of retirement, the government would use the fund to send him regular payments for the rest of his life. Now Americans knew that if they lost their jobs or grew too old to work, they would still be able to survive. And they were not ashamed to take Social Security because they knew that they had worked to earn it.

The Dust Bowl and the "Okies"

The New Deal was a bold plan that gave hope and confidence to most Americans. But it did not immediately end the Depression, and hard times continued through the 1930s. For some people things got even worse as the decade went on.

In 1934 and 1935 a terrible drought struck the farms of the Great Plains, a huge grassland region covering parts of Texas, Oklahoma, Kansas, Nebraska, Colorado, and the Dakotas. Month after month went by without rain. Crops dried up and died in the fields. Then the soil itself got so dry that it blew away on the wind, sometimes sweeping gigantic clouds of dirt across the land, turning the sky dark as night in the middle of the day. People had to wear handkerchiefs over their mouths to keep from choking on all the dirt in the air. Months went by and, as dust storm followed dust storm, people all over the country came to know this unfortunate region as the Dust Bowl.

더스트 보울과 '오키스'

뉴딜 정책은 많은 미국인들에게 희망과 자신감을 심어준 대담한 정책이었다. 하지만 공황이 곧 바로 끝나지는 않았고, 1930년대 내내 힘든 시기가 계속되었다. 어떤 사람들은 시간이 갈수록 상황이 더 나빠진다고 생각하기도 했다.

1934년과 1935년에 대평원에 엄청난 가뭄이 들었다. 대평원은 텍사스, 오클라호마, 캔자스, 네브래스카, 콜로라도, 다코타에 걸친 넓은 목초지이다. 몇 달 동안 비가 내리지 않았다. 곡물들은 들판에서 그대로 말라 죽었다. 흙이 너무 메말라 바람에 실려 날아갔는데, 때로는 거대한 먼지 구름이 땅을 뒤덮어 한낮인데도 밤처럼 어두워지기도 했다. 사람들은 공기 중의 흙먼지 때문에 숨 막히지 않도록 입을 손수건으로 가려야만 했다. 몇 달 동안 흙바람이 불어대는 바람에 사람들은 이 불행한 지역을 '더스트 보울(황진 지대)' 이라고 불렀다.

다른 농부들과 마찬가지로 대평원의 농부들도 대공황의 여파로 고통을 받았다. 하지만 이제 모든 것이 완전히 쓸려나가 버렸다. 농장은 말 그대로 날아가 버렸다. 수많은 농민 가족들이 대평원에 있는 집을 떠나 캘리포니아의 부유한 농장에서 일자리를 얻으려 서쪽으로 갔다. 거기서 그들은 적은 임금을 받는 임시직의 유랑 노동자가 되었다. 그들은 수확기에는 과일을 줍고, 일 년의 나머지 기간 동안에는 일거리가 없이 자동차에서 생활하거나 도로변의 초라한 천막에서 살았다. 농장에서 일하는 노동자들에게는 새로운 사회 보장법이 적용되지 않았기 때문에 정부로부터 도움을 거의 받지 못했다. '오키스' (이들 중 많은 사람들이 오클라호마 출신이어서 그렇게 부른다.)의 실태는 미국에서 얼마나 무서운 일이 일어났었는지를 사람들에게 보여 주고 있었다. 한때는 자부심 강하고 자급자족

Like everyone else, the farmers of the Great Plains had suffered the effects of the Depression. But now they were completely wiped out : their farms were literally blowing away. Thousands of farm families left their homes in the Great Plains and fled westward, hoping to find jobs on the rich farms of California. There they became migrant (traveling) workers, laboring at low-paid, temporary jobs. They might pick fruit at harvest time and then be jobless the rest of the year, living in their cars or in miserable camps by the roadside. Because farm workers were not covered by the new Social Security laws, they got little help from the government. For some people, the "Okies" (so-called because many of them came from Oklahoma) showed how terrible things had become in America : a group of once proud and self-sufficient farmers were now living like serfs in the Middle Ages. The author John Steinbeck wrote one of the most famous American novels, "The Grapes of Wrath", about the suffering and endurance of the migrant workers.

했던 농민들이 이제는 중세 시대의 농노와 같이 살고 있었던 것이다. 미국에서 가장 유명한 소설 중의 하나인 '분노의 포도' 에서 존 스타인벡은 유랑 노동자들의 고통과 인내를 잘 그리고 있다.

Chapter 6

WORLD WAR Ⅱ AND THE COLD WAR

제2차 세계 대전과 냉전

Chapter 6

WORLD WAR Ⅱ AND THE COLD WAR

World War Ⅱ Begins

In 1938 Adolf Hitler began his march to conquer the world. In that year the German Army conquered first Austria and then what until recently was called Czechoslovakia. Germany' s old enemies, Britain and France, stood by nervously. They realized that if Germany were allowed to go on invading its neighbors, their own countries would soon lie in the path of conquest. So when the Germans invaded Poland in September 1939, Britain and France declared war on Germany. The Second World War had begun.

At the beginning of the war the Germans seemed unstoppable. Hitler had built up the most powerful army in Europe, and now it swept across the continent with frightening speed. The Germans themselves called their way of fighting Blitzkreig, or "lightning war." In April 1940 the Germans conquered Denmark and Norway The following month they captured Belgium and Holland, and then invaded France itself. Within a few short weeks the German Army succeeded in doing what it had failed to do through all the years of World War I : it conquered France.

제6장 제2차 세계 대전과 냉전

제2차 세계 대전이 일어나다

1938년, 아돌프 히틀러는 세계 정복을 위해 진군을 시작했다. 그 해, 독일군은 먼저 오스트리아를 정복했으며, 이어서 최근까지 체코슬로바키아로 불리는 곳을 정복했다. 독일의 오랜 적인 영국과 프랑스는 걱정스럽게 지켜보고 있었다. 그들은 독일이 이웃 나라들을 침략하도록 놓아둔다면 자신들까지 정복의 대상이 될 것이라는 것을 깨달았다. 그래서 1939년 9월에 독일이 폴란드를 침공하자 영국과 프랑스는 독일에 대한 전쟁을 선포했다. 제2차 세계 대전이 시작된 것이다.

전쟁 초기에 독일의 기세는 멈추지 않을 것 같았다. 히틀러는 유럽 최강의 군대를 갖고 있었고, 놀라운 속도로 유럽 대륙을 휩쓸고 있었다. 독일인들은 자신들의 전쟁 방식을 '블리츠크리그', 즉 '전격전'이라 불렀다. 1940년 4월, 독일은 덴마크와 노르웨이를 정복했다. 다음 달에는 벨기에와 네덜란드를 점령했으며, 이어서 프랑스에 침입했다. 불과 몇 주 만에 독일은 제1차 세계 대전의 전 기간 동안에도 하지 못한 것을 해냈다. 마침내 프랑스까지 정복하고 말았다.

이제 히틀러는 자신이 맹세했던 것처럼 유럽의 대부분을 지배하게 되었다. 영국만 그들에게 계속 저항하고 있었다. 영국은 섬나라였기 때문에 육군으로 공격하기 힘들었다. 하지만 비행기는 쉽게

Now Hitler dominated almost all of Europe, as he had sworn to do. Britain alone continued to resist him. Because Britain was an island, it was difficult for an army to invade it. But airplanes could cross the English Channel easily. So Hitler directed his air force to bomb the British until they surrendered. For months in what came to be known as the Battle of Britain, the Germans rained bombs on England, killing thousands of men, women, and children. But the British refused to give in. Winston Churchill, the prime minister of England, declared in a famous speech :

We shall defend our island, whatever the cost may be, we shall fight on the beaches, we shall fight on the landing grounds, we shall fight on the fields and in the streets, we shall fight in the hills ; we shall never surrender.

In the same speech, Churchill made a prediction. Sooner or later, he said, as in World War I , America would once again come to the rescue of Europe.

Should America Fight?

In the United States, the majority of the people sympathized with Britain' s lonely fight. But not many Americans were eager to go to war again. They remembered the horrors of World War I and many people were still isolationists. They thought that the United States could stay removed from Europe' s troubles, safe behind its ocean barrier.

영국 해협을 건널 수 있었다. 히틀러는 그래서 영국이 항복할 때까지 공습하라는 명령을 공군에 내렸다. '브리튼 전투' 라고 알려진 전쟁의 수개월 동안 독일군은 영국에 포탄을 퍼부었다. 수천 명의 영국 남자와 여자, 그리고 어린이 들이 죽었다. 하지만 영국은 항복하지 않았다. 영국 수상 윈스턴 처칠은 유명한 연설에서 다음과 같이 말했다.

"우리는 어떤 희생이 있더라도 우리의 섬을 지킬 것이다. 우리는 해변에서, 상륙 지점에서, 들판에서, 시가지에서, 그리고 산에서 싸울 것이다. 결코 항복하지 않을 것이다."

처칠은 같은 연설에서 하나의 예언을 했다. 조만간 제1차 세계 대전에서처럼 미국이 유럽을 구하기 위해 다시 올 것이라고.

미국은 싸워야 할 것인가?

미국에서는 대다수의 사람들이 영국만의 외로운 싸움에 동정하고 있었다. 하지만 다시 전쟁에 개입하기를 바라는 사람은 많지 않았다. 미국인들은 제1차 세계 대전의 공포를 기억하고 있었고, 고립주의자들이 여전히 다수였다. 미국이 대서양이라는 장벽 뒤에서 안전하게 유럽의 분쟁에서 물러나 있을 수 있다고 생각했다.

루스벨트 대통령은 이에 동의하지 않았다. 루스벨트의 생각으로는 독일의 침략은 민주주의의 존속을 위협하는 것이었다. 전쟁 상태에 있는 세계에서 미국이 평화로운 '고립된 섬나라' 로서 남아 있을 수 있다는 생각을 부정했다. 그는 말했다.

"세상은 너무 좁아졌다. 그리고 공격 무기는 너무 빨라 어느 나라도 안전할 수 없다."

President Roosevelt disagreed. To FDR, Germany' s conquests theatened the survival of democracy. He denied the idea that America could remain "a lone island" of peace in a world at war. "The world has grown so small," he said, "and weapons of attack so swift that no nation can be safe." FDR convinced Congress that America should aid Britain by sending weapons and supplies. He said that this was like helping your neighbor when his house catches on fire. You should be glad to lend him your garden hose so that the fire doesn' t spread to your own house.

At the same time, FDR argued, America had to build up its own defenses. In the period after World War I the American military had grown small and weak. Now FDR started a great program of rearmament. Almost a million men were drafted into the armed services. America, FDR declared, must become "the arsenal of democracy." Factories all over the country began building ships, planes, and tanks. With all the new work going on, the American economy began to finally recover from the Depression.

For the sake of democracy Americans were willing to make the United States an "arsenal." But they were not yet ready to fight. It took a military attack on American soldiers to convince Americans to enter the war. That attack came not from the Germans but from their Asian allies, the Japanese.

루스벨트는 미국이 군대와 물자를 보내 영국을 도와야 한다고 의회를 설득했다. 그는 영국을 돕는 것은 이웃에 불이 났을 때 도와야 하는 것과 같다고 말했다. 기꺼이 정원에 있는 호스를 이웃집으로 연결해 불이 자기 집으로 번지지 않게 해야 한다는 것이었다.

동시에 루스벨트는 미국 스스로도 국방을 증강시켜야 한다고 주장했다. 제1차 세계 대전 이후 미군의 규모는 줄었고 약해져 있었다. 이제 루스벨트는 재군비의 장대한 계획을 시작했다. 약 100만 명의 군인이 징집되었다. 미국은 '민주주의의 무기고'가 되어야 한다고 루스벨트는 선언했다. 미국 전역에 있는 공장들에서 선박, 비행기, 전차를 만들기 시작했다. 이와 관련된 모든 새로운 일들로 인해 미국의 경제는 마침내 대공황에서 벗어나기 시작했다.

미국인들은 민주주의를 위해 미국이 '무기고'가 되는 것을 기꺼이 받아들였다. 하지만 아직 싸울 준비가 되어 있지 않았다. 미국인들이 전쟁에 참여해야 한다고 확신시켜 줄 미군에 대한 군사적인 공격이 필요했다. 그러한 공격은 독일이 아니라 독일의 아시아 쪽 동맹국인 일본으로부터 시작되었다.

진주만 공격과 미국의 참전

나치스가 독일을 장악한 시기와 비슷한 때, 일본에서는 군인 세력이 권력을 장악했다. 이 새로운 군사 정부는 나치스가 유럽을 지배하려는 꿈을 꾸고 있던 것과 마찬가지로 아시아를 지배하고자 했다. 독일과 마찬가지로 일본도 이웃 나라를 침략하기 시작했다.

1937년, 일본은 중국에 대한 대대적인 공격을 시작했다. 장제스 지도하의 중국 국민들은 치열하게 맞섰다. 하지만 일본군은 강했고 결사적이었다. 1940년, 3년간의 처절한 싸움 끝에 일본은 동중국의 대부분을 지배하게 되었다. 그 해, 일본은 독일과 군사 동맹

Pearl Harbor Pushes America to War

About the same time that the Nazis took over Germany, a group of military men came to power in Japan. This new military government dreamed of ruling Asia just as the Nazis dreamed of ruling Europe. Like the Germans, the Japanese began by invading their neighbors.

In 1937 the Japanese launched a major invasion of China. The Chinese people, under their leader Chiang Kai-shek, fought back fiercely. But the Japanese Army was powerful and determined. In 1940, after three years of bloody fighting, the Japanese controlled much of eastern China. In the same year, Japan formed a military alliance with Germany.

In the United States, President Roosevelt watched the Japanese advance with great concern. He declared that Japan was an "aggressor nation," as dangerous as Germany. Then, in the summer of 1941, Japan occupied Indochina (the present-day countries of Vietnam, Laos, and Cambodia). Now the Japanese were poised to strike at Malaya, Indonesia, and the Philippines (where the United States had important military bases). Roosevelt responded by forbidding the export of oil, iron, and rubber to Japan. Without these raw materials, the Japanese war machine could not run. FDR warned that trade would not start again until the Japanese withdrew from both China and Indochina.

The Japanese government would not accept American interference in its plan for conquest. It decided to go to

을 맺었다.

미국에서는 루스벨트 대통령이 일본의 진격을 큰 우려 속에 지켜보고 있는 중이었다. 그는 일본을 독일과 마찬가지로 위험한 '침략국'이라고 규정했다. 1941년 여름에 일본은 인도차이나 반도(지금의 베트남, 라오스, 캄보디아)를 차지했다. 이제 일본은 말레이시아, 인도네시아, 그리고 필리핀(미국의 중요한 군사 기지가 있는)을 노리고 있었다. 루스벨트는 석유, 철, 고무의 일본으로의 수출을 금지시켰다. 이들 원자재가 없이는 일본의 전쟁 기계가 가동될 수 없었다. 루스벨트는 일본이 중국과 인도차이나에서 철수하지 않으면 무역이 재개되지 않을 것이라고 경고했다.

일본 정부는 자신의 정복 계획에 미국이 간섭하는 것을 달가워하지 않았다. 일본은 미국과 전쟁을 벌이기로 했다. 진주만을 먼저 기습 공격해 큰 타격을 준다는 것이었다. 진주만은 하와이의 오아후 섬의 미 해군 기지와 태평양 함대 사령부가 있는 곳이었다.

1941년 12월 7일 일요일 아침, 진주만 기지는 고요하고 평화스러웠다. 당직 근무자도 거의 없었다. 병사와 선원들은 늦잠을 자거나 교회 갈 준비를 하고 있었다. 함대 사령관은 골프를 치러 갈 채비를 하고 있었다.

오전 8시 5분 전, 갑자기 하늘이 비행기로 가득 찼다. 지상에 있는 사람들은 처음에 미국 공군이 연습 비행을 하고 있는 것으로 생각했다. 그러나 얼마 뒤 몇 대의 비행기가 지상을 향해 급강하했다. 미군 병사들은 비행기가 땅 가까이에 와서야 거기에 새겨진 마크를 볼 수 있었다. 일본의 '떠오르는 태양'을 상징하는 붉은색 원이었다. 한 장교가 "공습, 진주만. 이것은 연습이 아니다."라는 무선 통신을 발신했다. 사람들이 자기 위치로 달려가고 있을 때 일본 비행사들이 그들을 향해 급강하해서 기관총을 쏘아댔다. 작렬하는 폭탄이 지면을 강타했다. 일본 비행기에서 떨어뜨린 폭탄이 막사

war against the United States. And it struck the first, crippling blow in a surprise attack on Pearl Harbor, a U.S. Navy base on the island of Oahu in Hawaii, and headquarters of the Navy' s Pacific Ocean fleet.

On Sunday morning, December 7, 1941, the base at Pearl Harbor was calm and peaceful. Few men were on duty ; soldiers and sailors were sleeping late or getting ready for church. The admiral who commanded the fleet was dressing for a game of golf.

Suddenly, at five minutes before eight in the morning, planes filled the sky. At first the men on the ground thought that the American air force was practicing but then some of the planes started to dive toward the earth. They came so close to the ground that the American servicemen could see the symbol painted on each plane : a red circle, standing for the "rising sun" of Japan. An officer sent out the radio message : "AIR RAID, PEARL HARBOR. THIS IS NOT A DRILL." Men rushed to their duty stations while the Japanese pilots swooped down at them, machine guns blazing. All over the base exploding bombs ripped the ground. Japanese bombs fell on barracks and houses, killing men in their sleep. They fell on the airfield next to the naval base, destroying dozens of American planes.

For the Japanese pilots, the most important targets were the American warships in the harbor. Bombs and torpedoes rained down on the ships, while the crews scrambled to man their antiaircraft guns. One Japanese

와 집 위로 떨어져 잠자고 있는 사람들이 죽임을 당했다. 폭탄은 해군 기지 부근의 비행장에도 투하되어 수십 기의 비행기가 파괴되었다.

일본군 비행사들에게 가장 중요한 표적이 되었던 것은 항구에 있는 미국 군함이었다. 폭탄과 어뢰가 배에 비 오듯 투하되는 가운데, 승무원들은 기다시피 해서 대공포에 다가갔다. 그때 한 일본 비행사가 폭탄을 전함 애리조나호에 명중시켰다. (미 해군이 갖고 있던 가장 크고 강력한 배였다.) 다른 배에 있던 한 미군 승무원이 말했다. "거대한 애리조나가 독립 기념일에 쏘는 100만 발의 폭죽처럼 폭발했다." 공포의 한 순간에 1,000명 이상의 미군 승무원들이 박살이 났다.

진주만 공격

1941년 12월 7일, 일본군의 기습 공격으로 불타고 있는 진주만의 미 해군 기지. 이 공격으로 미군은 전함 4척이 침몰했고, 4척이 손상되었으며, 많은 함정, 비행기, 사람 들이 피해를 입었다. 일본군의 피해는 비행기 29대, 64명의 인명 손실뿐이었다.

pilot scored a direct hit on the battleship Arizona. (Battleships were the biggest, most powerful ships in the U.S. Navy.) An American sailor on another ship said, "That big Arizona blew up like a million Fourth of July." In a single horrifying moment, more than a thousand American sailors were blown to pieces.

The attack went on for two hours. The Americans fought back as best they could. But they had been caught unprepared, and the Japanese had planned well. By the time the Japanese pilots flew away, they had sunk or badly damaged nineteen ships and killed more than two thousand Americans.

The surprise attack on Pearl Harbor shocked and angered the American people. One day after the attack, President Roosevelt spoke to Congress. With anger in his voice, he proclaimed December 7, 1941, as "a date which will live in infamy." Then he asked Congress to declare war on Japan. Congress passed the declaration immediately. Days later, Japan's allies, Germany and Italy, declared war on the United States. America was once again involved in a world war.

After the Japanese attack, the American people united behind their president. Isolationist feeling disappeared almost overnight. Millions of young men flocked to join the military. "Remember Pearl Harbor!" became a rallying cry.

공격은 두 시간 동안 계속되었다. 미국인들은 최선을 다해 맞서 싸웠다. 하지만 거의 준비가 되어 있지 않았고, 그에 비해 일본군은 잘 준비되어 있었다. 일본군 비행사가 돌아가기까지 19척의 선박이 침몰하거나 치명적으로 파손되었고, 2,000명 이상의 미국인이 죽었다.

진주만의 기습은 미국인들에게 충격을 주었으며, 미국인들을 격분시켰다. 공격 다음 날, 루스벨트 대통령은 의회에서 연설했다. 그는 노한 음성으로 1941년 12월 7일을 '가장 파렴치한 공격으로 기록될 날' 이라고 선언했다. 그러면서 그는 의회에 대 일본 전쟁을 선포할 것을 요청했다. 의회는 즉각 선언을 통과시켰다. 며칠 뒤 일본의 동맹국인 독일과 이탈리아는 미국에 대해 전쟁을 선포했다. 미국은 다시 한번 세계 전쟁에 뛰어들었다.

일본의 공격 후 미국 국민들은 대통령 아래 굳게 뭉쳤다. 고립주의자들에게 동조하는 감정은 하룻밤 사이에 사라져 버렸다. 수백만 명의 젊은이들이 군에 입대했다. '진주만을 기억하라!' 가 슬로건이 되었다.

추축국 대 연합국

미국은 전쟁에 뛰어들자 독일, 일본, 이탈리아의 군사 동맹과 마주치게 되었다. 이탈리아는 '지도자' 를 뜻하는 '두체' 라고 불리고 있던 무솔리니라는 이름의 독재자가 통치하고 있었다. 무솔리니는 나치스와 마찬가지로 외국인에 대한 증오와 뒤섞인 강렬한 국가적 자존심으로 국민을 선동하는 파시스트 당의 당수였다. 독일, 일본, 이탈리아 세 나라는 추축국으로 알려졌다.

추축국의 반대편에는 미국, 영국, 중국, 소련의 동맹이 있었다. 이 나라들은 연합국으로 알려졌다. 연합국은 '자유 프랑스' 라는 단

The Axis Versus the Allies

Now that the United States had entered the war, it faced a military alliance of Germany, Japan, and Italy. Italy was ruled by a dictator named Mussolini, known as "Il Duce," meaning "the leader." Mussolini was the head of the Fascist Party ; a group that, like the Nazis, stirred up people with feelings of fierce national pride mixed with a hatred of foreigners. Together these countries – Germany, japan, and Italy – were known as the Axis powers.

Opposing the Axis was an alliance of the United States, Britain, China, and the Soviet Union. Together these countries were known as the Allied powers. The Allies also included a group known as the Free French – Frenchmen who refused to accept German rule in their country. The leader of the Free French was General Charles de Gaulle, a hero of the First World War. When the Germans took over France, De Gaulle escaped to England. From there he organized a fighting force of Frenchmen living overseas. He also directed groups of French civilians, known as the French Resistance, who fought an underground war against the Germans at home.

By fighting against the Axis, Americans believed they were fighting to preserve democracy. But not all of America' s allies were democratic countries. In fact, the Soviet Union was ruled by a brutal dictator, Joseph Stalin who had killed millions of his own countrymen in order to strengthen his power. Why would the Allies be willing to join forces with such a criminal? The answer takes us into

체도 포함하고 있었다. 이것은 독일의 프랑스 지배를 거부하는 프랑스 사람들의 조직이었다. 자유 프랑스의 지도자는 제1차 세계 대전의 영웅이었던 드골 장군이었다. 독일이 프랑스를 점령하자 드골은 영국으로 피했다. 거기서 드골은 해외에 살고 있던 프랑스 사람들의 전투 부대를 조직했다. 또 그는 프랑스 레지스탕스라고 알려진 프랑스 시민들의 그룹을 이끌었다. 그들은 프랑스 국내에서 독일에 대항해 지하 투쟁을 전개했다.

추축국과의 싸움에서 미국인들은 자신들이 민주주의를 지키기 위해 싸우고 있다고 믿었다. 하지만 미국의 동맹국 모두가 민주 국가는 아니었다. 실제로 소련은 잔인한 독재자인 조세프 스탈린이 다스리고 있었다. 그는 자신의 권력을 강화하기 위해 수백만 명의 자국 인민을 죽인 바 있다. 왜 동맹국 국가들이 그와 같은 범죄자와 힘을 합쳤던 것일까? 이에 대한 답을 알려면 전쟁이 가진 정치 역학을 알아야 한다. 전쟁은 때로는 부자연스런 동맹과 죄 없는 희생을 불러오기도 한다.

추축국의 승세

미국이 전쟁에 참가했을 때, 추축국이 전쟁에서 이길 것 같았다. 독일은 주변 국가들을 정복한 뒤 소련을 침공했다. 독일군은 수도인 모스크바에서 25마일밖에 떨어져 있지 않은 소련 영토 깊숙이까지 밀고 들어갔다. 한편 북아프리카에서는 독일군은 이집트(당시에는 영국의 식민지)를 차지하기 위해 영국과 싸움을 벌이고 있었다. 독일은 이집트를 차지해서 수에즈 운하를 거의 차지할 것처럼 보였다. 수에즈 운하는 유럽과 아시아 사이의 바다 무역을 통제할 수 있는 곳이었다.

지구의 다른 쪽에서는 일본이 성공을 거두고 있는 것처럼 보였

the politics of war, which sometimes leads to unnatural alliances and innocent victims.

The Axis at High Tide

When America entered the war, the Axis powers seemed to be winning. After conquering its neighbors, Germany had invaded the Soviet Union. The German Army had pushed deep into Soviet territory, coming within twenty-five miles of the capital city, Moscow. Meanwhile, in northern Africa, German forces were battling the British for possession of Egypt (then a British colony). It seemed as if Germany was about to take over Egypt, and with it the Suez Canal, which controls the sea trade between Europe and Asia.

On the other side of the world, the Japanese were just as successful. Within a few months of the attack on Pearl Harbor they took over the rest of Southeast Asia. After pushing down the Malay Peninsula, they conquered the vast territory of the Dutch East Indies (today called Indonesia). To the west they invaded Burma (today called Myanmar), advancing to the borders of Britain' s huge colony of India. To the east they invaded the Philippine Islands, which had been an American colony and still had large numbers of American troops stationed there. For six months, outnumbered American and Filipino forces heroically resisted the Japanese, but at last were forced to surrender.

In the Philippines American prisoners of war were treated very cruelly by their Japanese captors. By beating, starving,

다. 진주만 공격 이후 불과 몇 달 사이에 동남아시아의 나머지 지역을 차지했다. 말레이 반도로 밀고 내려간 다음, 네덜란드령 동인도(지금의 인도네시아)의 광대한 영토를 정복했다. 서로는 버마(지금의 미얀마)를 침공하여 영국의 거대한 식민지인 인도 국경까지 진출했다. 동으로는 미국의 식민지였다가 당시까지 미군이 주둔하고 있는 필리핀 제도까지 침공했다. 수적으로 우세한 미국인과 필리핀 인 군대는 여섯 달 동안 일본과 영웅적으로 싸웠지만 마침내 항복하고 말았다.

미군 포로들은 필리핀에서 일본군에 의해 매우 가혹한 대우를 받았다. 구타, 기아, 종종 벌어지는 포로 학살 등 일본군은 제네바 협약에 규정된 전쟁에 관한 전통적인 규칙을 어겼다. 제네바 협약은 19세기 말 대다수 나라가 동의해서 만들어진 포로, 병자, 부상자에 대한 인도적인 대우를 요구하는 규정들을 말하는 것이다. 미국 국내에서는 미군 포로들이 가혹한 대우를 받는 것에 대한 분노가 들끓었다. 일본군에 의해 가혹한 대우를 받은 것은 포로만이 아니었다. 일본이 건설한 새로운 제국 곳곳의 국민들은 남자, 여자, 어린이 할 것 없이 모두 가혹한 대우를 받았다. 일본 병사들은 일본인이 아닌 사람은 열등하며, 따라서 존경받을 만한 어떤 가치도 없다고 생각하도록 교육받았다.

유럽에서는 독일 병사들도 일본 병사들처럼 비게르만인들에 대해 그렇게 생각하도록 교육받았다. 일본 병사들처럼 그들도 매우 잔인한 정복자였다. 독일이 지배하는 곳에서 사람들은 공포 속에서 살아야 했다. 그중에서 특히 유대 인들은 독일에게 매우 큰 고통을 받았다.

and sometimes killing their prisoners, Japanese soldiers broke the traditional rules of warfare as spelled out in the Geneva Conventions, a set of rules agreed upon by most countries in the late nineteenth century that called for humane treatment of prisoners, the sick, and the wounded. Americans back home were angered to learn that their men had been treated so brutally. But it was not only captured soldiers who suffered from Japanese cruelty. Throughout Japan' s new empire, the citizens of conquered countries – men, Women, and children – were treated just as badly. Japanese soldiers had been trained to think of non-Japanese peoples as inferior and so not worthy of any respect.

In Europe, German soldiers had been trained to think of non-Germans in exactly the same way. So, like the Japanese, they became especially cruel conquerors. Wherever Germans ruled, the conquered peoples lived in terror. But no group suffered as much from German cruelty as the Jews.

The Holocaust

Adolf Hitler hated the Jewish people. After the war began, Hitler decided to bring about what he called "the final solution to the Jewish question." This "solution" was as simple as it was horrifying : all the Jews of Europe were to be murdered.

In the early 1940s, the Nazis built prison camps and

홀로코스트

아돌프 히틀러는 유대 인을 증오했다. 전쟁이 시작된 뒤 히틀러는 이른바 '유대 문제에 대한 마지막 해결책'으로 불린 것을 실행하기로 했다. 이 '해결책'은 공포 그 자체였다. 즉, 유럽에 있는 모든 유대 인을 죽이는 것이었다.

1940년대 초 나치스는 독일과 폴란드에 포로 수용소와 죽음의 수용소를 만들었다. 전 유럽에 있는 유대 인(및 히틀러가 생각하는 '아리안족' 규범에 맞지 않는 인종들)을 모두 잡아들여 이들 수용소에 보냈다. 죽음의 수용소는 마치 살인 공장과도 같았다. 남자, 여자, 어린이 할 것 없이 모두 가스실이라 불리는 크고 텅 빈 방에 몰아넣었다. 그리고 문이 닫히면 독가스가 방안에 주입되어 그 안에 있는 사람들을 몇 분 안에 모두 죽이는 것이었다. 시체는 운반되어 불태워지고, 다시 새로운 희생자가 들어왔다. 이 가스실은 나치즘이 지

홀로코스트
제2차 세계 대전 중, 510만 명에서 650만 명에 이르는 유대 인이 나치스에게 살해되었다. 사진처럼 수백 명의 여자들과 어린이들이 수용소에서 한 개의 방에서 살았다.

death camps in Germany and Poland. All over Europe Jews (and other people who didn' t fit Hitler' s "Aryan" model) were rounded up and sent to these camps. The death camps were like factories for killing. Men, Women, and children were herded like cattle into large, empty rooms, called gas chambers. Then the doors were shut and poisoned gas was pumped into the rooms, killing all those inside in minutes. The corpses were taken away and burned to make room for new victims. These gas chambers became a symbol of the evil of Nazism.

Today the mass murder of the Jews is known as the Holocaust (a word meaning "total destruction"). The Holocaust was one of the worst crimes in the history of the world. It was a cold, calm, deliberate attempt to commit genocide – the systematic killing of a whole racial or cultural group. The Holocaust claimed the lives of six million Jews – two thirds of the Jewish population of Europe.

During World War Ⅱ few Americans knew about the existence of the death camps. But at the end of the war when American troops entered the camps, even the toughest soldiers were shocked by what they found there. At the camp called Buchenwald, soldiers found something that especially appalled them. It was a bin full of thousands of pairs of tiny shoes, taken from Jewish babies before they were gassed to death.

The War in the Pacific

The world' s largest ocean, the Pacific, lies between Japan

닌 악의 상징이 되었다.

오늘날 유대 인에 대한 대량 학살은 '홀로코스트'('총체적인 파괴'를 뜻하는 말이다.)로 알려져 있다. 홀로코스트는 세계 역사상 가장 나쁜 범죄 중의 하나이다. 그것은 냉혈적으로, 조용히, 주도면밀하게 대량 학살을 꾀하는 것이었다. 즉, 어떤 인종 전체 또는 어떤 문화 집단을 조직적으로 살해하는 것이었다. 홀로코스트는 유럽에 사는 유대 인의 $\frac{2}{3}$에 해당하는 600만 명의 목숨을 앗아갔다.

제2차 세계 대전 중에 미국인들은 죽음의 수용소가 있다는 것을 몰랐다. 그런데 전쟁이 끝나갈 무렵 미군이 이들 수용소에 진주하면서, 가장 거친 병사들조차 거기서 본 것에 충격을 받지 않을 수 없었다. 특히 '부헨발트'라는 수용소에서 미군 병사들은 소름이 끼치는 광경을 목격했다. 그것은 유대 인 아이들이 독가스로 죽기 전에 벗어두었던 수천 켤레의 작은 신발이 가득 들어 있는 커다란 상자였다.

태평양 전쟁

일본과 미국 사이에는 세계에서 가장 큰 바다인 태평양이 있다. 태평양에는 수많은 작은 섬들이 흩어져 있는데, 그 섬들 중 많은 섬들이 제1차 세계 대전 이래 일본에 의해 점령되어 있었다. 미국이 제2차 세계 대전에 참전했을 때 일본은 태평양의 서쪽 반을 지배하고 있었다.

이후 일본은 미국에 더 가까이 접근하려 하고 있었다. 그들은 미국이 점령하고 있던 군도인 미드웨이를 공격했다. 1942년 6월, 일본과 미국의 해군은 배보다는 비행기로 싸우는 새로운 해상 전투 방식으로 미드웨이에서 맞붙었다. 항공모함이라는 거대한 배에서 이륙한 비행기가 적의 선박을 공격하는 것이었다. 이 전투로 일본

and the United States. The Pacific is dotted with thousands of small islands, many of which had been occupied by Japan since World War I. By the time America entered World War Ⅱ, Japan dominated the western half of the ocean.

Then the Japanese tried to move even closer to the United States. They attacked Midway, a group of islands occupied by the United States. In June 1942, the Japanese and American navies dashed off Midway in a new kind of naval battle, one fought by planes rather than ships. Planes took off from the decks of large ships called aircraft carriers, and attacked the enemy's vessels. In this battle the Japanese lost their four best carriers, and were forced to retreat. The Battle of Midway halted the Japanese advance across the Pacific.

Now the Americans went on the offensive. They began the long process of "island hopping," fighting their way from island to island. Navy ships would carry soldiers and marines to an island occupied by the Japanese. The marines would storm ashore and capture the beaches. Then they would battle their way into the jungles where the Japanese troops were hidden.

The fighting on these Pacific Islands was especially brutal. The Japanese were skilled jungle fighters. They were also brave and dedicated. Again and again they fought to the death, refusing to surrender. But over the next three years the Americans captured island after island, painfully inching toward Japan.

은 최고의 항공모함 4척을 잃었고, 후퇴를 할 수밖에 없었다. 미드웨이 해전은 일본이 태평양에서 진격하는 것을 저지시켰다.

이제 미국인들은 공격에 나섰다. 섬에서 섬으로 옮겨 다니며 전투를 벌이는 '섬 건너뛰기' 라 불리는 긴 싸움의 여정에 올랐던 것이다. 해군의 배가 군인과 해병대를 일본이 점령하고 있던 섬에 데려다 주었다. 먼저 해병대가 해변을 공략해서 장악했다. 그러고 나서 일본군이 숨어 있는 정글 속으로 공격해 들어가는 것이다.

태평양 섬들에서의 전투는 매우 잔인했다. 일본군은 정글 전투에 익숙해 있었다. 또 용감하고 헌신적이었다. 그들은 항복하는 것을 거부하고 죽을 때까지 계속해서 싸웠다. 하지만 그 후 3년 동안 미국은 섬들을 하나씩 차지해 나갔고, 일본을 향해 고통스럽게 조금씩 전진했다.

일본계 미국인의 강제 수용

일본계 미국인은 대부분 미국의 서부 해안가에 살고 있었다. 진주만 공습 이후 미국인들은 일본인에 대해 분노했다. 그런데 그 분노는 부당하게도 일본계 미국인들에게 향해졌다. 사람들은 일본계 미국인은 믿을 수 없으며 미국보다는 일본에 더 충성한다고 비난했다. 정부 관리들조차 일본계 미국인들은 일본의 첩자라고 말했다.

루스벨트 대통령이 서명한 '임시 명령' 은 일본계 미국인을 배척하라는 특별한 명령을 담고 있지 않았지만, 결과적으로는 많은 사람들이 억류되었다. 그 명령에 의하면, '간첩 행위 및 방해 행위' 를 방지하기 위해 군의 사령관은 위험하다고 생각되는 사람을 체포해서 재판 없이도 강제 수용소에 수용할 수 있도록 되어 있다. 미국에 살고 있는 독일과 이탈리아 사람 2,000명 정도를 위험하다고

The Internment of Japanese-Americans

Large numbers of Japanese-Americans lived on America' s West Coast. After the attack on Pearl Harbor Americans were enraged at the Japanese, and many unfairly turned their anger on Japanese-Americans as well. People said that Japanese-Americans could not be trusted, and accused them of being more loyal to Japan than to the United States. Government officials even claimed that Japanese-Americans were spying for Japan.

The "extraordinary order" signed by President Roosevelt did not specifically order the removal of Japanese-Americans, but it did result in their mass internment. The order said that, to protect "against espionage and against sabotage," military commanders could take people considered dangerous and, without any sort of trial, put them in detention (holding) camps. About two thousand Germans and Italians living in America were declared dangerous enough to be interned in these camps. Their families were given the choice to join them if they wished. But Japanese-Americans were given no choice. More than one hundred and ten thousand Japanese-Americans – men, women, and children – were uprooted from their homes on the West Coast.

Not until the end of 1944 did the government take back the order interning Japanese-Americans. Today most Americans realize that this order was a terrible injustice, an injustice bred by racism. German-Americans and Italian-Americans did not suffer the same extreme treatment. Only

보고 수용소에 억류하도록 했다. 가족들은 원한다면 수용소에서 억류자와 함께 지낼 수 있도록 했다. 하지만 일본계 미국인들에게는 선택권이 없었다. 11만 명 이상의 일본계 미국인들(남자, 여자, 어린이 들)이 서부 해안가에 있는 자신들의 집에서 쫓겨났다.

1944년 말이 되어서야 정부는 일본계 미국인들이 집으로 돌아갈 수 있는 명령을 내렸다. 오늘날 대부분의 미국인들은 이 명령이 인종 차별에 기인하는 매우 불공정한 것이었다고 인식하고 있다. 독일계 미국인이나 이탈리아계 미국인들은 일본계 미국인들처럼 고통스런 대우를 받지는 않았다. 대다수의 백인 미국인들과는 모습이 다른 아시아계 사람들만이 충성심이 없다는 의심만으로 격리되었던 것이다. 미국은 해외에서 인권을 위해 싸웠지만, 본국에서는 많은 죄 없는 사람들의 인권을 빼앗았던 것이다.

디데이

1942년 말, 연합국은 독일이 러시아와 이집트에서 진격하는 것을 저지했다. 몇 달 뒤 연합국은 유럽을 독일로부터 되찾기 시작했다.

1943년 여름, 영국과 미국의 군대가 독일의 동맹국인 이탈리아를 공격했다. 영국과 미국의 군대가 이탈리아의 수도인 로마에 입성하기까지는 그로부터 1년이 걸렸다. 로마 탈환 이틀 뒤 연합국의 대규모 군대가 노르망디라는 지역에 있는 독일군에 대대적인 공격을 가하기 위해 프랑스 북부 해안에 상륙했다. 미국의 장군 드와이트 아이젠하워가 연합국의 지휘를 맡았다.

1944년 6월, '디데이(결전의 날)' 로 기억되고 있는 그날에 연합군의 공격이 시작되었다. 새벽 무렵, 수만 명의 연합국 군인들이 노르망디 해변에 몰려들었다. 몇 곳에서는 수적으로 우세한 연합군이 신속하게 독일군을 물리쳤다. 하지만 오마하 해변에서는 미군

people of Asian descent who looked different from the majority of white Americans, were locked away merely on suspicion of disloyalty. While the United States was fighting for human rights abroad, it had taken away the rights of thousands of innocent people at home.

D-Day

In late 1942 the Allies stopped the German advance in Russia and Egypt. A few months later, the Allies started to take Europe back from the Germans.

In the summer of 1943, the British and Americans invaded Germany' s ally, Italy. It took the British and Americans a year to fight their way to Rome, the Italian capital. Then, two days after the capture of Rome, a huge Allied force landed in northern France to mount a gigantic assault against German troops in the area called Normandy. The American general Dwight Eisenhower was in charge of the Allied forces.

On June 6, 1944, a day that would be remembered as "D-Day," the Allied armies struck. At dawn, tens of thousands of Allied troops swarmed onto the beaches of Normandy. At some places the Allies quickly overcame the outnumbered Germans. But at a place called Omaha Beach, American troops met with fierce resistance. The beach was covered with mines, barbed wire, and German "pillboxes" – small forts with machine-gunners inside. From cliffs above the beach, German artillery fire rained

은 치열한 저항에 부딪혔다. 해변은 지뢰와 가시가 있는 철조망, 그리고 독일형 토치카(기관총을 장착한 소형 요새)로 덮여 있었다. 해변 위의 벼랑에서는 독일군의 대포가 상륙하려는 미군의 배를 향해 포탄을 퍼부었다. 많은 병사들이 해변에 내리지도 못하고 배에서 포탄을 맞았다. 무거운 전투 장비를 지닌 채 해변을 향하는 도중에 익사하거나 총에 맞아죽는 병사도 많았다. 또 해변에 도착하고 난 다음에 죽는 병사도 많았다.

미군은 해안에 상륙하기 위해 천천히, 그리고 고통스럽게 싸웠다. 소규모의 용감한 특수 부대원들이 해안 절벽 위에 있는 독일군 대포를 공략하기로 했다. 그들은 독일군의 수류탄을 민첩하게 피해가면서 벼랑 위로 밧줄을 타고 올랐다. 마침내 그들은 위에 올랐고 독일군의 대포를 파괴했다.

긴 하루 동안의 전투가 끝나고 연합군은 노르망디 해안을 장악하고는 1마일 가량 내륙으로 전진했다. 그 다음 몇 주 동안 더 많은 연합군 병사들이 상륙했다. 첫 한 달 동안에만 100만 명이 상륙했다. 이 거대한 물결은 몇 달 사이에 독일군을 프랑스에서 몰아낼 수 있었다. 10월에는 프랑스 대부분의 지역이 해방되었다. 한편 소련은 독일

디데이
1944년 6월 6일 새벽부터 약 600척의 함정, 4,000척의 수송선을 사용하여 하루 만에 87,000명의 병사와 7,000대의 차량을 상륙시키는 대작전을 펼쳤다.

down on the American landing craft. Many men were blown up in their boats. Others drowned or were shot as they struggled to wade ashore in their heavy combat gear. Still others were cut down as they moved up the beach.

Slowly and painfully the Americans fought their way ashore. A small, daring group of U.S. Rangers decided to capture the artillery on the cliffs. They scaled the cliffs with ropes, dodging German hand grenades as they climbed. Finally they reached the top and destroyed the German guns.

At the end of a long day of fighting, the Allies had taken the beaches of Normandy and moved inland about a mile. In the following weeks more and more Allied troops would land – one million in the first month alone. Over the next few months, this mighty wave would hurl the Germans out of France ; by October most of the country was liberated. Meanwhile, the Soviets, having driven the Germans out of Russia, were sweeping across Eastern Europe. By the beginning of 1945 all that remained of the Nazi empire was Germany itself.

Meeting at Yalta

In February, 1945, the three main Allied leaders – Churchill, Roosevelt, and Stalin – met at the city of Yalta in the Soviet Union. Now that Germany was almost defeated, they wanted to make plans for the future. It was agreed that Germany would be divided by troops from all of the

을 러시아에서 몰아내고 동유럽을 가로질러 독일군을 소탕하고 있었다. 1945년 초, 남아 있는 나치 제국이라고는 독일 본토밖에 없었다.

얄타 회담

1945년 2월, 연합국의 3인의 주요 지도자인 처칠, 루스벨트, 그리고 스탈린은 소련의 얄타라는 도시에서 만났다. 이제 독일은 거의 패배했다. 그들은 미래를 위한 계획을 세우기를 원했다. 먼저 모든 연합국의 군대가 독일을 점령하는 데 합의했다. 독일을 4개의 '영역' 또는 부분으로 나누어, 영국, 미국, 프랑스, 소련의 4개 점령국이 관리한다는 것이었다.

처칠과 루스벨트는 동유럽 국가들의 운명에 관심이 많았다. 독일에 점령되었던 이들 나라는 당시에는 소련 군대가 진주해 있었다. 특히 처칠은 나치의 동유럽 지배가 소련의 지배로 대체되는 것을 우려했다. 스탈린은 이미 폴란드에 공산주의 정부를 만들어 놓은 상태였다. 얄타 회담에 참석한 다른 연합국 지도자들의 압력 때문에 스탈린은 전쟁 이후 동유럽에서 자유 선거를 치루는 데 동의했다. 하지만 처칠이 우려했던 대로 스탈린은 이 약속을 지킬 의사가 없었다.

얄타 회담 때의 처칠, 루스벨트, 스탈린(왼쪽부터)

Allied nations. It would be divided into four "zones" or parts, each run by one of the four occupiers – Britain, the United States, France, and the Soviet Union.

Churchill and Roosevelt were also concerned about the fate of the Eastern European nations. These countries had been conquered by the Germans and were now occupied by Soviet troops. Churchill in particular worried that the Nazi domination of Eastern Europe would be replaced by Soviet domination. Stalin had already set up a Communist government in Poland. Under pressure from the other Allied leaders at the Yalta meeting, Stalin had agreed to hold free elections in Eastern Europe after the war. But as Churchill feared, Stalin had no intention of keeping this promise.

FDR Dies ; Truman Becomes President

At their meeting in Yalta, Churchill noticed that Roosevelt looked frail and sick. Before the war, the president despite his disability, had been vigorous and energetic. But the tremendous strain of the past four years had worn him down. When he returned to the United States, he gave a speech to Congress. For the first time, instead of struggling to stand up with the help of braces, FDR spoke from his wheelchair.

One day in April 1945, FDR was having his picture painted by an artist. Suddenly he said, "I have a terrific headache," and fell unconscious. A few hours later he was dead. Americans

루스벨트의 죽음 ; 트루먼이 대통령이 되다

얄타 회담에서 처칠은 루스벨트가 약하고 병 기운이 있다는 것을 느꼈다. 전쟁 전, 루스벨트 대통령은 신체의 장애에도 불구하고 정력적이고 활기에 충만해 있었다. 하지만 그는 지난 4년간의 전쟁이 가져다 준 중압감 때문에 쇠약해졌다. 그는 미국으로 돌아왔을 때 의회에서 연설을 했다. 목발에 의지하지 않고 휠체어에 앉아서 연설을 한 것은 처음이었다.

1945년 4월 어느 날, 루스벨트는 한 화가에게 자신의 초상화를 그리게 했다. 그는 돌연 "두통이 너무 심하다"고 하면서 쓰러져 의식을 잃었다. 그는 몇 시간 뒤 죽었다. 미국인들은 대공황과 전쟁의 긴 시간 동안 그들을 이끌었던 그를 애도했다. 그는 승리를 바로 눈앞에 둔 시점에서 목숨을 거두었다.

루스벨트의 뒤를 부통령이었던 해리 S 트루먼(S 다음의 점이 없는 것은 이때의 S가 생략형이 아니라 미들 네임 그 자체이기 때문이다.)이었다. 트루먼이 대통령으로 집무를 시작한 첫날 한 기자가 갑작스럽게 대통령이 된 기분이 어떠한지를 물었다. 농촌 출신인 그가 대답했다. "당신 머리 위에 황소 한 마리 또는 건초더미가 떨어져 본 적이 있는가?"라고. 그는 책임의 중압감을 느끼고 있었지만 전쟁의 마

프랭클린 델러노 루스벨트
1882~1945
제32대 대통령. 그는 라디오를 통해 국민에게 정책이 가진 의미를 설명하는 '노변 담화'를 시작하여 인기를 얻었다. 1933년부터 1945년까지 대통령직에 있었다. 그 이전에는 관례에 따라, 그의 사후에는 법률에 의해 대통령의 임기는 두 번으로 한정되어 있었다. 오직 그만이 대통령을 세 번 역임했다.

mourned the man who had led them through the long years of Depression and war, only to die with victory in plain sight.

FDR was succeeded by his vice president, Harry S Truman. (The "S" is spelled without a period because, oddly enough, "S" is not an abbreviation but Truman's whole middle name.) On his first day in office, a reporter asked Truman how he felt about becoming president so suddenly. Truman, who had grown up on a farm, replied, "Have you ever had a bull or a load of hay fall on you?" Although the new president felt crushed by the weight of his responsibilities, in the last months of the war, he would prove to be a tough, effective leader.

Victory in Europe

The war in Europe was rapidly drawing to a close. British and American armies invaded Germany from the west; Russian armies invaded it from the east. At the end of April the Anglo-American and Russian forces came together deep inside Germany, and Germany's capital, Berlin, was falling to Russian troops. A few days after the Allied armies linked up, Adolf Hitler was dead. The German dictator who had plunged the world into war shot himself to avoid being captured by his enemies. On May 7, 1945, Germany surrendered.

The surrender of Germany left Japan to fight on alone. But by then Japan too was nearly defeated. For almost three years the Americans had battled their way across the Pacific.

지막 몇 달 동안 자신이 타협을 모르는 능력 있는 지도자라는 것을 보여 주었다.

유럽에서의 승리

유럽에서의 전쟁은 급속히 막을 내리고 있었다. 영국과 미국의 군대는 서쪽으로부터 독일을 공격해 들어갔다. 러시아 병사들은 동쪽에서 공격했다. 4월 말, 미군과 러시아군은 함께 독일 깊숙이 공격해 들어갔고, 러시아군이 독일의 수도인 베를린을 점령했다. 며칠 뒤 연합국 군대가 합류했고, 아돌프 히틀러는 죽었다. 전 세계를 전쟁으로 몰아넣은 독일의 독재자는 적군에 포로로 잡히지 않으려고 스스로 목숨을 끊었다. 1945년 5월 7일, 독일이 항복했다.

독일의 항복으로 일본만 전쟁을 하게 되었다. 하지만 이 무렵 일본도 패색이 짙어가고 있었다. 그때까지 약 3년 동안 미군은 태평양을 가로질러 싸워나가고 있었다. 과달카날, 사이판, 이오지마 등의 섬들이 격렬한 전투 끝에 차례로 함락되었다. 1945년 4월, 미군은 일본 본토에서 400마일밖에 떨어져 있지 않으며 방어가 견고한 섬인 오키나와에 대한 대대적인 공세에 들어갔다. 미국의 병사들과 해병대가 섬의 한쪽 끝에서 다른 한쪽 끝까지 진격해 나가는 데 석 달이나 걸렸다.

이오지마 전승 기념비
1945년 2월, 이오지마 섬을 빼앗은 미군의 기념비. 이곳에서 미군은 29,000명이 죽거나 다쳤고, 일본군은 21,000명이 죽었다.

오키나와를 점령한 직후 미군은 독일이 항복했다는 소식을 들었다. 이제 그들은 일본

Island after island – Guadalcanal, Saipan, Iwo Jima – had fallen after furious fighting. Then, in April 1945, the Americans launched an assault on Okinawa, a large, well-fortified island only four hundred miles south of Japan. It took American soldiers and marines almost three months to fight their way from one end of the island to the other.

Shortly after they captured Okinawa, the American troops learned that Germany had surrendered. Now they started preparing for the invasion of Japan itself. But as it turned out, Okinawa was the last battle of the Pacific war. Japan would be defeated not by an invasion but by the use of a terrible new weapon.

The Atomic Bomb

In the 1930s scientists found that by splitting the nucleus of certain heavy atoms, like uranium 235, they could release an unbelievable amount of energy. Scientists began working on a way to use this new form of energy for military purposes. They hoped to create a "super-bomb" that would be more powerful than any weapon that had ever existed. As the war went on, the United States government invested more and more money in this attempt. Then, in 1942, it set up the Manhattan Project, which coordinated the efforts of all the individual scientists working on the atomic bomb.

Scientists in America worked hard on the project partly

본토를 공격할 준비에 착수했다. 하지만 결국에는 오키나와 전투가 태평양 전쟁의 마지막 싸움이 되었다. 일본이 패배하게 된 것은 본토 침공에 의한 것이 아니라 가공할 신무기에 의한 것이었다.

원자 폭탄

1930년대에 과학자들은 우라늄 235와 같은 무거운 원소의 원자핵을 분열시키면 믿을 수 없을 정도의 에너지가 발생한다는 것을 발견했다. 과학자들은 이 새로운 형태의 에너지를 군사 목적에 사용할 방법에 대해 연구하기 시작했다. 그때까지 존재했던 어떤 무기보다도 위력이 강한 '초강력 폭탄'을 개발하려는 것이었다. 전쟁이 진행됨에 따라 미국 정부는 이 실험에 점점 더 많은 돈을 쏟아부었다. 그리하여 1942년에는 맨해튼 계획을 수립했다. 원자 폭탄 연구를 하고 있던 개별 과학자들의 성과를 하나로 종합하기 위해서였다.

미국의 과학자들은 독일이 최초로 '초강력 폭탄'을 개발할지 모른다고 걱정하고 있었기 때문에 그 계획에 열심이었다. 하지만 독일이 이미 패배하고 나서야 실험에 들어갈 수 있었다. 1945년 7월, 뉴멕시코 주의 사막에서 최초의 원자 폭탄이 폭발했다. 보통의 폭발물 1만 5천 톤에 해당하는 위력이었다. 사막 전체가 갑자기 태양보다 더 밝아졌다. 이어서 강력한 지진이 일어난 것과 같이 지면이 흔들리고, 허리케인 같은 강한 바람이 사막을 휩쓸었다. 이 폭발로 막대한 양의 치명적인 방사선이 방출되었다. 과학자들은 거대한 구름이 공중으로 치솟아 버섯 모양으로 되는 것을 보았다. 폭탄이 지닌 거대한 파괴력을 보고 과학자 중 한 사람이 힌두교 경전의 한 구절을 떠올렸다. "나는 죽음의 신, 세계의 파괴자가 되었다."

because they feared that Germany might develop the "superbomb" first. But it was not until Germany had already been defeated that an atomic bomb was ready for testing. In July 1945, the first atomic bomb was set off in the New Mexico desert. It exploded with the force of thirteen thousand tons of ordinary explosive. The whole desert flooded suddenly with a light brighter than the sun. The ground rocked as if hit by a powerful earthquake, then a wind as strong as a hurricane swept across the desert. The explosion released huge amounts of deadly radiation. The scientists saw a gigantic could rise high into the air, taking the shape of a mushroom. The vast destructive potential of the bomb made one of the scientists remember a line from the Hindu scriptures : "I am become Death, the Shatterer of worlds."

Hiroshima, Nagasaki, and the Surrender of Japan

Meanwhile, despite the defeat of Germany, the Japanese refused to Surrender. Beaten on all fronts, Japan had retreated from the territories it had conquered in china and Southeast Asia. But it still had two million soldiers inside Japan itself. Japanese civilians, too, were being armed to resist an invasion. President Truman knew that the Japanese were trained to fight to the death. He believed that Japan could be invaded only at a huge cost in American lives. So in order to force the Japanese to surrender, Truman ordered the

히로시마, 나가사키, 그리고 일본의 항복

독일은 패배했다. 그러나 일본은 항복하기를 거부했다. 모든 전선에서 패배하고 있던 일본은 중국과 동남아시아에서 정복했던 영토로부터 후퇴했다. 그러나 일본 본토에는 아직 200만 명의 병력이 남아 있었다. 일본의 민간인들도 공격에 맞서기 위해 무장하고 있었다. 트루먼 대통령은 일본인이 죽을 때까지 싸우도록 훈련되었다는 사실을 알게 되었다. 일본 본토로 공격해 들어가기 위해서는 많은 미국인들의 목숨이 희생되어야 한다고 생각했다. 그래서 그는 일본을 항복시키기 위해 2발의 원자 폭탄을 투하하도록 명령했다.

1945년 8월 6일, 첫 번째 원자 폭탄이 히로시마에 투하되었다. 거대한 불덩이가 내뿜는 최초의 섬광에 8만 명이 순식간에 목숨을 잃었다. 화상과 방사능의 영향으로 이후에 수만 명이 더 죽었다. 도시의 대부분이 불타 없어졌다.

히로시마 원폭 투하 이후에도 일본 정부는 미국이 요구하는 항복을 거부했다. 사흘 뒤, 두 번째 원자 폭탄이 떨어졌다. 이번에는

나가사키 원폭 투하
1945년 8월 9일, 나가사키에 떨어진 원자 폭탄에 의해 일어난 버섯구름. 원폭으로 27만 명의 시민 중 7만 명이 죽었다.

원폭에 의해 파괴된 한달 뒤의 나가사키의 모습

dropping of two atomic bombs on Japan.

The first bomb was dropped on August 6, 1945, on the city of Hiroshima. In the first flash of the giant fireball, eighty thousand people died in a single moment. Tens of thousands more died later, from burns or from the effects of radiation. Most of the city was burned to the ground.

Even after the bombing of Hiroshima, the Japanese government rejected American demands for surrender. Three days later a second atomic bomb was dropped, this time on the city of Nagasaki. Finally, the Japanese government, fearing the destruction of the whole country, agreed to surrender to the Allies.

World War II was over. In six years of conflict some forty million people around the world had lost their lives. A terrifying new weapon had ended one of the most terrible wars in the history of the world.

The "Superpowers" Square Off

At the end of World War II, the most powerful nations in the world were the United States and the Soviet Union. Although these two "superpowers" had managed to overlook their differences and fight together as allies, once the war ended they became enemies.

The two nations had very different political systems. The United States was (and is) a democratic country with a government freely elected by its citizens, whose individual

나가사키였다. 전 국토가 파괴될까봐 두려워한 일본 정부는 마침내 연합국에 항복하는 데 동의했다.

제2차 세계 대전은 끝났다. 6년간의 전쟁으로 전 세계에서 4천만 명이 목숨을 잃었다. 세계 역사상 가장 끔찍한 전쟁 중의 하나가 무서운 신무기에 의해 끝을 맺게 되었다.

'초강대국'의 대치

제2차 세계 대전이 끝나고 미국과 소련은 세계에서 가장 강력한 국가가 되었다. 이들 두 '초강대국'은 서로의 차이를 접어두고 연합국의 일원으로 함께 싸웠지만, 전쟁이 끝나자마자 적이 되었다.

두 나라는 정치 체제가 매우 달랐다. 미국은 시민들이 자유로이 뽑은 정부를 갖고 있는 민주 국가였다. (그리고 지금도 그렇다) 미국 시민의 권리는 헌법에 보장되어 있었다. (그리고 지금도 그렇다) 하지만 소련은 억압적인 전체주의 국가였다. 정치, 경제, 사회 등 생활의 모든 면이 정부의 통제 아래 있었다. '국가의 이익' 때문이라는 이유로 소련의 국민들은 언론, 출판, 종교의 자유를 갖지 못했다. 이것은 미국인들에게는 매우 소중한 권리였다.

미국과 소련은 경제 체제에서도 달랐다. 미국은 자본주의 국가였다. (그리고 지금도 그렇다) 개인들과 사업가들은 자유로이 많은 경제적인 결정을 내린다. 하지만 소련은 공산주의 체제였다. 정부가 경제의 모든 면을 통제했다. 소련의 공산주의 지도자들은 자본주의는 악이며 그것이 존재하는 나라는 반드시 멸망할 것이라고 믿었다.

rights were (and are) guaranteed by the Constitution. But the Soviet Union had become an oppressive totalitarian State, in which all aspects of life – economic, political, and social – were controlled by the government. In the name of "the good of the state," Soviet citizens were denied freedom of speech, freedom of the press, and freedom of religion – rights especially cherished by Americans.

The United States and the Soviet Union also differed in their economic systems. America was (and is) a capitalist country, in which individuals and businesses are free to make many economic decisions. The Soviet Union, however, had a Communist system, in which the government controlled all aspects of the economy. The Communist rulers of the Soviet Union believed that capitalism was evil and must be overthrown wherever it existed.

The Truman Doctrine and the Marshall Plan

After World War Ⅱ, the Soviet Union set up Communist governments in the countries of Eastern Europe. In 1946 the British prime minister, winston Churchill declared that "an iron curtain has descended over Europe." He meant that Europe was now divided in two, with a strong barrier between the two parts. Western Europe was capitalist and democratic, while Eastern Europe was ruled by Communist governments set up by the Soviets. Churchill went on to say that the Soviets were trying to spread their

트루먼 독트린과 마셜 플랜

제2차 세계 대전 후 소련은 동유럽 나라들에 공산주의 정부를 세웠다. 1946년에 영국의 수상 윈스턴 처칠은 "유럽에 철의 장막이 내려져 있다."고 말했다. 강력한 장벽에 의해 유럽이 두 개로 나뉘어져 있다는 것이었다. 서유럽은 자본주의이자 민주주의 국가인 반면, 동유럽은 소련이 세운 공산주의 정부가 지배하고 있었다. 그리고 처칠은 소련이 권력을 더욱 확대하려 한다고 말했다. 그는 민주 국가들은 소비에트 권력과 공산주의 이념의 확산을 저지하자고 호소했다.

미국 대통령 해리 트루먼은 처칠의 생각에 동의했다. 1947년, 그는 트루먼 독트린을 발표했다. 미국은 공산주의의 위협을 받는 국가를 돕겠다는 것이었다. 트루먼 독트린은 그리스에서 첫 시험대에 올랐다. 공산주의자들이 정부를 전복시키려고 했었다. 미국은 그리스에 무기를 살 수 있는 돈, 그리고 그리스 군과 함께 싸울 미군 장교를 보냈다. 1949년에 공산주의들은 타도되었다.

해리 트루먼 1884~1972
제33대 대통령. 프랭클린 루스벨트의 뒤를 이은 그는 농민 출신 대통령이었다. 그는 국민을 당황스럽게 만들기도 했지만 뉴딜 정책을 계승하여 강력한 지도력을 발휘했다.

트루먼 대통령은 많은 유럽 국가들이 경제 원조를 필요로 한다는 것을 깨달았다. 제2차 세계 대전 때문에 많은 도시가 황폐해졌고, 많은 공장과 도로가 파괴되었다. 1948년, 미국은 서유럽의 재건을 위해 마셜 플랜(국무장관 조지 C. 마셜의 이름을 땄다.)이라는 거대한 계획에 착수했다. 마셜 플랜 아래 미국은 서유럽에서 재건 비용 수십억 달러를 썼다. 영국, 프랑스, 서독, 이탈리아에

power even farther. He called on the democratic countries to resist the spread of Soviet power and Communist ideas.

America's president, Harry Truman, agreed with Churchill. In 1947 he proclaimed the Truman Doctrine, which said that the United States would come to the aid of any country threatened by communism. The Truman Doctrine got its first test in Greece, where a Communist group was trying to overthrow the government. The United States sent Greece money to buy military equipment and American officers to work with the Greek Army. By late 1949 the Communists were defeated.

Truman realized that many European countries needed economic aid. Because of World War II, many cities were in ruins, and many factories and roads were destroyed. To help rebuild the economy of Western Europe, the United States began a great program in 1948 called the Marshall Plan (after Secretary of State George C. Marshall). Under the Marshall Plan, the United States spent billions of dollars to rebuild Western Europe. By giving so much money to countries like Britain, France, West Germany, and Italy the United States made many friends, and made sure that these countries would take America's side in case of a war against the Soviet Union.

The Cold War

The United States and the Soviet Union did engage in a

막대한 돈을 보냄으로써 미국은 많은 우방을 만들었다. 그리고 소련과 전쟁이 일어날 경우 이들 나라가 확실히 미국의 편에 설 수 있도록 만들었다.

냉전

미국과 소련은 일종의 전쟁 상태에 있었다. 그러나 이 전쟁은 제2차 세계 대전과는 너무 다른 것이었다. 그것은 총알과 포탄이 날아다니는 '뜨거운' 전쟁이 아니었다. 그렇지만 때로는 전쟁의 위기로 치닫기도 하는 길고 긴장된 적대적인 기간이었다. 우리는 1946년부터 1991년까지의 이러한 적대적인 기간을 냉전이라고 부른다.

냉전 기간 중 소련은 전 세계에서 공산주의 활동을 배후에서 조종하고, 공산주의자가 중국 및 다른 나라에서 정권을 잡도록 지원했다. 공산주의자들이 정권을 잡은 곳에서는 어디에서나, 그들은 국민들의 권리와 자유를 박탈한 엄격한 전체주의 정부를 수립했다.

한편 미국은 공산주의의 확대를 막아내려고 했다. 그래서 소련에 저항하려고 하는 나라를 지원했던 것이다. 미국이 지원해 준 대부분의 나라들은 민주주의 국가였다. 그러나 미국은 때로는 반소비에트, 반공산주의 국가라면 잔인한 독재 국가일지라도 돕기도 했다.

kind of war, but this conflict was very different from World War Ⅱ: it wasn't a "hot" war with bombs and bullets flying. Instead, it was a long, tense period of hostility that often came dangerously close to war. We call this period of hostility, from 1946 to 1991, the Cold War.

Throughout the Cold War, the Soviet Union encouraged Communist movements throughout the world, and helped Communists come to power in China and other nations. Everywhere Communists came to power, they set up harsh totalitarian governments that took away the rights and freedom of the people.

Meanwhile the United States tried to prevent the spread of communism. It helped countries that were determined to resist the Soviets. Often the countries the United States supported were democratic, but sometimes the United States supported brutal dictators as long as they were anti-Soviet and anti-Communist.

The "Military Industrial Complex" and the Nuclear Arms Race

During the Cold War the United States and the Soviet Union both built up huge military forces. The United States government spent more and more of its budget on defense: producing weapons, training troops, and making other preparations in case the Cold War should turn hot. Most Americans accepted this military buildup as necessary in

'군산 복합체'와 핵무기 개발 경쟁

냉전 기간 중 미국과 소련은 모두 거대한 군사력을 갖추었다. 미국 정부는 국방 예산을 점점 더 늘렸다. 냉전이 열전으로 변할 경우에 대비해서 무기 제조, 군사 훈련, 그 밖의 준비도 했다. 대부분의 미국인들은 군사력 증강을 미국과 동맹국들이 소련으로부터 방어하기 위해 필요한 것으로 받아들였다.

하지만 군이 무기와 군수품을 공급하는 기업과 함께 정부에 지나친 영향력을 행사하게 되는 것을 걱정하는 사람들도 있었다. 드와이트 아이젠하워도 그중 한 사람이었다. 그는 제2차 세계 대전 중 유럽에서 연합군을 지휘했던 인물이다. 아이젠하워는 미국인들의 영웅이었다. 그들은 그를 1952년에 대통령으로 선출했다. 그는 두 번의 대통령직을 역임하고 1961년에 집무실을 떠나면서 이른바 '군산 복합체'의 위험성을 지적하는 유명한 연설을 했다. 아이젠하워는 군과 군수 산업의 통합된 힘이 강해지면 언젠가는 미국의 민주주의 체제를 위협할지도 모른다고 경고했다.

그러나 냉전 시대에 가장 위협이 되었던 것은 핵전쟁의 위험이었다. 여러분도 알고 있듯이 미국은 최초의 원자 폭탄 개발 국가였고, 제2차 세계 대전을 끝내기 위해 두 발의 원자 폭탄을 일본에 떨어뜨렸다. 1949년, 미국인들은 소련이 원자 폭탄을 개발해 실험했다는 것을 알고는 충격을 받았다. 미국 과학자들은 소련 최초의 폭탄을 농담 삼아 '조 아이'(소련의 독재자 조세프 스탈린의 이름에서 딴 것)라고 불렀다. 하지만 이제 소련이 핵무기를 갖게 되었다는 사실은 더 이상 농담이 아니었다. 미국이 원자 폭탄을 가진 유일한 나라라면 소련은 미국과 동맹국을 상대로 전쟁을 벌이는 모험을 하지는 않을 것이다. 하지만 이제 소련도 원자 폭탄을 갖게 되었다. 미국인들은 소련이 미국이나 서유럽을 공격할까 봐 두려워했다.

order to protect the country and its allies from the Soviets.

But some people worried that the military, along with the businesses that provided it with weapons and supplies, were gaining too much influence over the government. One man who felt this way was Dwight Eisenhower, Who had led the Allied troops in Europe in World War Ⅱ. Eisenhower was such a hero to the American people that they elected him president in 1952. He served two terms, and when he left office in 1961 he gave a famous speech in which he pointed out the danger of what he called "the military-industrial complex." Eisenhower warned that the combined power of the military and the weapons industry could grow to someday threaten America' s democratic system.

The greatest threat of all in the Cold War years, however, was the danger of a nuclear war. The United States, as you know, had developed the first atomic bombs and dropped two on Japan to end World War Ⅱ. In 1949, Americans were shocked to learn that the Soviets had developed and tested an atomic bomb of their own. American scientists jokingly called the first Soviet bomb "Joe I" (after the first name of the Soviet dictator, Joseph Stalin). But the fact that the Soviets now had atomic weapons was no joke. As long as the United States was the only country with atomic weapon, the Soviets would not risk war with the United States or its allies. But now that the Soviets had atomic bombs as well, Americans feared that the Soviets might try to attack the United States or Western Europe.

드와이트 아이젠하워
1890~1969
제34대 대통령. 제2차 세계 대전 때 연합군 최고 사령관으로 노르망디 상륙 작전을 지휘해 승리로 이끌었다. 그는 아이크라고 불렸다. 국민들은 '나는 아이크를 사랑한다' 라는 슬로건으로 그를 지지했고, 1952년 대통령으로 선출했다.

트루먼 대통령은 미국은 더 강력한 핵무기를 만들 것이라고 선언했다. 그것은 수소 폭탄 또는 '수폭' 을 말하는 것이었다. 수소 폭탄은 핵분열(원자를 잘게 쪼개는 것)에 의해서가 아니라 융합(원자를 결합시키는 것)에 의해 폭발한다. 그 과정에서 지금까지의 원자 폭탄보다 훨씬 많은 에너지를 방출한다. 1954년, 태평양의 한 무인도에서 수소 폭탄 실험이 있었다. 그 위력은 히로시마에 떨어진 폭탄의 1,000배에 달하는 것이었다. 이 수소 폭탄은 뉴저지 주 크기의 지역에 살고 있는 사람 모두를 죽일 수 있을 정도의 방사능을 대기 중에 방출했다.

그러나 소련도 곧 바로 수소 폭탄을 만드는 비밀을 알아냈다. 이제 미국과 소련은 더 강력하고 더 효과 있는 핵무기를 만들어 상대방을 앞서 나가려고 했다. 이러한 과정은 '핵무기 개발 경쟁' 으로 알려졌다.

무기 개발 경쟁은 사람들의 일상생활에까지 영향을 미쳤다. 어떤 사람들은 땅을 파서 방공호를 만들기도 했다. 핵전쟁에서 살아남겠다는 것이었다. 오늘날 화재 예방 훈련을 하듯이 미국의 학교에서는 아이들이 핵공격에 대한 대피 훈련을 했다. 일상생활 속에서도 언제 무서운 파괴 물질이 하늘에서 떨어질지도 모른다고 걱정하고 있었다.

President Truman declared that America would build an even more powerful kind of nuclear weapon. This was to be the hydrogen bomb, or "H-bomb." The H-bomb would work by fusion (bringing atoms together) rather than by fission (splitting atoms apart). In the process it would release far more energy than the original atomic bomb. In 1954, an H-bomb was tested on a deserted island in the Pacific. It exploded with a force one thousand times as great as that of the bomb dropped on Hiroshima. This H-bomb released enough radiation into the air to kill every living person in an area the size of New Jersey.

In the meantime, however, the Soviets had also discovered the secret of making the H-bomb. From now on the Americans and the Soviets would try to stay ahead of each other by building more powerful and effective nuclear weapons. This process became known as the nuclear "arms race."

The arms race affected people even in their day-to-day lives. Some families dug deep in the ground to build bomb shelters, in which they hoped to survive a nuclear war. In American schools, just as you probably go through fire drills today, children would go through drills to practice what to do in case of a nuclear attack. Even as everyday life went on, there was always a lingering anxiety that, at any moment, terrible destruction could fall from the sky.

매카시즘

미국의 입장에서 보자면 1949년은 냉전의 최악의 한 해였다. 소련이 원자 폭탄을 개발했을 뿐만 아니라 세계에서 가장 많은 인구를 가진 중국에서 공산주의자들의 조직이 정권을 잡았던 것이다. 1950년 초, 한 영국인 과학자가 미국의 원자력에 관한 기밀을 소련에 팔아넘긴 죄로 체포되었다. 많은 미국인들은 의심이 점점 더 커지게 되었다. 미국 내에 있는 스파이나 배신자가 공산주의자들에게 도움을 주고 있을지도 모른다고 의심하게 되었다.

미국의 퇴행적인 분위기는 공포와 의심의 풍조를 만들어 냈다. 공화당의 상원의원인 조지프 매카시는 이 분위기를 이용하기로 결심했다. 매카시는 상원의원에 처음 당선되었는데, 다음에 다시 당선될 수 있을지 걱정하고 있었다. 그래서 자신을 유명해지게 만들려고 했다. 그는 미국 정부가 공산주의자 첩보원으로 가득 차 있다고 선언함으로써 유명해졌다.

1950년 2월에 매카시는 정부가 공산주의에 과감히 대처하지 않는다고 비난하는 연설을 했다. 그리고 종이 한 장을 머리 위로 흔들면서 말했다. "여기에 205명의 명단이 있다. 이들이 공산당원이라는 것은 국무장관도 알고 있는데, 이들은 여전히 국무성에서 일하며 정책을 만들어 내고 있다."

그것은 새빨간 거짓말이었다. 매카시는 그와 같은 명단을 가지고 있지도 않았다. 그가 흔들었던 종이에 실제 무엇이 적혀 있었는지는 아무도 모른다. 매카시는 자신의 지명도를 높이기만을 원했던 정직하지 못한 인간이었다. 그러나 매카시의 고발은 일부 사람들에게 의미 있는 것으로 받아들여졌다. 미국이 해외에서 공산주의자에게 진다면 그것은 외교를 담당하는 국무성이 공산주의자로 가득 차 있기 때문이라는 것이다.

McCarthyism

From the standpoint of the United States, 1949 was one of the worst years of the Cold War. Not only did the Soviets develop an atomic bomb, but a group of Communists took over the government of China, the most populous country in the world. Then early in 1950, a British scientist was arrested for selling America' s atomic secrets to the Soviet Union. Many Americans began to grow suspicious : perhaps the Communists were being helped by other spies and traitors within the United States.

America' s setbacks created a climate of fear and suspicion. A Republican senator named Joseph McCarthy decided to take advantage of this atmosphere. McCarthy had served one term as a senator and was worried that he might not be reelected. So he set out to make himself famous. He did this by declaring that the government of the United States was full of Communist agents.

In February 1950, McCarthy gave a speech in which he attacked the government for not standing up to communism. Then he waved a piece of paper over his head. He said, "I have here in my hand a list of 205 [people] who were known to the secretary of state as being members of the Communist Party and who, nevertheless, are still working and shaping policy in the State Department."

This was an outright lie. McCarthy had no such list. No one knows what was really on the piece of paper he waved.

매카시는 근거 없는 고발로 유명해졌고, 그래서 그는 더욱 터무니없이 고발했다. 1951년에 그는 국방장관이 정부를 전복시키려는 공산주의자들의 음모를 꾸민 우두머리였다고 말했다. 그 고발은 터무니없는 것이었다. 그러나 국방장관은 장관직을 그만두었다. 매카시는 장관직까지도 물러나게 하는 힘을 갖게 되었다.

매카시가 사람들을 공산주의자로 중상하는 방식을 '매카시즘'이라고 한다. 매카시만 이런 방식을 썼던 것은 아니었다. 매카시가 등장하기 전에도 공산주의자로 의심받는 사람들이 정부에서 쫓겨났다. 수많은 사람들이 정부 직책에서 해고되거나 사직을 강요받았다. 그들이 공산주의자라는 증거는 전혀 없었다. 이와 같은 공산주의자 사냥을 식민지 시대 미국의 마녀 사냥에 비유하는 사람들도 있었다. 그때는 많은 무고한 여자들이 '마녀'로 몰려 교수형에 처해지거나 감옥에 갇혔다.

1950년대 중반에 미국은 매카시즘에서 벗어났다. 1954년에 매카시는 미 육군이 공산주의자를 옹호하고 있다고 엉뚱한 고발을

조지프 매카시 1909~1957
그의 공산주의자 고발은 근거가 없었지만 냉전 중 국민의 불안과 불만이라는 시대적인 분위기에 맞아 떨어졌다. 그는 한때 대통령에 맞먹는 권세를 과시했다.

McCarthy was a dishonest man who only wanted publicity for himself, but to some people, McCarthy's charges seemed to make sense. If America was losing to the Communists abroad, perhaps it was because the State Department – which deals with foreign affairs – was full of Communists.

McCarthy found that his wild accusations made him popular, so he kept making wilder and wilder ones. In 1951 he said that the secretary of defense was at the head of a Communist plot to take over the government. The charge was ridiculous, but the secretary of defense quit his job. McCarthy had gained the power to ruin careers.

McCarthy's way of smearing people as Communists became known as "McCarthyism." He was not the only one to practice it. Even before McCarthy's rise, suspected Communists were kept out of government jobs. Thousands of people were fired or forced to resign from government positions. Often there was little or no evidence that they had Communist ties. Some people compared this hunt for Communists to the witch-hunts of colonial America, in which many innocent women were hanged or jailed for being "witches."

By the mid-1950s, though, America had turned against McCarthyism. In 1954 McCarthy came up with wild new charges against the U.S. Army which he said was protecting Communists. When the Senate held hearings on these charges, the hearings were shown on television, and most of the people watching were repelled by McCarthy. They realized now that he was a bully and a liar. The Senate

했다. 상원에서 열린 이 고발에 대한 청문회의 모습이 TV로 방영되었다. 이를 본 많은 사람들은 매카시에 대한 혐오감을 갖게 되었다. 사람들은 이제 그가 깡패이자 거짓말쟁이라는 사실을 깨닫게 되었다. 상원은 매카시를 규탄하는 결의안을 통과시켰다. 그리고 그가 속한 공화당도 그에게서 등을 돌렸다. 1952년에 공화당 후보로 대통령에 당선된 아이젠하워는 이제 '매카시즘'이 '과거의 것'이 되었다고 선언했다.

passed a resolution condemning McCathy, and his own Republican Party turned against him. Dwight Eisenhower, the Republican who had been elected president in 1952, declared that "McCarthyism" had become "McCarthywasim."

The Korean War Begins

The "Communists" McCarthy chased were mostly imaginary. But his witch-hunt was so popular partly because, in the early 1950s, the Cold War briefly turned hot when American troops fought against Communist forces in Korea.

Korea is a country that lies on a peninsula between China and Japan. It was one of the many Asian countries conquered by Japan before the Second World War. After the war the southern part of Korea was occupied by the United States, while the northern part was occupied by the Soviet Union. As they did in Eastern Europe, the Soviets set up a totalitarian government in North Korea.

In June 1950, the North Korean army suddenly invaded South Korea. The North Koreans quickly captured the South Korean capital of Seoul. Within weeks they had taken over all but the southern tip of the peninsula. President Truman declared, "The attack upon the Republic of Korea makes it plain beyond all doubt that the international Communist movement is prepared to use armed invasion to conquer independent nations." With the support of other countries in the United Nations, Truman decided to send American

한국 전쟁이 일어나다

매카시가 쫓아낸 '공산주의자들'은 대부분 허구에 불과했다. 하지만 그의 마녀 사냥이 인기가 있었던 이유 중 하나는 1950년대 초 미국이 한국에서 공산주의자 군대와 전쟁을 하면서 냉전이 열전으로 바뀌었던 데 있었다.

한국은 중국과 일본 사이에 있는 반도 국가이다. 제2차 세계 대전 전에는 일본의 지배를 받고 있던 많은 아시아 나라 중의 하나였다. 전쟁이 끝나고 한반도의 남부는 미국이 점령했고, 북부는 소련이 점령했다. 유럽에서 그랬던 것처럼, 소련은 북에 전체주의 정권을 세웠다.

1950년 6월, 북한군은 갑자기 남한을 공격했다. 북한은 남한의 수도인 서울을 재빨리 점령했다. 몇 주일도 안 되어서 북한군은 남부 일부를 제외한 한반도 대부분을 차지했다. 트루먼 대통령은 단언했다. "남한에 대한 공격은 국제 공산주의 운동이 독립 국가를 무장 침략해 정복하려는 것임이 분명하다." 트루만 대통령은 남한을 돕기 위해 유엔의 다른 나라들의 지원을 얻어 미군을 파견하기로 결정했다.

공산주의자의 침략 석 달 뒤, 대규모의 미군이 서울에 가까운 해안에 상륙했다. 미군과 북한군 사이의 격렬한 싸움 끝에 미군이 서울을 탈환했다. 미군이 내륙 깊숙이 진군해 나감에 따라 북한군은 후퇴하기 시작했다. 미군은 북한 지역까지 추격해 갔다.

북한군이 남한을 점령했던 것처럼 빠른 속도로 북한 지역은 미군에게 장악되었다. 10월 말 무렵, 미군은 북한과 중국의 국경까지 진격했다. 이제 바야흐로 남과 북의 두 나라가 미국을 지지하는 국가로 통일되는 것처럼 보였다. 그 순간 이와 같은 꿈을 깨는 일이 발생했다. 공산주의 중국이 전쟁에 개입했던 것이다.

troops to the aid of South Korea.

Three months after the Communist invasion, a large American force landed on the coast of Korea near Seoul. After savage fighting between American and North Korean troops, the city was recaptured by the American forces. As the Americans pushed farther inland, the North Koreans began to retreat. The Americans chased them back into North Korea itself.

Just as quickly as South Korea had fallen to the North Koreans, North Korea fell to the Americans. By the end of October, American troops had driven all the way to North Korea' s border with China. It seemed as if the two parts of Korea might now be united under a pro-American government. Then something happened that destroyed this hope – Communist China joined the war.

Korea : Heroism and Frustration

At the end of November 1950, the Chinese struck. Hundreds of thousands of Chinese troops came pouring into North Korea to attack the Americans. Badly outnumbered, the Americans were driven back down the peninsula.

At a place called the Chosin Reservoir, a force of American marines was completely surrounded by Chinese troops. In order to escape, the marines had to fight their way to the sea. For three weeks they trudged across rugged mountains in terrible winter weather. In some places the snow was two or three feet deep. Temperatures fell below zero. Water froze in

한국 : 영웅주의와 좌절

1950년 11월 말, 중국이 공격해 왔다. 수십만 명의 중국 군대가 미국을 공격하기 위해 북한 영내로 쏟아져 들어왔다. 수적으로 크게 열세인 미군은 한반도 아래로 밀려 내려갔다.

장진호라는 곳에서는 미 해병대 소속의 한 부대가 중국군에 완전히 포위되어 있었다. 이 해병대는 포위망을 뚫기 위해 바다까지 싸우면서 전진해 나가야 했다. 살을 에는 겨울 추위 속에서 험준한 바위산들을 가로질러 3주일 동안이나 느리게 전진해 나가야 했다. 눈이 2피트(약 60㎝)에서 3피트(약 90㎝)까지 쌓인 곳도 있었다. 기온은 영하였고, 수통의 물은 얼었다. 먹을 것 역시 얼어붙었다. 많은 병사들이 동상에 걸린 발로 절룩거렸다. 그러는 가운데서도 해병대는 중국군의 맹렬한 공격을 막아내고 있었다. 미 해병대는 용감하게 싸웠지만, 중국은 한 달도 지나지 않아서 미군을 남한까지 후퇴시켰다. 이제 전투는 남한과 북한의 경계 지역에서 계속되었다.

한국 전쟁
중국의 참전으로 전쟁은 교착 상태에 들어갔다. 1953년 7월에는 판문점에서 휴전 협정이 성립되었다. 이에 따라 미국 국내에서는 반공 의식이 강화되었고, 베트남 전쟁에 개입하게 된다. 사진은 한국 전쟁을 끝내기 위해 휴전 협정이 맺어졌던 판문점이다.

the men' s canteens; their food was too frozen to eat. Many men were crippled by frostbitten feet. All the while the marines were fighting off ferocious Chinese attacks. Despite the valiant efforts of the marines, within a month the Chinese had driven them back into South Korea. Fighting went on in the border area between the two Koreas.

The American commander, General Douglas MacArthur, was angry that the Chinese had driven his troops out of North Korea. He wanted the United States to attack China itself. President Truman refused to do so. He knew that by attacking China, America would risk war with China' s ally, the Soviet Union. Such a conflict might become World War Ⅲ – a world war even more terrible than the first two, since it would be fought with nuclear weapon.

By June 1951, the Korean War had become a stalemate. The Chinese could not break through into South Korea ; the Americans could not advance into North Korea. Fighting continued off and on until 1953, when a truce was signed. Even today Korea remains divided into two parts. Some Americans were frustrated that the war ended without a clear-cut victory. But others thought that the Korean War had been a success. The United States had stood up to Communist aggression while avoiding war with the Soviet Union.

A Decade of Prosperity

Despite the battles going on overseas, for most Americans at home the decade of the 1950s was a time of optimism and

미군 사령관 더글러스 맥아더 장군은 중국군이 미군을 북한에서 몰아낸 것에 화가 났다. 그는 미국이 중국 본토를 공격하기를 원했다. 트루먼 대통령은 그렇게 하는 것을 거부했다. 그는 만약 중국 본토를 공격하면 중국의 동맹국인 소련과 전쟁을 해야 할 위험이 있다는 것을 알고 있었다. 그렇게 되면 제3차 세계 대전이 벌어질지도 몰랐다. 그것은 핵무기의 사용으로 인해 이전의 두 차례에 걸친 세계 대전보다 훨씬 무서운 전쟁이 될지도 몰랐다.

1951년 6월, 한국 전쟁은 교착 상태에 들어갔다. 중국군은 더 이상 남한으로 진격할 수 없었다. 미군도 더 이상 북한으로 진격할 수 없었다. 전투는 간헐적으로 있었고, 1953년에 휴전 협정이 성립되었다. 한반도는 지금까지도 두 개의 국가로 나뉘어져 있다. 일부의 미국인들은 전쟁이 명확한 승리로 끝나지 않은 것에 실망했다. 다른 한편으로 한국 전쟁은 성공적이었다고 생각하는 사람들도 있었다. 미국이 소련과의 전쟁을 피하면서 공산주의자의 침략에 맞섰다는 것이었다.

번영의 10년

해외에서 계속된 전쟁에도 불구하고 국내의 많은 미국인들에게 1950년대의 10년은 낙관과 번영의 시기였다. 실제로 이 시기의 미국은 지구상에서 가장 번영하는 국가였다. 제2차 세계 대전은 유럽과 아시아의 경제에 큰 타격을 주었지만, 미국에게는 오히려 경제적 도움을 주었다. 전쟁은 미국을 대공황에서 벗어나게 해 주었고, 대부분의 미국인들을 직장으로 되돌아 갈 수 있게 해 주었다. 전쟁에 참가했던 다른 나라들과는 달리, 미국은 폭격을 당하거나 침입당하지 않았다. 그래서 도시와 도로와 공장을 다시 지을 필요가 없었다.

prosperity. In fact the United States in this period was by far the most prosperous nation on earth. The Second World War had hurt the economies of Europe and Asia, but it had helped the economy of the United States. It lifted the country out of the Depression, and put almost everybody back to work. Unlike the other nations that fought in the war the United States was not bombed or invaded and Americans did not have to rebuild their cities, roads, and factories.

During World War II Americans had little to spend money on. Most of the goods coming out of the factories were sent overseas for the soldiers. So the people at home worked and saved their money. After the war, they had lots of money saved and were ready to start buying things again. In the meantime, millions of fighting men were getting out of the service. After more than three years of war, they were eager to enjoy the things that they had been living without – things like cars, new houses, and electrical appliances. With all this demand for new goods, industry boomed.

The government helped as well. In 1944 Congress passed a law creating a "GI Bill of Rights." (A "GI" for "Government Issue," was slang for an American serviceman.) The GI Bill helped veterans finish their educations. When veterans enrolled in colleges or technical schools, the government paid their tuitions, the fees charged by the schools. Millions of veterans took advantage of this program ; many went to college who could not otherwise have afforded to do so. The new skills and knowledge they gained further strengthened the American economy.

제2차 세계 대전 동안 미국인들은 돈을 쓸 일이 거의 없었다. 공장에서 생산되는 대부분의 상품을 병사들을 위해 해외로 보냈다. 국내의 사람들은 일하여 번 돈을 저축했다. 전쟁이 끝나자, 그들은 저축한 돈을 많이 갖고 있었기 때문에 물건을 다시 살 준비가 되어 있었다. 한편 수백만 명의 병사가 병역을 마치고 돌아오고 있었다. 3년 이상의 전쟁이 끝나자, 그들은 그때까지 없이 살았던 자동차, 새 집, 가전제품 등을 갖고 싶어 했다. 이와 같은 새로운 상품에 대한 수요로 인해 산업은 활황기로 들어섰다.

정부 역시 이를 도왔다. 1944년, 의회는 '병사의 권리('GI' 라는 것은 'Government Issue' 의 머리글자로, 미국 군인을 뜻하는 속어이다)' 를 보장하는 법을 통과시켰다. 이 법은 퇴역 군인들이 교육을 마칠 수 있도록 도와주는 것이었다. 퇴역 군인들이 대학이나 전문학교에 입학하면 정부가 학교에서 요구하는 학비를 지불했다. 수백만 명의 퇴역 군인들이 이 프로그램을 이용했다. 돈이 여유가 없는 많은 사람들이 대학에 갔다. 그들이 배운 새로운 기술과 지식은 미국 경제를 더욱 강화시켰다.

GI 법은 퇴역 군인이 정부에서 돈을 빌려 집을 살 수 있게 해 주었다. 그렇게 함으로써 새로운 주택 수요를 자극했다. 곧 수백만 채의 주택이 미국 전역에 건설되었다. 1950년대 말에는 미국인의 60%가 자기 집을 갖게 되었다.

The GI Bill also helped veterans buy their own homes with loans from the government. By doing so, it fueled the demand for new housing. Soon millions of new homes were being built all over the country. By the end of the 1950s, 60 percent of Americans owned their own homes.

In the Suburbs and on the Road

Most of the new houses built after World War II were built not in large cities but in the surrounding areas, or suburbs. Soon most cities were surrounded by large, middleclass communities. The homes in the suburbs were often in "housing developments" where every house looked like every other house. Still, the suburbs gave more people a chance to own their own homes than ever before.

The growth of the suburbs affected American life in many ways. For one thing, it made the automobile even more important. Americans had always loved their cars, but now they really needed them to get around. Unlike the cities, the new suburbs usually had no mass transportation (buses or trains). By the end of the 1950s, three quarters of American families owned a car.

With so many more people traveling by car, the nation' s roads were getting too crowded. In 1956 Congress voted to build a vast system of interstate highways – roads of four lanes or more that would crisscross the country. The interstate highway program would be the largest building

교외와 도로

제2차 세계 대전 이후 지어진 대부분의 새로운 주택은 대도시가 아니라 주변 지역, 혹은 교외에 지어졌다. 곧 대부분의 도시는 대규모 중산층 사회로 둘러싸이게 되었다. 교외에 지어진 집들은 '택지 개발'을 통해 어느 집이나 같은 모양으로 되는 경우가 많았다. 이제 이전보다 더 많은 사람들이 자기 집을 가질 수 있게 되었다.

교외의 발전은 여러 면에서 미국인의 생활에 영향을 미쳤다. 그 중 하나는, 자동차가 더욱 중요해졌다는 것이다. 미국인들은 항상 자동차를 애호해 왔지만, 이제는 정말로 자동차는 그들이 돌아다니기 위한 필수품이 되었다. 도시에서와는 달리 새로이 형성된 교외에서는 대중교통 수단(버스나 열차)이 없었다. 1950년대 말, 미국인 가정의 $\frac{3}{4}$이 자동차를 갖고 있었다.

많은 사람들이 자동차로 여행을 하게 됨에 따라 도로가 혼잡해지기 시작했다. 1956년, 의회는 주 사이의 방대한 고속도로를 건설하는 것에 관한 결의안을 통과시켰다. 4차선 혹은 그 이상의 도로를 나라 안에 종횡으로 만드는 것이었다. 주 사이의 고속도로 건설 계획은 어느 정부도 시도한 적이 없는 사상 최대의 건설 계획이었다.

이제 미국인들은 대형 새 자동차로 새로 생긴 넓은 도로를 달리기 시작했다. 1950년대에는 자동차는 '신분의 상징', 과시하는 수단이 되었다. 사람들은 친구들보다 더 크고, 더 비싸고, 더 호화스런 자동차를 가지려고 했다. 자동차는 해마다 커졌고, 마침내 작은 보트의 크기로 되었다. 온갖 색깔의 기발한 모습의 자동차들이 등장했다. 금속으로 된 큰 물고기 같은 '꼬리 지느러미'를 단 자동차도 있었다. 미국의 자동차는 헨리 포드가 만든 싸고 평범한 검정색의 T형에서 크게 바뀌게 되었다.

program ever undertaken by any government.

Americans drove along their big new roads in big new cars. In the 1950s the automobile became a "status symbol," a way of showing off. People wanted to have larger, more expensive, more luxurious cars than their friends. Cars grew bigger every year, until they were the size of small boats. They came in every color of the rainbow and grew into strange new shapes – some had huge "tail fins" that made them look like giant metal fish. The American automobile had come a long way from Henry Ford's cheap, plain black Model T.

The TV Age begins

Automobiles were not the only machines Americans spent their money on. In the 1950s American homes were suddenly full of gadgets designed to make life easier – everything from high-powered washing machines to electric carving knives. Because of all the appliances Americans bought in the 1950s, the use of electricity tripled during the decade. But the gadget that really changed American life was the television set.

Scientists had been experimenting with TV since the 1920s. But it wasn't until the late 1940s that television technology really got off the ground. In the early 1950s, national broadcasting began, and suddenly everyone wanted to own a TV. By the mid-1950s, two thirds of American homes had a

TV 시대가 열리다

미국인들이 돈을 쓴 것은 자동차만이 아니었다. 1950년대 미국의 가정은 갑자기 고성능의 세탁기에서부터 고기 썰기용 전동 칼에 이르기까지 생활을 더욱 편리하게 만드는 도구들로 가득 차기 시작했다. 1950년대에 구입한 전기 제품 때문에 10년 동안 전력 소비가 세 배로 늘었다. 하지만 미국인의 생활을 진정 변화시킨 것은 텔레비젼이었다.

과학자들은 1920년대부터 TV에 관한 실험을 했었다. 하지만 실용화된 것은 1940년대 후반이었다. 1950년대 초에는 전국 방송이 시작되었고, 갑자기 모두 TV를 갖기를 원했다. 1950년대 중반 미국 가정의 $\frac{2}{3}$는 TV를 소유했다. 예전에 라디오 앞에 모였던 것처럼 이제 저녁이 되면 가족들이 TV 앞에 모였다. 곧 미국인들은 학교나 직장에서 보내는 것과 거의 같은 시간을 매일 TV를 보는 데 썼다!

많은 사람들이 TV에 대해 높은 기대를 걸었다. TV는 모든 가정에 온 세상을 가져다주겠다고 약속했다. 1940년대에 한 작가는 TV가 영화관, 박물관, 교육자, 신문 기자, 공연장, 일간 사진 잡지, 정치 집회와 토론의 장, 화랑, 오페라와 발레 극장 등을 모두 하나로 모아놓은 것이 될 것이라고 예언한 바 있다. 하지만 대부분의 미국인들은 오페라나 발레를 TV로 보기를 원하지는 않았다. 대부분의 인기 있는 프로그램은 시시한 코미디라든지, 아니면 탐정이나 카우보이의 모험을 그린 프로그램이었다. 일부 사람들은 TV를 '바보 상자' 라고 부르기 시작했다.

하지만 TV 프로그램 모두가 하찮은 것은 아니었다. TV 뉴스 프로그램 덕분에 사람들은 처음으로 역사의 현장을 지켜볼 수 있었다. 조지프 매카시는 TV를 통해 그가 거짓말쟁이이자 깡패처럼 보

set. Now in the evenings families gathered around the television as they used to gather around the radio. Soon Americans were spending almost as much time watching TV every day as they were spending at school or work!

Many people had high hopes for television ; it promised to bring the whole world into everyone' s home. In the 1940s, one writer predicted that a TV set would be "a combination movie theater, museum, educator, news reporter, playhouse, daily picture magazine, political forum and discussion center, ... art gallery, ... opera and ballet theater, plus a few other things rolled into one." But it turned out that most Americans were not very interested in watching things like opera and ballet on TV. The most popular shows were silly comedies, or shows about the adventures of detectives or cowboys. Some people began to refer to TV as the "boob tube."

But not everything on television was junk. Thanks to the news programs on TV, for the first time people could many watch history taking place. Joseph McCarthy suffered his downfall when TV showed him as a liar and a bully. Later, people would begin to support the civil rights movement after TV cameras showed shocking pictures of African-American demonstrators being attacked by police. In 1969 Americans felt proud as they gathered around their TV sets to watch the first American astronauts step onto the moon.

이게 되자 몰락할 수밖에 없었다. 나중에, TV 카메라가 아프리카계 미국인들의 시위대가 경찰의 공격을 받는 충격적인 장면을 보여 주자 사람들은 공민권 운동을 지지하기 시작했다. 1969년, 미국인들은 TV를 통해 미국인 우주 비행사가 처음으로 달에 내려 걷는 모습을 보며 자부심을 느꼈다.

'짐 크로우' 법

1950년대는 대부분의 미국인들에게 좋은 시대였지만 아프리카계 미국인들은 사회 전체적인 번영의 혜택을 받지 못했다.

미국의 역사가 시작된 이래 대부분의 흑인들은 남부의 주에 살고 있었다. 그들은 농장에서 일하는 노예로 온 것이었다. 1900년대에도 아프리카계 미국인의 $\frac{9}{10}$가 남부에 살고 있었다. 앞에서 보았

인종 차별
한 남자가 미시시피의 극장에서 유색인용 출입구라고 적힌 계단을 오르고 있다.

The "Jim Crow" Laws

While the 1950s were good times for most Americans, African-Americans did not enjoy the general prosperity.

From the beginnings of American history, most black people had lived in the Southern states where they had first been brought as slaves to work on plantations. In 1900, about nine tenths of all African-Americans lived in the South. Then, as we have seen, blacks, hoping to find new opportunities, began moving North around the time of World War Ⅰ. During and after World War Ⅱ, the stream of northward migration became a great flood. By 1950 almost one third of African-Americans were living outside the South. But many who went North were disappointed to find that they were still not treated as equals. If you had driven through most Northern suburbs in the 1950s, you would not have seen many black faces.

But it was the blacks who stayed behind in the South who were still the most oppressed. In the South, most black people were not allowed a basic right of American citizens : the right to vote. Southern whites used many tricks to keep African-Americans from voting. Sometimes African-Americans were told that they had to pay a "poll tax" in order to vote, a fee that most blacks were too poor to pay. At other times they were forced to take complicated tests that white voters did not have to take. And sometimes African-Americans were simply threatened with violence if they tried to vote.

듯이 흑인들은 새로운 기회를 찾기 위해 제1차 세계 대전을 전후로 해서 북부로 이주했다. 제2차 세계 대전 동안과 그 후에 북으로의 이주의 물결은 홍수와도 같았다. 1950년대까지 아프리카계 미국인의 거의 $\frac{1}{3}$이 남부 이외의 지역에 살게 되었다. 하지만 북부로 간 많은 사람들은 대등한 대우를 받지 못하는 것에 실망했다. 만약에 1950년대에 북부의 도시 근교의 주택 구역을 다녀봤다면 흑인들의 얼굴을 많이 볼 수는 없었을 것이다.

어떻든 가장 억압받고 있었던 사람들은 남부에 남아 있던 흑인들이었다. 남부에서는 대부분의 흑인들에게 투표권과 같은 미국 시민으로서의 기본권이 주어지지 않고 있었다. 남부의 백인들은 아프리카계 미국인들이 투표에 참여하지 못하도록 하기 위해 많은 술책을 쓰고 있었다. 아프리카계 미국인들이 투표에 참여하려면 '인두세'를 내야 하는 경우도 있었다. 그러나 대부분의 흑인들은 너무 가난해서 '인두세'를 낼 수 없었다. 어떤 경우에는 백인들은 볼 필요가 없는 복잡한 시험을 보게 하기도 했다. 아프리카계 미국인들이 선거에 참여하려고 하면 협박을 받는 경우도 종종 있었다.

더구나 남부에 있는 흑인들은 엄격한 인종 차별(격리) 제도로 억압받고 있었다. 흑인들은 백인들과 함께할 수 없었다. 그들은 모두 흑인 거주지에서만 살아야 했고, 흑인만 다니는 학교를 가야 했다. 사실 남부의 주들은 인종 차별을 위한 수백 가지의 법을 통과시켰다. 이 법들은 '짐 크로우' 법이라고 했다. ('짐 크로우'는 아프리카계 미국인을 모욕하는 속어이다.)

짐 크로우 법에 의하면 백인과 흑인은 버스나 열차에서 따로 앉아야 했다. 또 병원에서는 백인과 흑인 각각을 위한 별도의 공간을 두도록 했다. 백인과 흑인은 같은 스포츠 팀에서 경기할 수도 없었다. 물 마시는 곳이나 침실도 따로 두어야 했다. 남부의 모든 지역에서 공중 목욕탕에는 각각 '백인 전용'이나 '유색인용'이라 쓰인

Furthermore blacks in the South were held down by a rigid system of segregation (separation) of the races. Blacks were not allowed to mix with whites ; they had to live in all-black neighborhoods and go to all-black schools. In fact, the Southern states passed hundreds of laws designed to keep the races separate. Together these were known as "Jim Crow" laws. ("Jim Crow" was an insulting slang term for an African-American.)

Some Jim Crow laws said that whites and blacks had to be kept separate on buses and trains. Others said that hospitals had to have different sections for whites and blacks, or that whites and blacks could not play on the same sports teams. They could not even use the same water fountains or bathrooms. All over the South, public bathrooms were marked with signs saying "Whites Only" or "Colored." Some of the Jim Crow laws were simply ridiculous – one Alabama law said that no black person was allowed to play checkers with a white person!

But the laws were no laughing matter. They strictly limited the opportunities of African-Americans. Furthermore, they humiliated blacks by telling them they were too "inferior" to mix with white people. They created a system as oppressive and unjust as apartheid in South Africa. In the 1950s, African-Americans, anger at the Jim Crow laws fueled a great movement to end segregation in American life : the civil rights movement.

표시가 붙어 있었다. 그중에는 우스꽝스러운 것도 있었다. 앨라배마의 법은 흑인이 백인과 체커 게임을 하지 못하도록 했다.

하지만 이런 법들은 더 이상 웃어넘길 수 있는 것들이 아니었다. 법들은 아프리카계 미국인들의 기회를 엄격히 제한했다. 더구나 흑인은 너무 '열등'하기 때문에 백인과 함께할 수 없다고 하여 흑인들을 모욕했다. 이 법률들은 남아프리카의 아파르트헤이트처럼 억압적이고 공정하지 못했다. 1950년대에 짐 크로우에 대한 1950년대 아프리카계 미국인들의 분노는 미국인들의 생활 속에서 인종차별을 끝내기 위한 거대한 운동으로 발전했다. 그것은 바로 공민권 운동이었다.

로자 팍스와 몽고메리 버스 승차 거부 운동

1955년 12월 어느 날, 로자 팍스라는 한 아프리카계 미국인이 앨라배마 주 몽고메리에서 버스를 탔다. 몽고메리에 있는 모든 버스들처럼 백인들은 앞쪽에 앉았고, 흑인들은 뒤쪽에 앉았다. 팍스는 '백인 전용' 좌석 바로 뒤에 있는 줄의 자리에 앉았다 버스는 이미 혼잡한 상태였다.

로자 팍스
앨라배마 주 몽고메리의 경찰서에서 지문을 채취당하고 있는 로자 팍스. 재봉사였던 그녀의 용기 있는 행동이 큰 운동으로 이어져, 킹 목사라는 영웅을 탄생시켰다.

두 번째 정류장에서 몇 명의 백인들이 버스에 탔다.

Rosa Parks and the Montgomery Bus Boycott

One day in December 1955, an African-American woman named Rosa Parks got on a bus in Montgomery Alabama. As on all buses in Montgomery, white people were sitting in the front and black people in the back. Parks sat down in a row of seats just behind the "whites only" section. The bus was already crowded.

Two stops later, some more white people got on the bus. One of them couldn' t find a seat in the white section. So the bus driver called back to the four people sitting in the first "black" row, ordering them all out of the row so the white man could sit down. Three of the black passengers obeyed him. But the fourth – Rosa Parks – stayed in her seat. She was tired from a long day' s work, and she didn' t see why she had to stand up just so a white man could sit down. The driver called the police, who arrested Parks because she had broken the Jim Crow law which said that white and black bus passengers had to be separated.

African-Americans all over Montgomery admired Parks' s courage and were angered by her arrest. They decided to protest by boycotting the city' s bus system. African-Americans refused to ride the buses until black and white passengers were treated equally. Since most bus passengers in the city were blacky the boycott would cost the bus company a lot of money.

Still, the bus company refused to do away with its Jim

그중 한 명이 백인 전용석에 자리가 없어서 앉지 못했다. 그러자 버스 운전수가 뒤를 돌아보며 '흑인용' 좌석 줄에 앉아 있는 네 명의 흑인에게 백인이 앉을 수 있도록 자리에서 모두 일어나라고 소리쳤다. 네 명 중 세 명은 그 말에 따랐다. 하지만 네 번째 사람(로자 팍스)만은 자리에 앉아 있었다. 그녀는 하루 종일 일해서 매우 피곤했고, 백인이 앉기 위해 자신이 일어서야 할 이유를 알 수 없었다. 운전수가 경찰을 불렀다. 경찰은 백인 승객과 흑인 승객은 분리되어야 한다는 법을 어겼다는 이유로 팍스를 체포했다.

몽고메리의 아프리카계 미국인들은 모두 팍스의 용기를 칭찬했다. 그리고 그녀의 체포에 대해 분노했다. 그들은 시의 버스 제도를 거부해서 항의하기로 결의했다. 아프리카계 미국인들은 흑인 승객과 백인 승객이 동등하게 대우받을 때까지 버스 승차를 거부했다. 그 시의 버스 승객 대부분이 흑인들이었기 때문에 승차 거부는 버스 회사에 큰 손실을 안겨 주었다.

버스 회사는 여전히 짐 크로우 법의 폐지를 거부하고 있었다. 그러자 아프리카계 미국인들은 일 년이 넘게 승차 거부를 계속했다. 흑인들은 출근할 때 버스를 타는 대신 걷거나 흑인 소유의 택시를 이용했다. 승차 거부는 힘든 운동이었지만 몽고메리의 아프리카계 미국인들은 자신들의 권리를 찾기 위해 굳은 결의로 싸웠다.

1956년 12월, 승차 거부 운동이 시작된 지 일 년이 조금 지나서 미국 연방 대법원이 판결을 내렸다. 버스에서 인종 차별을 하고 있는 몽고메리의 방식은 헌법 위반이라는 것이었다. 몽고메리 시의 버스에서 인종 차별이 없어졌고, 승차 거부는 끝을 맺었다. 미국인들은 몽고메리의 아프리카계 미국인들의 결의에 감동을 받았다. 그들은 특히 승차 거부 운동을 이끌었던 젊은 흑인 목사인 마틴 루터 킹 박사에게 감동했다.

Crow rules. So African-Americans went on with the boycott for more than a year. Instead of taking the bus to work, black people walked or used taxis owned by blacks. The boycott was a hardship, but Montgomery' s African-Americans were determined to fight for their rights.

In December 1956, a little over a year after the boycott began, the U.S. Supreme Court made a decision. According to the court, Montgomery' s way of segregating buses went against the Constitution. The city' s buses had to be integrated ; the boycott was over. People all over the country were impressed by the determination of the African-American citizens of Montgomery. They were especially impressed by the young black minister who had led the boycott – Dr. Martin Luther King, Jr.

Martin Luther King, Jr

When he led the bus boycott, Martin Luther King, Jr. was only twenty-six years old. King had been born in Atlanta, Georgia, where his father was a minister. King himself became a minister while he was still a student at Morehouse College. Later he went to Boston University, where he received a Ph.D. (A Ph.D. is the highest degree a university can give. King was addressed as "Dr." [Doctor] King because that is the title given in someone who has a Ph.D.)

For several reasons, King would come to be considered the most important of all the civil rights leaders. He was

마틴 루터 킹

마틴 루터 킹이 승차 거부 운동을 이끌고 있을 때의 나이는 불과 26세였다. 킹은 아버지가 목사였던 조지아 주의 애틀랜타에서 태어났다. 킹은 모어하우스 대학에 다닐 때 이미 목사가 되었다. 뒤에 보스턴 대학에 가서 박사 학위를 받았다. (박사 학위는 대학에서 받을 수 있는 최고의 학위이다. 킹에게 '박사 킹' 이라는 호칭을 붙이는 것은 그가 박사 학위를 갖고 있기 때문이다.)

몇 가지 이유 때문에 킹은 가장 중요한 공민권 운동의 지도자로 간주되고 있다. 그는 고등 교육을 받은 대단한 웅변가였다. 그는 용기가 있었고, 대의를 위해서 감옥에 가는 것이나 죽음의 위험도 기꺼이 무릅썼다. 그러나 무엇보다도 그가 가진 높은 도덕적 이상 때문에 많은 지지자들이 생겼다. 그는 크리스트 교인으로서, '모든 사람을, 자신을 박해하는 사람까지도 사랑하라' 는 예수의 가르침을 따랐다. 그는 몽고메리에서 지지자들에게 다음과 같이 말했다.

"매일 체포되어도, 매일 착취당해도, 매일 짓밟혀도, 그들을 미워하지 말라. 우리는 사랑이라는 무기를 사용해야 한다."

킹이 이끈 운동은 비폭력으로 일관했다. 킹은 아프리카계 미국인들이 무기를 들어서는 안 되며, '소극적 저항' 이라는 방법을 사용해 불공평한 제도와 싸워나가야 한다고 했다. '소극적 저항' 이 뜻하는 것은 묵묵히, 하지만 의연하게 불공평한 법에 따르지 않는 것을 말했다. 로자 팍스가 버스에서 자리를 비키지 않았던 것이 바로 소극적 저항을 실천한 것이었다. 킹은 만약 많은 사람들이 소극적 저항을 실천한다면 불공평한 법이 바뀔 것이라고 생각했다.

소극적 저항의 효과적인 방법 중의 하나가 '연좌 시위' 였다. 1960년대 초, 네 명의 흑인 대학생이 노스캐롤라이나 주의 그린스

highly educated and a spellbinding speaker. He was courageous, willing to risk jail and even death for the sake of the cause. But perhaps above all, he attracted so many followers because of his high moral ideals. As a Christian, he followed the teachings of Jesus, which say that you should love everyone, even those who persecute you. To his followers in Montgomery he said :

If we are arrested every day, if we are exploited every day, if we are trampled over every day, don't ever let anyone pull you so low as to hate them. We must use the weapon of love.

The movement King led was strictly nonviolent. King said that African-Americans should not take up weapons, but should fight an unjust system by using the method of "passive resistance." Passive resistance meant quietly but firmly refusing to obey an unjust law. Rosa Parks was practicing passive resistance when she refused to get up from her seat on the bus. If enough people practiced passive resistance. King thought, the unjust laws would have to be changed.

One effective form of passive resistance was the "sit-in." In early 1960, four black college students sat down at a lunch counter in Greensboro, North Carolina. No one would wait on them, because only white customers were served there. Though the black students were taunted by white customers, they kept on sitting there until closing time. The next day a larger group of students' showed up

보로의 간이 식당에서 연좌 시위를 했다. 그곳은 백인들에게만 식사를 제공하는 곳으로, 아무도 그들을 받아 주지 않았다. 이 흑인 학생들은 백인 손님들의 조롱을 받았지만 문을 닫을 때까지 계속 앉아 있었다. 다음 날에는 더 많은 학생들이 '연좌' 했고, 그 다음 날에는 더 많은 학생들이 왔다.

다른 사람들도 학생들의 시위 소식을 듣게 되었다. 남부 전역에서 아프리카계 미국인들이 자신들을 손님으로 받아 주지 않는 식당과 가게에서 '연좌' 하기 시작했다. 시위자들은 '연좌' 를 함으로써 짐 크로우 법의 부당성을 호소했던 것이다. 마틴 루터 킹은 이 방식의 시위를 격려했다. 1960년 10월, 킹도 애틀랜타의 백화점에서 연좌 시위에 참여했다가 체포되었다.

to "sit in," and the day after that even more students came.

Other people heard of the students, demonstration. All over the South, African-Americans began to "sit in" at restaurants and stores that refused to serve them. By sitting in, the demonstrators were calling attention to the injustice of Jim Crow rules. Martin Luther King, Jr., encouraged this tactic. In October 1960, King himself was arrested for taking part in a sit-in at a department store in Atlanta.

King in Birmingham

In 1963, King led a campaign to end segregation in the large city of Birmingham, Alabama. King called Birmingham the most segregated city in America. The Birmingham police were notorious for their cruel treatment of African-Americans. When King came to Birmingham he led boycotts, sit-ins, and marches. Once he was arrested and thrown into jail for a week. But nothing would make him or his followers back down.

As the demonstrations went on week after week, the Birmingham police became more and more brutal. They started using fire hoses and police dogs to break up the marches. Snarling police dogs chased black men, Women, and children. Fire hoses shot powerful jets of water that knocked the marchers to the ground.

Pictures of segregationist whites cruelly mistreating the black people of Birmingham were printed in newspapers

버밍햄에서의 킹

1963년, 킹은 앨라배마 주의 버밍햄이라는 큰 도시에서 인종 차별을 없애자는 캠페인을 이끌었다. 킹은 버밍햄이 미국에서 가장 인종 차별이 심한 도시라고 보았다. 버밍햄의 경찰은 아프리카계 미국인을 잔인하게 다루는 것으로 악명이 높았다. 킹은 버밍햄에 가서 보이코트, 연좌, 행진을 이끌었다. 한번은 체포되어 감방에서 일주일을 보내기도 했다. 하지만 아무것도 그와 그의 지지자들을 가로막을 수 없었다.

시위는 몇 주 동안 계속되었고, 버밍햄의 경찰은 점점 더 잔인해졌다. 그들은 시위대를 해산시키기 위해 소방 호스와 경찰견을 사용하기 시작했다. 으르렁거리는 경찰견들이 흑인 남자, 여자, 아이들을 쫓아 왔다. 소방 호스는 물을 강력하게 분사해서 행진하는 사람들을 쓰러뜨렸다.

인종 차별주의자인 백인들이 버밍햄의 흑인들을 잔혹하게 다루는 사진들이 신문에 보도되고 TV 화면으로 전국으로 방송되었다. 이를 본 많은 미국인들이 백인들의 잔혹성을 비난하고, 평등한 권리를 요구하는 아프리카계 미국인들에게 공감하기 시작했다. 6주 만에 버밍햄 시는 대부분의 인종 차별을 없애는 데 동의했다. 킹과 그의 지지자들이 승리했다. 그들의 승리는 버밍햄을 넘어 확대되었다. 이제 인종을 불문하고 많은 미국인들이 과감한 새로운 법, 즉 인종 차별을 영원히 없애는 법이 통과되어야 한다고 확신했다.

워싱턴 행진

1963년 여름, 의회는 공민권 법이라는 완전히 새로운 법을 통과시키는 것에 관해 논의하고 있었다. 노동계 지도자인 필립 랜돌프는

and broadcast on TV screens around the nation. Outraged by what they saw, many Americans condemned the cruelty of the whites and began to sympathize with the African-Americans' demand for equal rights. Within six weeks, the city of Birmingham agreed to end most kinds of segregation : King and his followers had won. Their victory extended beyond Birmingham : now many Americans, of all races, were convinced that bold new laws should be passed – laws that would end segregation for good.

The March on Washington

In the summer of 1963, Congress was debating whether to pass a sweeping new law called the Civil Rights Act. The labor leader A. Philip Randolph planned a great "March on Washington" in support of the new law.

On August 28, 1963, the march took place in Washington, D.C. It was the largest demonstration ever held in the capital city. More than two hundred thousand people took part ; about one quarter of them were white. The marchers carried signs calling for an end to segregation and racism. As they marched, they sang, a spiritual "We Shall Overcome," the song of the civil rights movement :

We shall overcome,
We shall overcome,
We shall overcome,
Someday.

이 법에 찬성을 표시하기 위해 대규모 '워싱턴 행진'을 계획했다.

1963년 8월 28일, 워싱턴에서 행진이 시작되었다. 수도에서 열린 최대의 시위였다. 20만 명 이상이 참가했는데, 그중 $\frac{1}{4}$이 백인이었다. 시위대들은 인종 차별의 철폐를 요구하는 플래카드를 흔들었다. 그들은 행진하면서 공민권 운동의 노래였던 영가 '우리 승리하리라'를 불렀다

우리 승리하리라,
우리 승리하리라,
우리 승리하리라,
그 날에.
오오 한 마음으로,
나는 믿네,
우리 승리하리라,
그 날에.

워싱턴 행진
워싱턴 행진에 모인 거대한 청중 앞에서 마틴 루터 킹은 '나에게는 꿈이 있습니다'라는 역사적인 명연설을 했다.

Oh deep in my heart,
I do believe, that
We shall overcome
Someday.

At the end of the march, the demonstrators gathered at the Lincoln Memorial. The day was sunny and warm ; the mood of the great crowd was hopeful, even joyous. A number of civil rights leaders gave speeches. Then Martin Luther King, Jr., stood up to address the sea of faces. In a deep preacher' s voice, echoing Thomas Jefferson, he spoke these passionate words :

So I say to you, my friends, that even though we must face the difficulties of today and tomorrow, I still have a dream. It is a dream deeply rooted in the American dream that one day this nation will rise up and live out the true meaning of its creed – we hold these truths to be self-evident, that all men are crated equal....

I have a dream my four little children will one day live in a nation where they will not be judged by the color of their skin but by the content of their character. I have a dream today!

The people who heard King speak – including millions who watched it on TV – were overwhelmed by the power of his message. Today the words of King' s "I have a dream" speech are familiar to many Americans.

행진이 끝나고 시위대들은 링컨 기념비 앞에 집결했다. 날씨는 화창하고 더웠다. 거대한 군중의 분위기는 희망찼고, 즐겁기까지 했다. 많은 공민권 운동의 지도자들이 연설했다. 그리고 나서 마틴 루터 킹이 수많은 사람들 앞에서 연설하기 위해 연단에 섰다. 그는 장중한 설교자의 목소리로, 토머스 제퍼슨의 말을 인용하며 정열적인 연설을 했다.

"친구들이여, 우리는 오늘도 내일도 어려움과 마주해야 합니다. 하지만 나에게는 꿈이 있습니다. 그것은 언젠가 이 나라가 구렁텅이에서 빠져나와 믿음의 참된 의미를 실현하는 것입니다. 우리는 다음과 같은 진리를 명백한 것으로 생각합니다. 인간은 평등하게 태어났다는 것을…….

나에게는 꿈이 있습니다. 언젠가 나의 네 명의 아이들이 자신이 가진 피부색이 아니라 인격의 좋고 나쁨으로 판단되는 나라에 살게 되는 꿈입니다. 오늘, 나에게는 꿈이 있습니다."

킹의 연설을 들은 사람들은(TV로 지켜 본 수많은 사람들을 포함해서) 그가 전하는 메시지에 압도되었다. 킹 목사가 말한 '나에게는 꿈이 있습니다' 라는 연설 속의 말은 오늘날 많은 미국인들에게 친숙한 말이 되었다.

Chapter 7

UPHEAVAL IN THE SIXTIES

1960년대의 대변동

Chapter 7

UPHEAVAL IN THE SIXTIES

John F. Kennedy

In the 1960s, the United States had an inspiring young President, John F. Kennedy. Kennedy – who was only forty-three when he was elected in 1960 – was our youngest president ever. At his inauguration (the ceremonies that officially marked the beginning of his Presidency), he made a speech in which he promised fresh new leadership. "Let the word go forth," he said, "... that the torch has been passed to a new generation of Americans."

The youthful president was full of energy. "Vigor" was one of his favorite words. He was always on the move – giving speeches, handing down orders, talking to journalists, meeting with foreign leaders. He never seemed to slow down. At the end of one long day a journalist joked, "Kennedy did everything today but shinny up the Washington Monument."

Partly because of his youth, Kennedy was especially popular among young people. They responded to his call to serve the nation when he said, "Ask not what your country can do for you ; ask what you can do for your

제7장 1960년대의 대변동

존 F. 케네디

1960년대에 미국은 국민에게 활기를 불러일으키는 젊은 대통령 존 F. 케네디를 보게 되었다. 1960년 대통령에 당선되었을 때 불과 43세였던 케네디는 역대 최연소 대통령이었다. 취임식(대통령직이 시작되는 것을 공식적으로 밝히는 의식)에서 그는 신선한 새로운 지도력을 약속하는 연설을 했다.

"이 말을 선언한다. 횃불이 미국의 새로운 세대에게 넘겨졌다는 것을."

젊은 대통령은 에너지가 충만했다. '활력' 이라는 말은 그가 가장 좋아하는 단어 중 하나였다. 그는 연설을 하거나, 명령을 내리거나, 언론인과 대화하거나, 외국의 지도자를 만나거나 하는 모든 점에서 항상 활동적이었다. 속도를 늦추는 법이 결코 없었다. 긴 하루 일과를 마쳤을 때 한 언론인이 농담을 던졌다. "케네디는 워싱턴 기념탑을 기어오르는 일 빼고는 모두 오늘 한다."

그가 젊다는 것이 하나의 이유이겠지만, 케네디는 특히 젊은이들 사이에서 인기가 있었다. 그가 "나라가 당신에게 무엇을 해 줄 것인지를 묻지 말고 당신이 나라를 위해 무엇을 할 것인지를 물어라."고 말하면서 국가에 봉사하라고 호소했을 때, 젊은이들은 이에 호응했다. 수많은 이상주의적인 젊은이들이 평화 봉사단이라는 새로운 프로그램에 참가했다. 평화 봉사단원은 가난한 나라들, 특히

country." Hundreds of idealistic young people joined a new program called the Peace Corps. Peace Corps members went to work in poor countries, especially in Latin America and Africa, where they helped build schools, roads, and hospitals. They helped the people learn new and better ways of farming. They taught subjects like science and English in local schools. Peace Corps volunteers worked very hard for very little money and they made America many friends overseas.

The Cuban Missile Crisis

Although the Soviets and the Americans did not go to war over Berlin, an even more dangerous conflict arose over Cuba, an island in the Caribbean Sea only a hundred miles from Florida.

For many years Cuba had been ruled by a corrupt and oppressive government. Then in 1959, that government was overthrown by a revolution. The head of the revolutionaries, Fidel Castro, promised to bring democracy to Cuba. Instead he set up a Communist government and allied himself with the Soviet Union. Many Americans were worried that there was now a Communist country in the Western Hemisphere.

In October 1962, the U.S. government learned that the Soviets had set up bases in Cuba, equipped with missiles that could aim nuclear warheads at American cities. President Kennedy refused to tolerate this threat to the

라틴아메리카나 아프리카에 가서 학교, 도로, 병원의 건설을 지원했다. 그들은 사람들이 새롭고 더 나은 농업 기술을 배울 수 있도록 지원했다. 그들은 지방의 학교에서 과학과 영어 같은 과목을 가르쳤다. 평화 봉사단 지원자들은 매우 적은 돈을 받고도 열심히 일했으며, 해외에서 미국의 친구들을 많이 만들었다.

존 F. 케네디(오른쪽)와 동생 로버트 케네디

쿠바 미사일 위기

소련과 미국은 베를린을 놓고 전쟁을 벌이지는 않았는데, 가장 위험한 갈등이 쿠바에서 일어났다. 쿠바는 플로리다에서 100마일(약 160㎞)밖에 떨어져 있지 않은 카리브 해의 섬이다.

쿠바는 오랫동안 부패하고 억압적인 정권 아래 있었다. 그 정부는 1959년에 혁명에 의해 무너졌다. 혁명 지도자 피델 카스트로는 쿠바에 민주주의 정부를 세우겠다고 약속했다. 하지만 그는 약속과는 달리 쿠바에 공산주의 정부를 세웠고, 소련과 동맹을 맺었다. 많은 미국인들은 서반구에 공산주의 국가가 생긴 것에 대해 불안해했다.

1962년 10월, 미국 정부는 소련이 쿠바에 기지를 만들어 미국의 도시에 핵탄두를 겨냥할 수 있는 미사일을 배치한다는 사실을 알게 되었다. 케네디 대통령은 이와 같은 미국에 대한 위협을 참을 수 없었다. 그는 미 해군에 명령을 내려 소련 선박이 더 이상 미사일을 싣고 오지 못하도록 쿠바를 봉쇄하도록 했다. 동시에 있을지도 모를 쿠바의 공격에 대비하도록 미군에 지시했다.

United States. He ordered the U.S. Navy to set up a blockade around Cuba, so that Soviet ships could not bring in any more missiles. At the same time he ordered the U.S. armed forces to prepare for a possible invasion of the island.

For a few terrifying days it looked again as if the Soviets and Americans might finally go to war. People all over the world dreaded the coming of a nuclear World War Ⅲ. A large group of Russian ships was sailing to Cuba and would soon confront the ships of the U.S. blockade. The world held its breath.

Then the Soviet ships suddenly turned around and started home. When he learned of this, this American secretary of state said, "We' re eyeball to eyeball and I think the other fellow just blinked." The Soviets were backing down. Khrushchev wrote Kennedy a letter, offering to pull his missiles out of Cuba if Kennedy would end the blockade and agree not to invade the island. Soon the Soviets were packing up the missiles and leaving their bases.

The United States had faced down the Soviet Union, but only after the world had come to the brink of a terrible war. Beginning in 1963, the Americans and the Russians would work out a series of treaties designed to control the use of nuclear weapon. Partly because of these treaties, the United States and the Soviet Union never again came so close to war.

The Space Race Begins

In the 1960s the United States and the Soviet Union were

두려워했던 며칠 동안, 마치 미국과 소련이 마침내 전쟁을 벌이게 될지도 모르는 것처럼 보였다. 전 세계 사람들은 핵무기에 의한 제3차 세계 대전을 상상하며 두려움에 떨었다. 러시아의 대규모 함대가 쿠바를 향해 오면서 곧 바로 쿠바를 봉쇄하고 있는 미국의 배들과 마주하게 되었다. 전 세계가 숨을 죽였다.

그런데 갑자기 소련 함대가 방향을 돌려 돌아가기 시작했다. 미국의 국무장관이 이 사실을 알았을 때 "우리들은 험악한 눈초리로 얼굴을 맞대고 있었다. 그런데 상대방이 갑자기 눈을 감았다고 생각한다."라고 말했다. 소련은 후퇴하고 있었다. 흐루시초프는 케네디에게 편지를 썼다. 케네디가 봉쇄를 풀고 쿠바를 공격하지 않겠다는 데 동의한다면 쿠바로부터 미사일을 철수하겠다는 것이었다. 소련은 곧 바로 미사일을 거두어 기지를 떠났다.

미국이 소련을 굴복시켰지만, 그것은 세계가 두려워하는 전쟁의 갈림길에 서고 난 다음의 일이었다. 1963년 이후, 미국과 소련은 핵무기의 사용을 통제하는 조약들을 체결했다. 부분적으로는 이 조약들 때문에, 미국과 소련은 다시는 전쟁 상태로까지 가지는 않았다.

우주 개발 경쟁이 시작되다

1960년대에 미국과 소련은 덜 위험한 방식으로 경쟁하고 있었다. 그것은 바로 우주 탐사였다. 두 나라는 '우주 개발 경쟁'을 벌였는데, 소련이 출발에서 앞섰다. 1957년에 소련은 스푸트니크 1호라는 최초의 인공위성을 쏘아 올렸다. 그것은 농구공 두 배 크기의 작은 기계로, 로켓에 실려 발사되었다. 스푸트니크는 작은 달처럼 지구 주위를 돌기 시작했다. 소련은 이어서 몇 년에 걸쳐 몇 개의 인공위성을 더 쏘아 올렸다.

competing in another, less dangerous way – the exploration of outer space. They were engaged in a "space race" and the Soviets had a head start. In 1957, the Soviets had launched the first man-made satellite, known as Sputnik I , a little machine about twice the size of a basketball, Which they had shot into space on a rocket. Sputnik began orbiting the earth like a miniature moon. Over the next few years the Soviets sent up several more satellites.

Many Americans were concerned that the Russians seemed so far ahead of us in exploring space, and became especially worried when, in 1961, the Russians sent a man into space for the first time. President Kennedy immediately dedicated himself to putting America ahead in the space race. He asked Congress to allocate billions of dollars for the National Aeronautics and Space Administration (NASA). And he proposed an ambitious new plan. "I believe," he said, "that this nation should commit itself to achieving the goal, before this decade is out, of landing a man on the moon and returning him safely to earth."

Americans started training a group of military pilots to fly in space. These "astronauts" (a word meaning "star sailors") quickly made themselves heroes to the American people. In May 1961, Alan B. Shepard became the first American in space. "Boy, what a rider!" he said after he came down. An even greater hero was John Glenn, Who in February 1962 became the first American to orbit the earth. When he returned to earth, Glenn was given a great parade

많은 미국인들은 소련이 우주 탐사에서 훨씬 앞서가고 있는 것을 걱정했다. 특히 1961년에 소련이 처음으로 유인 우주선을 발사하자 더욱더 우려하게 되었다. 케네디 대통령은 즉시 우주 개발 경쟁에서 미국이 앞서나갈 수 있도록 하는 정책을 만들기 시작했다. 그는 미국 항공 우주국(NASA)에 수십억 달러의 예산을 배정해 달라고 의회에 요청했다. 그리고 야심찬 새로운 계획을 제안했다. 그는 말했다. "우리나라는 1960년대가 끝나기 전에 사람을 달에 착륙시켜 무사히 지구로 돌아오게 하는 목표를 확실히 달성할 것이다."

미국은 군대의 비행사들에게 우주 비행을 위한 훈련을 시작했다. 우주 비행사(별 항해사를 뜻하는 말)는 하루아침에 미국 국민들의 영웅이 되었다. 1961년 5월, 알란 B. 세퍼드가 미국인으로서는 처

달 착륙과 프론티어

1961년, 케네디 대통령은 1969년 말까지 미국인이 달에 갔다 온다는 장대한 계획을 발표했다. 엄청난 예산을 들여 계획은 진행되었고, 마침내 1969년 7월 20일에 세 사람의 우주 비행사를 태운 아폴로 11호 '콜럼비아(콜럼버스와 관련하여 지은 이름)'를 떠난 탐사선 '이글 Eagle'은 달 표면의 '고요의 바다'에 착륙했다.

하얀 우주복을 입은 비행사 암스트롱이 달 표면에 최초의 한 발을 내딛었다. 그는 미국 국기를 꽂았다. 이것은 달의 영유권을 주장하는 것은 아니었다. 달에 남겨두고 온 금속판에는 "1969년 7월, 혹성 지구에서 온 인간이 이곳에 처음 발을 디뎠다. 우리는 인류를 위해 평화적인 목적으로 왔다."라고 적혀 있었다.

미국 역사에서 프론티어라는 말은 노력하여 도달해야 할 이상을 뜻했다. 식민지 시대부터 서부 개척 시대까지 프론티어는 항상 지리상으로 서쪽에 있었다. 그러나 1890년대 미국의 국토 조사국은 이제 더 이상 개척해야 할 땅이 없다고 보고했다. 프론티어의 소멸이었다.

그러나 20세기가 되어 바다, 우주, 정치 문제 등 많은 분야에서 프론티어라는 말이 사용되게 되었다. 린드버그에게는 유럽으로의 무착륙 비행이 프론티어였다. 그리고 달 착륙 역시 케네디가 제창한 '뉴 프론티어'의 실현이었다.

in New York City. He was also invited to address Congress – an honor usually given only to leaders of foreign countries. Glenn was as famous as Charles Lindbergh after making the first solo flight across the Atlantic. Glenn later became a U.S. senator from his home state of Ohio.

The Assassination of Kennedy

On November 22, 1963, the country was shocked to learn that President Kennedy had been assassinated in Dallas, Texas, where he had gone to give a speech. He was riding in a convertible car with the top down when he was shot in the head. A government commission later concluded that the killer was a man named Lee Harvey Oswald. But, because Oswald himself was shot by an outraged citizen, no one knows for sure why he killed Kennedy.

Back in Washington the president was given a moving funeral. Almost everyone in America gathered around their televisions to watch and mourn. Kennedy' s coffin, guarded by soldiers, was drawn slowly through the streets on a caisson (a kind of cart) pulled by a horse. The horse, although it had no rider, wore a saddle. In the stirrups were a pair of empty boots – the ancient symbol of a fallen warrior.

Lyndon Johnson and the Great Society

After the assassination of Kennedy, his vice president, Lyndon Baines Johnson, became president. His

음으로 우주를 여행했다. 그는 귀환해서 다음과 같이 말했다. "야, 정말 멋진 비행이야!" 더 대단한 영웅은 존 글렌이었다. 1962년 2월에 그는 미국인으로서는 처음으로 지구 궤도를 일주했다. 그가 돌아왔을 때, 뉴욕에서는 대대적인 환영 행진이 벌어졌다. 그는 보통의 경우 외국의 지도자들에게만 주어지는 영예인 의회 연설에도 초청되었다. 그는 최초의 대서양 횡단 단독 비행에 성공한 직후의 찰스 린드버그만큼 유명해졌다. 그는 나중에 고향인 오하이오 주에서 상원의원이 되었다.

케네디 암살

1963년 11월 22일, 온 나라는 케네디 대통령이 연설을 위해 갔던 텍사스 주 댈러스에서 암살되었다는 소식에 충격에 빠졌다. 그는 달리고 있는 무개차에서 머리에 총을 맞았다. 나중에 정부 조사위원회는 살인범이 리 하비 오스왈드라는 남자였다고 결론을 내렸다. 하지만 오스왈드도 분노한 시민의 총에 맞아죽었기 때문에, 그가 왜 케네디를 죽였는지는 정확하게 알 수 없다.

워싱턴에서는 대통령을 위한 감동적인 장례식이 열렸다. 거의 모든 미국인들이 텔레비전 앞에 모여 장례식을 지켜보며 비탄에 빠졌다. 케네디의 시신을 넣은 관은 병사들의 호위를 받으며 말이 끄는 케이슨(수레의 일종)에 실려 천천히 앞으로 나아갔다. 말 위에는 아무도 타고 있지 않았지만 안장은 채워져 있었다. 등자(말에 오르기 위한 발 받침대)에는 한 켤레의 부츠가 올려져 있었다. 이것은 전사한 병사에 대한 고대 시대의 상징이었다.

background and personality were very different from Kennedy' s. Kennedy was from a wealthy Massachusetts family ; Johnson' s family were middle class Texans. Kennedy had gone to Harvard, the most famous university in the country ; Johnson went to a Texas college that few people had ever heard of. Kennedy enjoyed dressing in a fancy elegant way ; Johnson liked to wear cowboy hats and boots. Many of the people who had admired Kennedy disliked the new President.

Johnson cared deeply about the problems of America' s poor. He had first entered politics during the Depression years, during which he saw terrible poverty all around him in Texas and became a strong supporter of Franklin Roosevelt' s New Deal. When Johnson became president thirty years later, poverty was not nearly as widespread. But millions of Americans were still poor, and Johnson believed that a country as rich as the United States should make sure that everyone could share in its wealth. Government, he declared, should wage a "war on poverty."

In 1964 Johnson gave a speech to a group of college students. "In your time," he said, "we have the opportunity to move not only toward the rich society and the powerful society, but upward to the Great Society." The Great Society would be the name for Johnson' s own plan for change, a kind of new New Deal. When Johnson won the presidential election of 1964, he started to put his plan into effect.

Johnson set up many new antipoverty programs,

린든 존슨과 위대한 사회

케네디 암살 후, 부통령이었던 린든 베인스 존슨이 대통령에 취임했다. 그의 배경이나 성격은 케네디와 전혀 달랐다. 케네디는 매사추세츠의 부유한 가정 출신이었던 데 비해, 존슨은 중류 계급의 텍사스 사람이었다. 케네디는 미국에서 가장 유명한 대학인 하버드 출신이었지만, 존슨은 사람들이 거의 알지 못하는 텍사스에 있는 한 대학을 나왔다. 케네디는 색다르고 우아한 옷을 입기를 즐겼지만, 존슨은 카우보이 모자를 쓰고 부츠를 신는 것을 즐겨했다. 케네디를 숭배하고 있던 대부분의 사람들은 새 대통령을 좋아하지 않았다.

존슨은 미국의 빈곤 문제에 대해 매우 신경 쓰고 있었다. 그는 대공황 시기에 정계에 입문했다. 그때 그는 텍사스에서 자신의 주위 곳곳에서 심각한 가난을 보면서 프랭클린 루스벨트의 뉴딜 정책의 강력한 지지자가 되었다. 30년 뒤 존슨이 대통령이 되었을 때 가난은 그때만큼 만연되어 있지는 않았다. 하지만 여전히 많은 미국인들은 가난했다. 존슨은 미국처럼 부유한 나라라면 모든 사람들이 부를 공유해야 한다고 믿었다. 그는 정부가 '가난과의 전쟁'을 벌여야 한다고 선언했다.

린든 존슨 1908~1973
제36대 대통령. 공민권 법을 제정하고, '위대한 사회'라는 슬로건으로 업적을 남기기도 했지만, 베트남 전쟁의 실패로 물러났다. 사진은 베트남에 있는 미군 부대를 방문한 존슨의 모습이다.

1964년 존슨은 대학생들에게 한 연설에서 다음과 같이 말했다. "여러분들의 시대에, 우리

including a job-training program called the Job Corps, and a program to help people pay for decent housing. An educational program called Head Start was set up to help prepare young children from poor families for school.

Johnson and Civil Rights

When Johnson first became president, some African-Americans were not sure if they should trust him. After all, he was the first Southern president in a century, and African-Americans in the South were still fighting especially hard for their rights. But Johnson, who hated the racism he had seen while growing up in Texas, turned out to be a strong supporter of civil rights.

The two most important laws passed during Johnson' s presidency dealt with civil rights. The Civil Rights Act of 1964 made it illegal to discriminate against any person because of race, religion, Or the country a person' s family came from. After the Civil Rights Act, employers could not discriminate in hiring people. Labor unions could not discriminate in accepting members. Businesses like hotels and restaurants had to serve everyone who could afford to pay.

The country took another step toward equal rights with the passage of the Voting Rights Act of 1965. This law said that all citizens had the right to vote, and put an end to the many tricks that had been used to keep most Southern blacks from voting. If a state refused to let someone

는 부유한 사회나 강력한 사회만이 아니라 위대한 사회로 나아갈 기회를 가지고 있다." 위대한 사회라는 것은 변화를 위해 그가 만들어낸 이름이자, 새로운 종류의 뉴딜이었다. 존슨은 1964년에 다시 대통령에 당선되었을 때, 자신의 계획을 실행에 옮기기 시작했다.

그는 빈곤 퇴치를 위한 많은 새로운 계획을 수립했다. 즉, 직업 부대라고 불린 직업 훈련 프로그램 및 사람들이 건전한 가계를 꾸리도록 지원하는 프로그램 등이었다. '헤드 스타트' 라는 교육 프로그램은 빈곤 가정 자녀의 취학 준비를 지원하기 위해 만들어졌다.

존슨과 공민권

존슨이 처음 대통령이 되었을 때, 아프리카계 미국인들 중에는 그를 믿어야할지 확신하지 못하는 사람들이 있었다. 존슨은 1세기 만에 최초로 남부 출신 대통령이 되었다. 남부의 아프리카계 미국인들은 여전히 자신들의 권리를 찾기 위해 치열하게 투쟁하고 있었다. 존슨은 텍사스에서 성장기 때 보았던 인종 차별주의를 증오했다. 그는 공민권에 대한 확고한 옹호자임이 판명되었다.

존슨의 임기 중에 공민권에 관한 두 개의 중요한 법이 통과되었다. 1964년에 만들어진 공민권 법은 인종, 종교, 또는 가족의 출신지 때문에 사람을 차별하는 것은 위법이라고 규정했다. 공민권 법이 만들어진 뒤 고용주는 사람을 채용할 때 차별을 할 수 없게 되었다. 노동조합은 조합원을 받아들일 때 차별할 수 없게 되었다. 호텔이나 식당 같은 업체에서는 지불할 능력이 있는 사람이면 모두 받아야 했다.

미국은 1965년 선거권 법이 통과되어 평등권을 향해 한 걸음 더 나아가게 되었다. 이 법에 의하면, 모든 시민들은 선거권을 갖고

register to vote, then the federal government would sign that person up. Now African-Americans all over the country had the power of the ballot. In the next few years more and more African-Americans would be elected to office. In 1965 no American city had a black mayor, but by 1979 African-Americans were mayors in dozens of cities, including such large cities as Atlanta, Detroit, and Los Angeles.

The Civil Rights Movement Loses a Leader

In the mid-1960s, the civil rights movement was becoming divided. Like Malcolm X, some young blacks in the movement thought that equality was too slow in coming. They began to question Martin Luther King' s tactic of passive resistance. Like the Black Muslims, they questioned the goal of integration itself. More and more young blacks began to reject the goal of integration and instead to talk about "black power"

"Black power" meant different things to different people. To some, it meant that blacks should have complete control over their own communities. To others, it meant taking up arms in a violent revolution against whites. Martin Luther king was disturbed by this talk of black power. He urged African-Americans to use peaceful means, and to ally themselves with nonracist whites.

King went on with his work, leading peaceful protests

있으며, 대부분의 남부 흑인들의 투표를 막는 많은 술책들에 종지부를 찍었다. 만약 어떤 주가 누군가의 선거 등록을 거부하면 연방정부가 그 사람을 등록할 수 있게 했다. 이제 아프리카계 미국인들은 어디에서나 투표에 의한 힘을 갖게 되었다. 그 뒤 몇 년 동안 점점 더 많은 아프리카계 미국인들이 공직에 선출되었다. 1965년에는 미국의 어떤 도시에서도 흑인 시장이 없었지만, 1979년에는 애틀랜타, 디트로이트, 로스앤젤레스와 같은 대도시를 포함한 수십 개의 도시에서 아프리카계 미국인들이 시장이 되었다.

공민권 운동의 지도자를 잃다

1960년대 중반에 공민권 운동은 분열되고 있었다. 말콤 엑스와 같은 젊은 운동 세력들은 평등권의 확보가 너무 느리다고 생각하고 있었다. 그들은 마틴 루터 킹 방식의 소극적인 저항 전술에 의문을 품기 시작했다. 그들은 흑인 이슬람 교도처럼 인종 차별 철폐라는 목표 자체에 의문을 제기했다. 점점 더 많은 젊은 흑인들이 인종 차별 철폐라는 목표를 거부하고, 그 대신 '블랙 파워'에 관해서 이야기하기 시작했다.

블랙 파워는 사람들에 따라 그것이 갖는 의미가 달랐다. 어떤 사람에게는 흑인들이 자신들이 속한 사회에 대한 완전한 지배권을 갖는 것을 뜻했다. 어떤 사람들에게는 백인에 대한 폭력적인 혁명의 과정에서 무기를 장악하는 것을 뜻했다. 마틴 루터 킹은 블랙 파워를 주장하는 것에 대해 당혹감을 느꼈다. 그는 아프리카계 미국인들에게 평화적인 수단을 사용할 것과 인종 차별을 반대하는 백인들과 연대할 것을 촉구했다.

킹은 운동을 전개해 나갔고, 전국에서 평화적인 저항을 이끌었다. 그는 자신이 위험에 처해 있다는 것을 알고 있었다. 그와 그의

around the country. He knew that he was putting himself at risk. Although he and his followers were nonviolent, they faced violent people who were against the idea of civil rights. Several civil rights workers had been murdered in the early 1960s. For years King had a feeling that he, too, might be murdered. On the day President Kennedy was killed, King said to his wife, "This is what is going to happen to me."

In April 1968, King traveled to Memphis, Tennessee to lead a demonstration for equal pay for black workers. He told an audience that he knew he might not live much longer. And he referred to the Bible story of Moses, the ancient leader of the Jewish people. Moses had led his people on a long journey to the land God had promised to give them. But just before they reached the promised land, Moses died. Before he died, he glimpsed the land from the top of a mountain. In his speech King said :

Like anybody, I would like to live a long life.... But I'm not concerned about that now. I just want to do God's will. And He's allowed me to go up the mountain, and I've looked over, and I've seen the promised land. I may not get there with you. But I want you to know tonight, that we, as a people, will get to the promised land. And so I'm happy tonight. I'm not worried about anything. I'm not fearing any man.

말콤 엑스 1925~1965
흑인 해방 운동가. 말콤 엑스의 본명은 말콤 리틀이었는데, 리틀은 노예 시대의 선조에게 물려받은 이름이라고 해서 버리고 엑스를 썼다. 말콤은 4세 때 집이 불탔고, 6세 때 아버지가 백인들에 의해 살해당했다. 목사인 아버지가 흑인 해방을 주장했기 때문이었다고 한다.
10대 때는 마약에 빠졌고, 21세 때는 강도짓을 해서 7년 동안 감옥에서 보냈다. 감옥에 있는 동안 책을 탐독했다. 이슬람 교 집단인 브라크 무슬림에 공감하여, 출소 후 포교 활동을 시작했다. 독특한 풍모, 과격하고 명쾌한 언어 전달, 공격적인 연설 · 리듬 등으로 많은 신자들을 모았다. 백인 사회를 전면 부정하는 과격한 사상에서 출발하였으면서도 결국 모든 인종이 공존할 수 있는 사상을 모색하기 시작했지만 교단과 대립하여 연설 중에 암살당했다.

지지자들은 비폭력적이었지만, 공민권에 관한 생각이 다른 폭력적인 사람들과 부딪히고 있었다. 1960년대 초에 여러 명의 공민권 운동가들이 살해되었다. 킹은 몇 년 동안 자신 역시 살해될지도 모른다고 느끼고 있었다. 케네디 대통령이 암살되던 날, 킹은 아내에게 말했다. "이러한 일이 나에게도 일어날지 모른다."

1968년 4월, 킹은 흑인 노동자들에 대한 공평한 임금을 촉구하는 시위대를 이끌고 테네시 주의 멤피스에 갔다. 그는 청중들에게 자신의 목숨이 길지 않다는 것을 알고 있노라고 말했다. 그리고 성경에 나오는 고대 유대 민족의 지도자 모세의 이야기를 언급했다. 모세는 백성들을 하느님이 그들에게 주기로 약속한 땅으로 가는 긴 여행을 이끌었다. 그런데 그들이 약속의 땅에 도착하기 직전에 모세는 죽었다. 그는 죽기 전에 산꼭대기에 올라 그 땅을 바라보았다. 킹은 다음과 같이 연설했다.

"다른 사람들처럼 나도 오래 살고 싶다. 그러나 나는 지금 그런 것에 관심이 없다. 나는 하느님의 뜻에 따를 뿐이다. 하느님은 나에게 산에 오르기를 허락하셨고, 이제 나는 멀리 그 땅을 보았다.

The next day, as King stepped out of his motel room on his way to dinner, he was shot dead by an assassin. Now it was up to other leaders to finish his work – to lead their people into the "promised land" of equality.

The War in Vietnam

In the 1960s the United States got involved in a war in Asia that would turn out to be the longest war in the history of our country. The Vietnam War was a bloody and frustrating conflict. And, unlike World War II – which most Americans at home strongly supported – the Vietnam War sharply divided Americans and turned them against each other.

Vietnam is a country in southeastern Asia. Until 1954 it was a colony of France. In that year the French withdrew, leaving Vietnam divided (like Korea) into two countries – a Communist north and a non-Communist south. The North Vietnamese soon began trying to overthrow the government of South Vietnam by arming and training Communist guerrillas to fight the South Vietnamese military. ("Guerrillas" are fighters who are not part of a regular army. They usually fight in small groups and do not wear uniforms. They often pretend to be civilians until they get a chance to strike at their enemy. Many revolutionary groups have waged guerrilla warfare against governments they wanted to overthrow.)

In the early 1960s, President Kennedy sent thousands of

나는 여러분들과 함께 그곳에 갈 수 없을 것이다. 하지만 오늘 밤 여러분들에게 알리고 싶다. 우리가 약속의 땅에 도달할 것이라고. 오늘 밤 나는 너무 행복하다. 어떤 걱정거리도 없다. 어떤 사람도 두렵지 않다."

다음 날, 킹은 저녁 식사를 위해 모텔 방문을 나서는 순간 암살자의 총에 맞아 죽었다. 이제 차별 없는 '약속의 땅' 으로 사람들을 인도하는 그의 사명은 다른 지도자에게 맡겨졌다.

베트남 전쟁

1960년대에 미국은 아시아에서 벌어진 전쟁에 개입했다. 이 전쟁은 미국 역사상 가장 긴 전쟁이 되었다. 베트남 전쟁은 잔혹하고 좌절하게 하는 전쟁이었다. 그리고 국내에서 대다수의 미국인들이 강력하게 지지하는 가운데 벌어진 제2차 세계 대전과는 달리 베트남 전쟁은 미국인들을 분명하게 갈라놓았고, 서로를 적대적으로 만들었다.

베트남은 동남아시아에 있는 나라이다. 1954년까지는 프랑스의 식민지였다. 베트남은 1954년 프랑스가 철수하자 (한국처럼) 두 개의 나라로 나누어졌다. 북쪽은 공산주의자 정권이, 남쪽은 비공산주의자 정권이 들어섰다. 북베트남은 곧 바로 공산주의자 게릴라를 무장시키고 훈련시켜 남베트남 군대와 싸우게 해 남베트남 정권을 무너뜨리려 했다. ('게릴라' 는 정규군이 아닌 병사들을 말한다. 그들은 항상 소규모로 싸우며, 군복도 입지 않는다. 그들은 종종 적을 공격할 기회를 얻을 때까지는 일반 시민인 척한다. 많은 혁명 조직들이 자신들이 타도하려는 정부에 대해 게릴라전을 전개해 왔다.)

1960년대 초, 케네디 대통령은 남베트남에 수천 명의 미군 병사

American soldiers to South Vietnam. They were called "advisers," and the American government said their goal was to train and advise South Vietnamese troops. But more than advice would be needed. The Communist guerrillas, known as the Vietcong, were tough and determined. By early 1965 it looked as though they might overthrow the government.

President Johnson was unwilling to let this happen. He believed that if South Vietnam fell to Communism, so would other nations in the area, opening the way for Communist China to dominate all of eastern Asia, as the Soviet Union dominated Eastern Europe. So Johnson decided to throw the whole weight of American power into the defense of South Vietnam. In 1965 he ordered two hundred thousand American troops into the country and sent the American air force to start bombing North Vietnam.

At first most Americans believed that the bombing of North Vietnam would end the war within a few weeks. Instead, it made the Communists fight back more fiercely. Soon North Vietnam's own soldiers, as well as the Vietcong guerrillas, were fighting in the South. The United States stepped up the bombing and sent more and more troops. By 1968 there were over half a million American soldiers in South Vietnam.

The Americans had much more powerful weapons than the Communists, so although thousands of Americans were being killed, they were killing many more of the enemy. Still the Vietcong and the North Vietnamese showed no sign of backing down. They were dedicated soldiers who believed

베트남 전쟁
1961년, 케네디가 군사 고문단을 파견하면서부터 1973년에 닉슨이 철수를 결정할 때까지 계속된 미국 역사상 가장 긴 전쟁이었다. 전쟁의 장기화와 함께 전쟁 확대의 계기가 되었던 통킹 만 사건이 오보였다고 알려지고, 미군의 '미라이 촌 학살 사건'이 밝혀지자, 미국 국내에서는 격렬한 반전 운동이 일어났다. 사진은 워싱턴에 있는 베트남전 기념비이다. 이 기념비는 베트남전에서 죽은 사람들을 기념하기 위해 세워졌다.

를 보냈다. 그들은 '고문단'이라고 불렸다. 미국 정부는 그들의 목표가 남베트남 군대를 훈련시키고 자문해 주는 것이라 했다. 하지만 실제로 필요한 것은 자문 이상의 것이었다. 베트콩으로 알려진 공산주의자 게릴라들은 불굴의 신념을 갖고 있었다. 1965년 초에는 남베트남 정부를 전복시킬 것처럼 보였다.

존슨 대통령은 그런 사태가 일어나지 않기를 바랐다. 만약 남베트남이 공산주의에 무너진다면 그 지역의 다른 나라들도 그런 운명을 맞게 될 것이고, 소련이 동유럽을 지배하게 된 것처럼 공산주의 중국이 동아시아 지역의 모든 나라를 지배하게 될 길을 열어 주게 될 것이라고 믿었다. 그래서 존슨은 남베트남을 방어하는 데 미국의 온 힘을 쏟기로 했다. 1965년, 그는 20만 명의 미군을 베트남에 파병하고, 공군을 보내 북베트남을 폭격하기 시작했다.

처음에 대다수 미국인들은 북베트남에 대한 폭격으로 전쟁은 몇 주만 지나면 끝날 것이라고 믿고 있었다. 그러나 폭격은 공산주의자들의 치열한 반격을 불러일으켰다. 이제 베트콩 게릴라들뿐만 아니라 북베트남 정규군까지 남베트남에서 싸우게 되었다. 미국은 폭격을 강화하고 더 많은 군대를 보냈다. 1968년에는 남베트남에

they were fighting for their country. Their Communist leaders had told them that the Americans, like the French, wanted to rule Vietnam as colonizers.

The American soldiers fought well, but it was a difficult war for them, unlike any war American soldiers had ever fought. In the world wars and in Korea, there was always a "front line," where soldiers clashed with the enemy. But there was no front line in vietnam, except when Americans fought North Vietnamese units head-on. Most of the time the enemy hid in the jungle or disguised himself as a civilian. He seemed to be everywhere and nowhere. Sometimes "he" was even a young woman or an old man. An American officer remembered :

You never knew who was the enemy and who was the friend.... Here's a woman of twenty-two or twenty-three.... [S]he watches your men walk down a trail and get killed or wounded by a booby trap. She knows the booby trap is there, but she doesn't warn them. Maybe she planted it herself.... The enemy was all around you.

The War at Home : Hawks and Doves

As the years wore on and more Americans died in Vietnam, people at home grew more and more frustrated. A bitter argument arose between two groups of Americans. The "hawks" thought that the United States should keep fighting, and the "doves" thought that we should bring our troops

50만 명 이상의 미군이 있었다.

미국은 공산주의자들보다 훨씬 강력한 무기들을 갖고 있었다. 그래서 미군이 수천 명 정도 희생된다고 해도 더 많은 적을 죽일 수 있다는 것이었다. 하지만 베트콩과 북베트남 군대가 물러설 조짐은 보이지 않았다. 그들은 자신들이 나라를 위해 싸운다고 믿는 헌신적인 병사들이었다. 공산주의 지도자들은 그들에게 프랑스와 마찬가지로 미국도 베트남을 식민지로 만들려 한다고 말했다.

미국의 병사들은 잘 싸웠다. 하지만 베트남 전쟁은 그들이 경험했던 어떤 전쟁보다 힘든 전쟁이었다. 세계 대전과 한국 전쟁에서는 병사들이 적과 마주하는 '전선' 이라는 것이 항상 있었다. 하지만 베트남에서는 미군이 북베트남과 정면으로 맞부딪힐 때를 제외하고는 전선이 따로 없었다. 대부분의 경우 적은 정글에 숨어 있거나 민간인으로 위장하고 있었다. 어디에나 있는 듯 했지만 어디에도 없었다. 때로는 젊은 여성이거나 노인이기도 했다. 한 미군 장교는 다음과 같이 회상했다.

"누가 적인지 누가 우리 편인지 알 수 없다.…… 22~23세쯤 되어 보이는 한 여자가 있다. 그(녀)는 미군 병사가 좁은 길을 걷다가 지뢰를 밟아 죽거나 부상당하는 것을 지켜본다. 그녀는 지뢰가 그곳에 있다는 것을 알고 있지만 알려 주지는 않는다. 어쩌면 그녀가 직접 묻어 놓은 것인지도 모른다.…… 주위에는 적들뿐이다."

국내에서의 전쟁 : 매파와 비둘기파

해가 갈수록 더 많은 미국인들이 베트남에서 죽어가자 미국 국내의 미국인들은 좌절감이 더욱 더 깊어져 갔다. 미국은 두 개의 그룹으로 나뉘어져 격렬한 논쟁이 일어났다. '매파' 는 미국은 계속

home. The hawks argued that the United States was fighting to save a small weak country from communism. The most extreme hawks thought that we should invade and conquer North Vietnam. The doves argued that we had gotten invoked in a civil war that was none of our business. The most extreme doves thought that the Communist cause was just, and that the Communists should rule all Vietnam.

Antiwar feelings were especially strong on college campuses. Many college students felt that the money spent on the war should be used to fight poverty and racism at home. Also, college students were the right age to be drafted and required to serve in the armed forces. Those who were against the war did not want to be forced to fight in it. Demonstrations against the war broke out at colleges across the country. Sometimes these demonstrations turned violent : students burned buildings and threw rocks at police. The police responded by beating up students.

One student uprising ended in tragedy. In May 1970, there were violent demonstrations at Kent State University in Ohio. The National Guard – a group of citizen-soldiers who serve part time – was called in to protect the campus. A crowd of students started throwing rocks at the guardsmen. Although the soldiers were in no real danger, they had little experience in this kind of confrontation, so they panicked and fired into the crowd. Fifteen students were shot, and four of them died. The deaths at Kent State shocked the country and turned more people against the war.

싸워야 한다고 생각했다. 그러나 '비둘기파'는 군대를 철수해야 한다고 생각했다. 매파는 작고 약한 나라를 공산주의로부터 구하기 위해 싸우고 있다고 주장했다. 가장 과격한 매파는 북베트남을 침략해 정복해야 한다고 생각하기까지 했다. 이에 비해 비둘기파는 미국이 간섭할 이유가 전혀 없는 내전에 개입해 있다고 주장했다. 극단적인 비둘기파는 공산주의자의 대의가 옳으며 그들이 베트남 전체를 지배해야 한다고 생각하기까지 했다.

반전 감정은 특히 대학 캠퍼스에서 강했다. 많은 대학생들이 전쟁에 쏟아 붓는 돈을 국내의 가난과 인종 차별을 없애는 데 써야 한다고 생각했다. 대학생들은 법적으로 징집될 나이였고, 병역에 복무할 것을 요구받고 있었다. 전쟁에 반대하는 사람들은 전쟁터에 끌려가는 것을 원치 않았다. 반전 시위가 전국의 대학에서 일어났다. 때로는 이 시위들은 폭력적으로 변하기도 했다. 학생들은 건물을 불태우고 경찰을 향해 돌을 던졌다. 경찰은 학생들에게 폭력으로 맞섰다.

우드스탁

1960년대는 히피라고 불린 젊은이들의 시대였다. 그들은 기존의 도덕관과 생활양식에 반항하고, 수염과 머리를 길게 기르고, 록 음악과 동양적 명상을 즐겼다. 1969년 8월 뉴욕 주 우드스탁 근교에 있는 베델 평원에서 3일 동안에 걸친 야외 콘서트를 보기 위해 30만 명에서 40만 명을 헤아리는 젊은이들이 모였다.
당시에는 미국 안팎에서 베트남 전쟁의 정당성이 큰 문제로 떠올랐다. 그런 분위기 속에서 세계 평화를 기원하는 마음을 음악에 맡겨 함께 부르고 함께 춤추었다는 역사적인 축제가 열렸다. 영국과 미국의 많은 유명 뮤지션들이 모두 출연료도 받지 않고 참가했다.
청중들은 옷을 발가벗고 춤을 추거나 사랑을 나누는 등 다양한 모습을 보였지만, 폭동을 일으키지는 않았다. 비가 내려 진흙탕 속에서도 그들은 3일 동안 음악을 즐겼다. 그들은 욕심 많은 물질주의적인 나라 미국에서 벗어나는 길을 택했다. 머리와 수염을 길게 기르고, 대마초를 피우며 경쟁 사회를 거부했다. 그 뒤 그들이 어떻게 되었는지는 알 수 없다. 우선 사회의 주류 바깥으로 나오는 것이 먼저였다.
이 시대의 음악을 대표하는 것은 비틀즈였지만, 록 음악에 대한 열광, 그리고 동양적인 것에의 심취 등 관심이 있으면 거리낌 없이 자신을 바꾸어 나가는 것이 그들의 특징이었다.

The Vietnam War Ends

In 1968, Richard M. Nixon took office as president of the United States. One of his first actions was to announce that he would "wind down" the war. This meant that he would slowly withdraw American troops. Like President Johnson, he was determined that the Communists not take over South Vietnam. So even as he was bringing soldiers home, he was stepping up the bombing of North Vietnam. He hoped that the bombing would convince the Communists that the costs of the war were too high.

In January 1973, the North Vietnamese finally signed a cease-fire with the Americans. Two months later, the last American troops came home. In over a decade of fighting, some forty-seven thousand Americans had been killed in action.

In spite of the cease-fire, the Communists did not give up their plan to conquer the South. Soon shooting broke out again between the Communists and South Vietnam' s own army, which had been trained and armed by the Americans. For two years the South Vietnamese fought on alone, but finally they were no match for the Communists. In April 1975, the North Vietnamese army captured the South Vietnamese capital of Saigon.

The war was over but times were still hard for the Vietnamese. The war had wrecked the economy of the country. And the Communists took revenge on their old enemies, sending South Vietnamese soldiers and officials to prison camps. Over the next few years hundreds of

한 학생 시위는 비극적인 결과를 낳았다. 1970년 5월, 오하이오 주의 켄트 주립대학에서 격렬한 시위가 벌어졌다. 캠퍼스를 지키기 위해 비정규의 민병 집단인 국립 경비대가 동원되었다. 학생 시위대가 경비대를 향해 돌을 던지기 시작했다. 경비대 병사들은 실제로 위험한 상태는 아니었다. 그러나 그들은 이런 시위를 막아본 경험이 없었기 때문에 혼란에 빠져 군중을 향해 발포했다. 15명의 학생이 총에 맞아 4명이 죽었다. 켄트 주립대학에서의 학생들의 죽음은 전국에 충격을 주었고, 더 많은 사람들을 전쟁에 반대하게 만들었다.

베트남 전쟁이 끝나다

1968년, 리처드 M. 닉슨이 미국의 대통령이 되었다. 그가 취한 첫 번째 조치는 전쟁을 '축소'한다고 선언한 것이었다. 이것은 그가 미군을 천천히 철수시키겠다는 것을 의미했다. 존슨 대통령처럼 그도 공산주의자들이 남베트남을 차지하게 해서는 안 된다고 결정했다. 그래서 군대를 철수하면서도 북베트남에 대한 폭격은 강화했다. 그는 폭격이 전쟁의 대가가 혹독하다는 것을 공산주의자들에게 인식시킬 것이라고 생각했다.

1973년 1월, 북베트남은 마침내 미국과의 정전 협정에 조인했다. 두 달 뒤에는 마지막 미군 부대가 미국으로 돌아왔다. 10년 이상 계속된 전쟁으로 약 47,000명의 미국인이 전사했다.

정전 협정이 체결되었지만 공산주의자들은 남베트남을 정복하려는 자신들의 계획을 포기하지 않았다. 얼마 지나지 않아 공산주의자들과 미군에 의해 훈련되고 무장된 남베트남 군대 사이에 총격전이 일어났다. 남베트남 군대는 약 2년 동안 단독으로 싸웠다. 그러나 그들은 공산주의자들의 상대가 되지 못했다. 1975년 4월,

thousands of Vietnamese would leave their country, fleeing the poverty and oppression. The Communists had made it illegal for them to leave, so they had to sneak out of the country. Often crammed together on small, overcrowded fishing boats, they braved the dangers of the open sea. Many of the refugees were drowned when storms sank their boats. Those "boat people" who survived landed in nearby Asian countries like Thailand or Malaysia. From there, some made their way to the United States, and many have become American citizens.

Watergate and the Fall of Richard Nixon

In the early 1970s, the American government was being shaken by a great crisis. For the first time an American President would be forced to resign from office in disgrace.

In 1972, President Richard Nixon ran for reelection as a Republican. Of course the Democratic Party wanted their own candidate to become president. Then in June 1972, five men were arrested in Washington, D.C., for breaking into a Democratic Party office in a building called the Watergate. But these were no ordinary burglars. They were working for a group that was trying to get Nixon reelected. They had broken into the office hoping to find information that would embarrass the Democrats.

At first the American public was not aware of any connection between the Watergate burglars and the people trying to reelect Nixon. Nixon was reelected in

북베트남 군대가 남베트남의 수도인 사이공을 점령했다.

전쟁이 끝났지만 베트남 인들에게는 고통스런 시기였다. 전쟁은 나라의 경제를 파괴했다. 공산주의자들은 자신들과 오랫동안 적이었던 사람들에게 복수했다. 그들은 남베트남의 병사와 관리 들을 포로수용소에 보냈던 것이다. 이후 몇 년 동안 수십만 명의 베트남 사람들이 가난과 억압에서 벗어나기 위해 고국을 떠났다. 공산주의자들이 국외 탈출을 불법으로 했기 때문에 그들은 몰래 탈출할 수밖에 없었다. 그들은 종종 작은 어선에 초만원이 되어 의지할 데 없는 바다로 나가는 위험을 감수했다. 폭풍으로 배가 침몰하여 많은 난민들이 물에 빠져 죽었다. 살아남은 이들 '보트 피플'은 태국이나 말레이시아와 같은 아시아의 이웃 나라에 상륙했다. 거기서 일부는 미국으로 가서 미국 시민이 되었다.

워터게이트 사건과 닉슨의 사임

1970년대 초, 미국의 정부는 큰 위기를 맞아 흔들리고 있었다. 미국의 대통령이 처음으로 불명예스럽게 대통령직에서 물러나야 했다.

1972년, 닉슨 대통령은 공화당 후보로 재선에 나섰다. 민주당은 당연히 민주당의 후보가 당선되기를 원했다. 그런데 1972년, 워터게이트라는 빌딩에 있는 민주당 사무실에 침입한 죄로 워싱턴 D.C.에서 5명이 체포되는 사건이 발생했다. 그러나 이들은 보통의 도둑이 아니었다. 그들은 닉슨의 재선을 위해 일하는 집단의 소속이었다. 그들은 민주당을 궁지에 몰아넣을 정보를 찾아내기 위해 사무실에 침입한 것이었다.

처음에 미국 시민들은 워터게이트의 침입자와 닉슨을 재선시키려는 사람들 사이의 관계를 몰랐다. 닉슨은 1972년 11월에 재선되

November of 1972. But in the following months, the Watergate break-in became a giant political scandal. It turned out that the same group of burglars had been involved in other break-ins. They had stolen personal papers from the president's opponents and put taps on their phones. They had committed serious crimes in an effort to get the president reelected.

We still don't know if Nixon himself ordered these crimes. But in an effort to protect himself and people who worked for him, Nixon did try to stop the investigation of the crimes. By doing so, he was committing another serious crime, called "obstruction of justice." Congress investigated, and it gradually became clear that there were a number of corrupt officials in the Nixon White House.

The investigation went on for two years. Finally, the House of Representatives drew up articles of impeachment against the president. To "impeach" someone is to charge him with serious wrongdoing. According to the Constitution, only the House of Representatives can impeach the president. An impeached president must then be tried in the Senate. Only one American president, Andrew Johnson, has ever gone through such a trial, and he was found not guilty.

The first article of impeachment charged that "Richard M. Nixon has acted in a manner contrary to his trust as President and subversive of constitutional government." Nixon denied committing any crime, but to avoid being

리처드 닉슨 1913~1994
제37대 대통령, 내정에서는 두드러진 성과가 없었지만, 키신저와 함께 한 외교 정책에서는 베이징과 모스크바를 방문하는 등의 유연한 실용 노선을 만들어 낸 것으로 평가되고 있다.

었다. 그런데 이후 몇 달 사이에 워터게이트 침입 사건은 큰 정치 스캔들로 비화되었다. 그 침입자들이 다른 침입 사건에도 관여했다는 것이 밝혀진 것이다. 그들은 대통령의 정적으로부터 사적인 서류를 훔치고, 전화에 도청 장치를 설치했던 것이다. 그들은 대통령의 재선 운동에서 중대한 범죄를 범했던 것이다.

닉슨이 직접 지시를 한 것인지는 여전히 알 수 없다. 하지만 닉슨은 자신과 자신을 위해 일하는 사람들을 방어하는 과정에서 그 사건에 관한 조사를 중단시키려 했다. 그럼으로써 그는 '사법 방해' 라는 다른 중대한 범죄를 저질렀다. 의회가 조사했고, 닉슨의 백악관 내에 부패한 관리가 많다는 것이 밝혀졌다.

조사는 2년 동안 진행되었다. 마침내 하원이 대통령을 탄핵 소추하는 문서를 작성했다. 누구를 '탄핵' 한다는 것은 중대 범죄로 그를 고발하는 것이다. 헌법에 의하면, 하원만 대통령을 탄핵 소추할 수 있다. 그리고 탄핵 소추된 대통령은 상원에서 심리하게 된다. 그 전에 앤드류 잭슨이 심리를 받은 유일한 미국의 대통령이었는데, 그는 무죄가 확정되었다.

탄핵서의 제1항은 "리처드 닉슨은 대통령으로서 지켜야 할 믿음에 반하고 입헌 정치를 파괴하는 행동을 했다."고 고발하고 있다. 닉슨은 모든 범죄를 부인했지만, 탄핵을 피하기 위해 1974년 8월에 사직했다. 그의 뒤를 이어 부통령이었던 제럴드 포드가 대통령

impeached, he resigned from office in August 1974. He was succeeded by his vice president, Gerald Ford.

Because of the Watergate scandal, some people became mistrustful of American government and saw the system as completely corrupt. But other people thought just the opposite. They said that Nixon's removal from office proved that the American system worked. After all it was one of the Founding Fathers' most basic principles that ours is "a government of laws, not of men." And Watergate showed that no one, not even the president, is above the law.

The Women's Liberation Movement

In the 1960s and 1970s, the feminist movement was reborn in America. "Feminism" is the idea that women should have the same rights and opportunities as men. All through the nineteenth and early twentieth centuries, American women had struggled to win such basic rights as the right to vote. When women finally won the right to vote in 1920, many people thought that women had achieved equal standing with men. But this was not yet true.

Women still had fewer opportunities than men. Men were taught that they could be almost anything they wanted to be. A man knew that he could become a soldier, a teacher, a mechanic, a doctor, an artist or any one of a hundred other things. But women had been trained to believe that their most important goal was to marry and

이 되었다.

워터게이트 스캔들 때문에, 사람들은 미국 정부를 불신하게 되었고, 제도가 완전히 부패했다고 생각했다. 그렇게 생각하지 않는 사람들도 있었다. 닉슨이 사임으로 내몰린 것은 미국의 제도가 제대로 작동하고 있는 증거라는 것이었다. 결국 '통치하는 것은 법이지 사람이 아니다' 라고 하는 것은 건국의 아버지들이 만들어 놓은 가장 기본적인 원칙의 하나였다. 그리고 워터게이트는 어떤 사람도, 비록 대통령일지라도 법 위에 군림할 수 없다는 것을 보여 주었다.

여성 해방 운동

1960년대와 1970년대에 페미니스트 운동이 미국에 다시 등장했다. '페미니즘' 은 여성도 남성과 같은 권리를 가져야 한다는 사상이다. 19세기와 20세기 초에 미국의 여성들은 선거권과 같은 기본적인 권리를 얻기 위해 투쟁해 왔다. 1920년에 마침내 여성이 선거권을 얻게 되자, 많은 사람들이 여성이 남성과 동등한 지위를 얻게 되었다고 생각했다. 하지만 그것은 아직 진실이 아니었다.

여성들은 여전히 남성에 비해 기회가 적었다. 남성들은 되고자 하는 어떤 것도 될 수 있다고 배웠다. 군인, 교사, 기술자, 의사, 예술가, 그 밖에 무엇이든 될 수 있다는 것을 알았다. 하지만 여성들은 결혼하여 자식을 기르는 일이 가장 중요한 목표라고 믿도록 교육받았다. 대부분의 남자와 여자들은 "여자가 머무를 곳은 집이다."라는 오랜 격언을 믿었다.

1963년, 베티 프리단이라는 페미니스트가 '여성의 신비' 라는 책을 냈다. 그녀는 이 책에서 많은 미국의 여성들은 자신들의 재능과

raise children. Most men and women tended to believe the old saying, "A woman' s place is in the home."

In 1963, a feminist named Betty Friedan published a book called "The Feminine Mystique". In her book, Friedan argued that many American women were unhappy because they were not allowed to develop their talents and interests. American girls received educations that opened their minds and made them want to take an active part in the world, but when they grew up, they were told that the only thing they should do was take care of a home. According to Friedan, this "housewife trap" made many women frustrated and angry.

Friedan and other feminists also pointed out that when women did work outside the home, they were discriminated against. Usually they could find jobs only in fields where most of the workers were women, like nursing and elementary school teaching. These were hard and important jobs, but they did not pay well, and some men looked down on them as "women' s work." And even when a woman did get a job in a "man' s" field, she was usually paid less than the men she worked with.

Soon more and more women were drawn to feminism, or the "women' s liberation" movement, as it was now called. In 1966, Friedan and other feminists founded a group called NOW. The name had a double meaning ; it stood for the National Organization for Women, but it also meant that women were tired of waiting, that they wanted

베티 프리단 1921~2006
프리단은 가족에 의한 여성의 구속과 사회의 남녀 차별에 의해 생긴 '만들어진 여성다움'을 비판하고, 정치, 경제, 사회 모두를 변화시켜야 한다고 주장했다.

취미를 발전시키는 것이 허락되어 있지 않기 때문에 불행하다고 주장했다. 미국의 소녀들은 마음을 열고 세상에 적극적으로 참여하고 싶도록 교육을 받지만, 어른이 되고 나서는 가정을 돌봐야 한다는 말을 듣게 된다. 프리단에 의하면 이 '주부라는 덫' 이 많은 여성들을 좌절시키고 화나게 만든다는 것이다.

또 프리단을 비롯한 다른 페미니스트들은 여성이 집 밖에서 일할 때 차별당하고 있다는 점을 지적했다. 여성들은 간호사나 초등학교 교사와 같이 대부분의 노동자가 여성인 곳에서만 일자리를 구할 수 있는 것이 보통이었다. 이 일들은 힘들고도 중요한 일이지만, 보수는 적고, '여자들의 일' 이라며 천시하는 남자들도 있었다. 그리고 심지어 여자가 '남자 직업' 을 갖게 되더라도 같이 일하는 남자보다 보수가 적은 경우가 보통이었다.

얼마 지나지 않아 그때까지 '여성 해방' 운동이라 불렀던 페미니즘은 점점 더 많은 여성들을 끌어들이게 되었다. 1966년, 프리단을 비롯한 다른 페미니스트들은 'NOW' 라 부르는 단체를 결성했다. 이 이름은 두 가지 뜻을 갖고 있었다. '전미 여성 기구' 라는 뜻과 함께, 여성들은 이제 기다림에 지쳐 '지금 당장' 남녀 평등을 실현하겠다는 뜻도 갖고 있었다. 'NOW' 는 곧 전국에 수많은 회원을 갖게 되었다.

equality with men now. NOW soon had thousands of members all over the country.

A Birthday Party

On July 4, 1976, the United States celebrated its two-hundredth birthday. Many visitors came to Philadelphia, where the Declaration of Independence had been signed on July 4, 1776. Among the visitors was the Queen of England, the great-great-great-great-granddaughter of King George Ⅲ. At 2 P.M., the Liberty Bell was struck softly with a rubber mallet. (It had to be struck softly so the crack in it wouldn' t get any bigger.) At the same moment, all over the nation church bells started ringing. It was a joyous sound.

The nation had come through two hundred years. The way was not easy and the last few years had been especially difficult. The civil rights movement had forced Americans to face the racism in their midst. The Vietnam War had divided Americans against each other, and ended tragically for America' s friends in vietnam. The Watergate scandal had caused some people to lose faith in the American government. But in many other ways, Americans continued to work together – as they still do – to ensure, as Martin Luther King, Jr., said, "that one day this nation will rise up and live out the true meaning of its creed ... that all men are created equal."

On this two-hundredth birthday, Americans wanted to

독립 기념일

1976년 7월 4일, 미국은 200주년 독립 기념일을 축하했다. 이날 많은 방문객이 필라델피아를 찾았다. 그곳은 1776년 7월 4일 독립 선언에 서명했던 곳이었다. 방문객 중에는 영국 왕 조지 3세로부터

자유의 여신상

뉴욕 항의 리버티 섬에 서 있는 '자유의 여신상.' 미국 독립 100주년을 축하하고, 미국과 프랑스의 우호의 표시로서 프랑스가 기증한 것이다. 왼손에 독립 선언서를 들고, 오른손에는 횃불을 높이 들고 있다. 정식 명칭은 '세계를 밝히는 자유 Liverty Enlightening the World' 이다. 1984년에 세계 유산으로 등록되었다.

아메리카 이주자들을 태웠던 배가 뉴욕 항에 들어설 때 바로 보이는 것으로, 자신들의 앞날에 자유와 희망이 가득 차기를 바라며 가슴 설레게 했던 것이다. 받침대에는 '새로운 거인 The New Colossus' 이라는 시가 적혀 있다. "피곤한 사람, 가난한 사람, 자유를 찾는 사람을 내 밑으로 보내라"라고 하는 구대륙을 향한 호소로 시작하여, "나는 황금의 문 옆에서 횃불을 들고 있다"로 끝을 맺고 있다.

높이는 46.05m, 받침대를 포함하면 93m나 된다. 청동으로 만들어 무게가 225톤이나 된다. 받침대 부분은 아메리카 이주민들의 역사 박물관으로 운영되고 있다. 조각가 바르톨디가 만들었는데, 에펠 탑을 만든 에펠도 제작에 참여했다. 프랑스에서 만들어 분해한 다음 배에 실어 미국에 운반되어 재조립되었다. 1886년 10월 28일에 제막식이 열렸다. 사진은 1976년 7월 4일 미국 독립 200주년 기념일에 벌어진 불꽃놀이가 자유 여신상을 밝히고 있는 모습이다.

celebrate both their pride in accomplishments of the past and their hopes for achievements yet to come. In New York City, millions of people came together to watch a spectacular sight : over two hundred ships from more than thirty nations swept into New York Harbor and up the Hudson River. Many of these were stately, Old-fashioned "tall ships," with the sun dazzling off their sails.

It was a beautiful sight. It was also a reminder – a reminder of the many difficult voyages at the end of which lay a place, and an idea, called America. For the Jamestown settlers, the Ellis Island immigrants, the Vietnamese "boat people," and many others, America was a dream at the end of a hard journey by sea. As the tall ships sailed up the Hudson, they passed the Statue of Liberty, still raising her lamp "beside the golden door."

6대째의 손녀에 해당하는 영국 여왕도 있었다. 오후 2시에 자유의 종을 고무로 된 방망이로 부드럽게 쳤다. (종 속에 생긴 균열이 더 이상 커지지 않도록 가볍게 쳐야만 했다.) 그 순간 전국의 교회 종이 울리기 시작했다. 그것은 기쁨이 넘치는 소리였다.

미국은 200년을 거쳐 왔다. 미국이 지나온 길은 평탄하지 않았고, 지난 수년간은 특히 어려웠다. 한창 때에 미국인들은 공민권 운동으로 인종 차별에 맞서야 했다. 베트남 전쟁 때문에 미국인은 갈라져 서로 대립했으며, 베트남에 있던 미국의 친구들은 비극적인 결과를 맛보았다. 워터게이트 사건으로 일부 국민들은 미국 정부를 불신하게 되었다. 하지만 다른 여러 면에서 미국인들은 단결해서 협력해 왔고, 지금도 그렇게 하고 있다. 그것은 마틴 루터 킹이 다음과 같이 말했던 것을 실현하는 것이기도 하다. "언젠가 이 나라가 일어서서…… 모든 인간은 평등하게 태어났다는…… 신념의 참된 의미를 실현하는 것입니다."

이 200번째의 생일에 미국인들은 과거의 공적에 대한 자부심과 앞으로 성취할 희망에 대해 축하했다. 뉴욕에서는 수백만 명의 사람들이 장엄한 광경을 지켜보았다. 30개가 넘는 나라에서 2백 척이 넘는 배가 뉴욕 항에 들어와 허드슨 강을 거슬러 올라갔다. 배들은 위엄 있었고, 옛날 풍의 '대형 범선' 이었다. 배의 돛은 햇빛에 반짝였다.

아름다운 광경이었다. 또 그것은 아메리카라는 땅과 이상에 간신히 다다른 고난의 항해를 떠올리는 것이었다. 제임스타운 이주자들, 엘리스 섬 이민자들, 베트남의 '보트 피플', 그리고 많은 다른 사람들에게 미국은 고난의 항해 끝에 도달한 꿈이었다. 허드슨 강을 거슬러 올라가는 대형 범선은 '황금의 문 옆' 에 횃불을 들고 서 있는 자유의 여신상을 지나가고 있었다.

미국 교과서로 영어 공부하기

미국의 역사

1판 1쇄 발행_ 2007년 12월 15일

저 자 _ E.D.Hirsch, Jr.
편역자 _ 신준수
펴낸곳 _ 도서출판 역사넷
펴낸이 _ 신준수
편 집 _ 박종권
디자인 _ 김정윤

등록번호 _ 제10-1932호
등록일자 _ 2000. 3. 3

주 소 _ 서울시 마포구 합정동 413-16 영광빌딩 3층
전 화 _ 02-326-2337(편집부)
031-955-0567(영업부)
팩 스 _ 02-336-2337(편집부)
블로그 _ http://blog.naver.com/historiesnet
e-mail_ historiesnet@naver.com

ISBN _ 978-89-89876-40-3